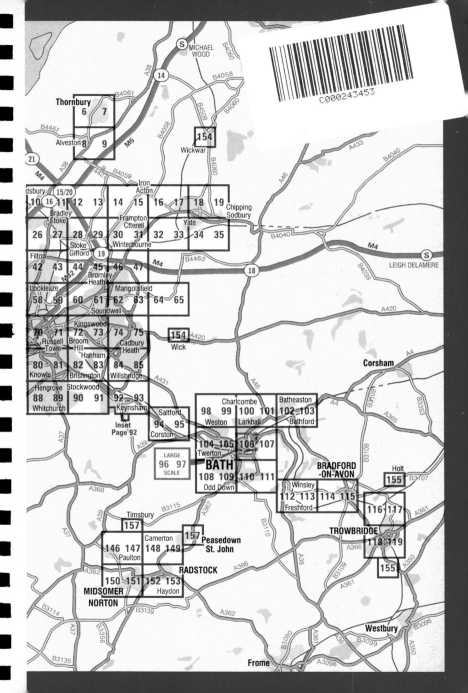

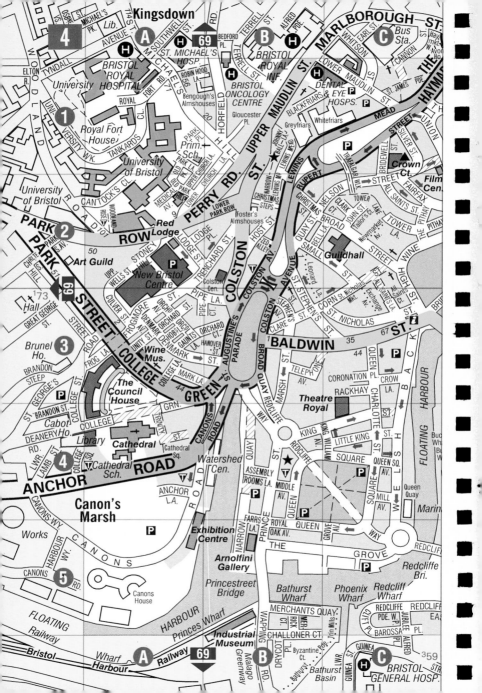

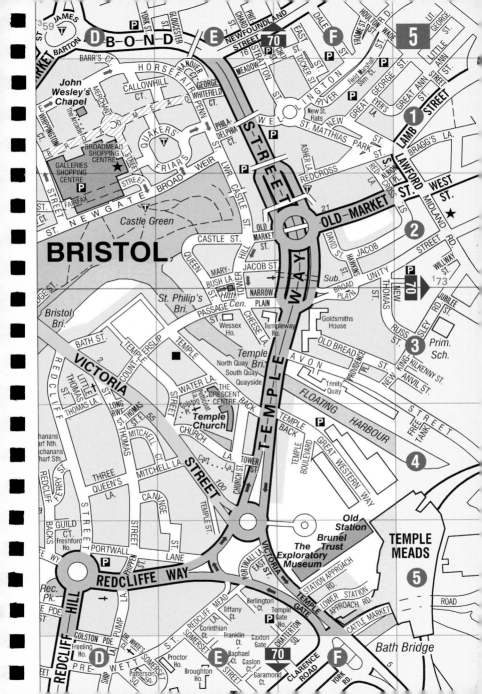

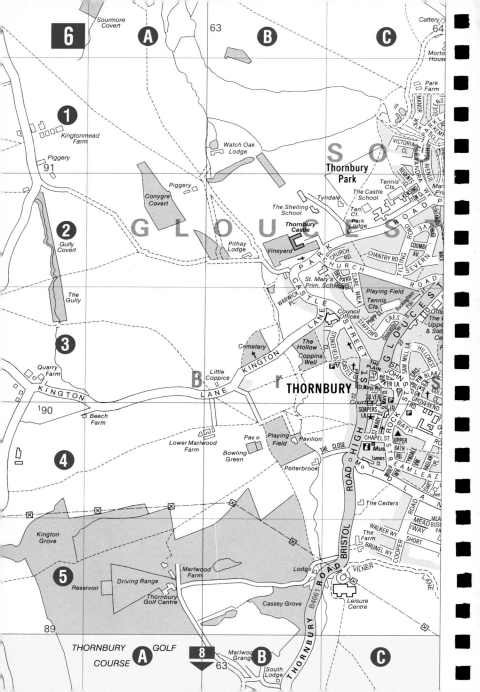

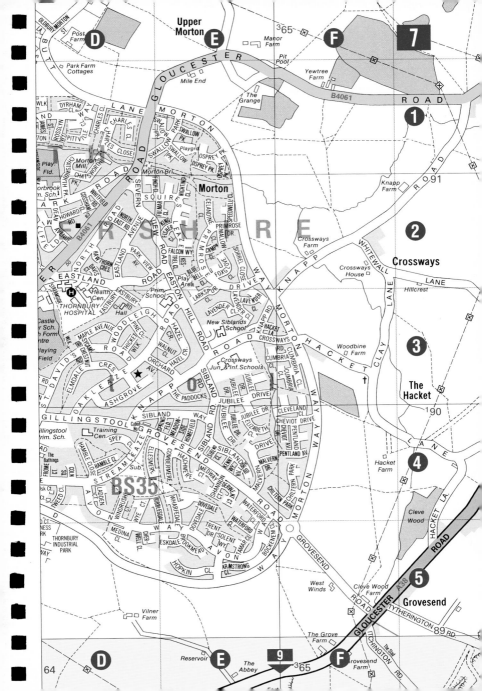

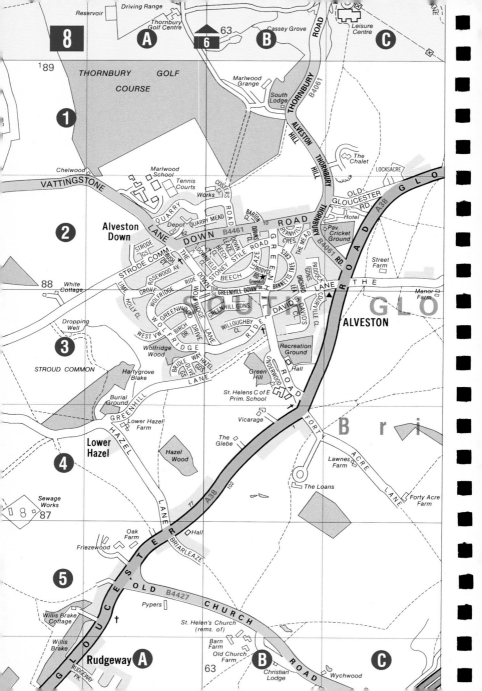

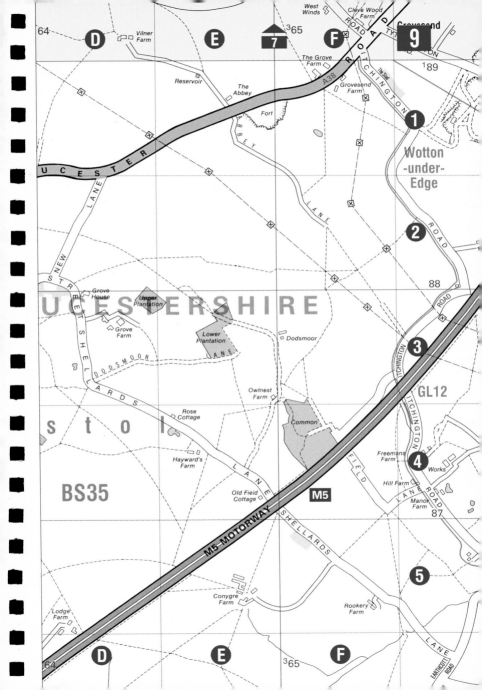

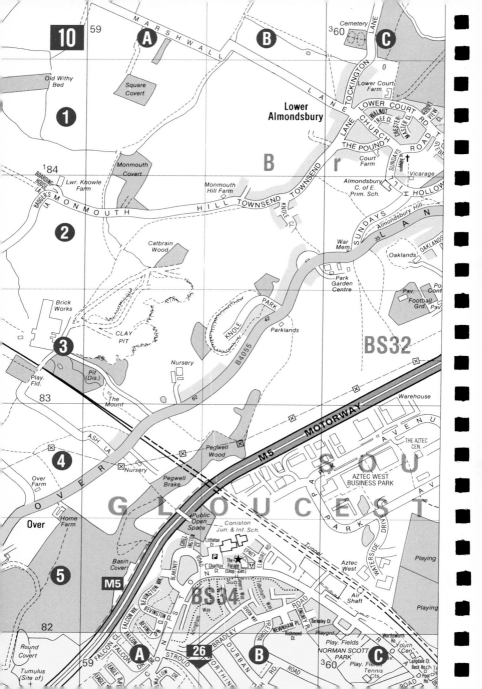

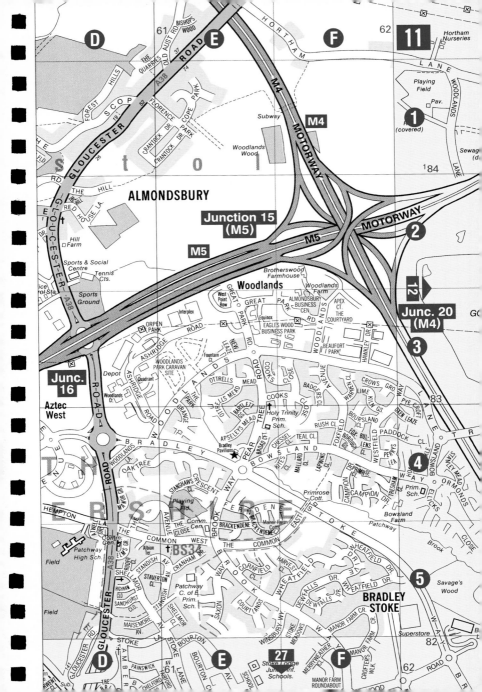

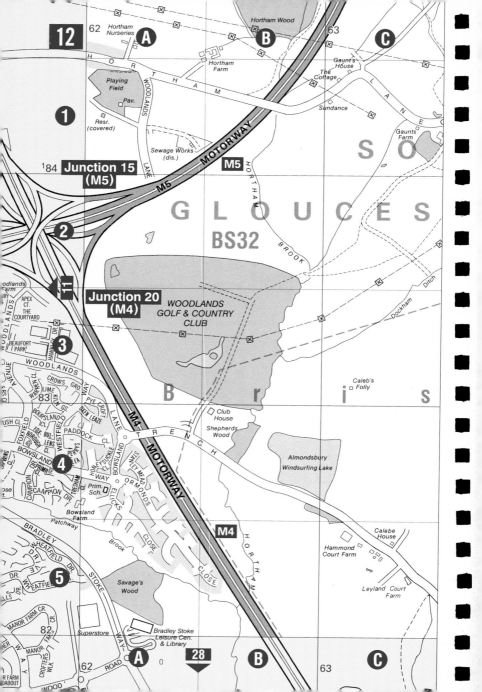

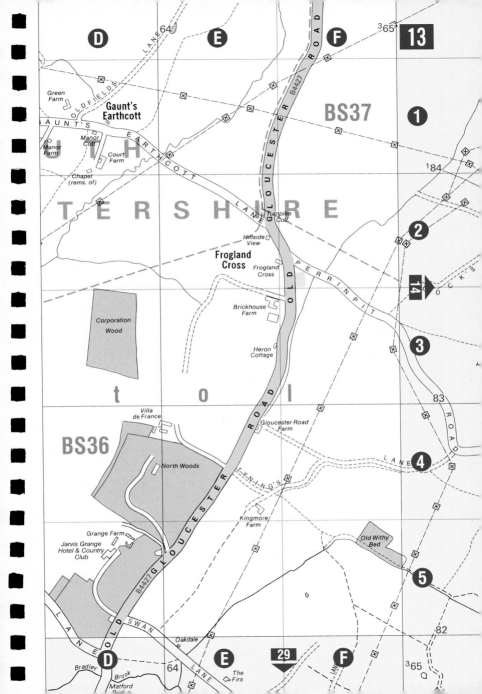

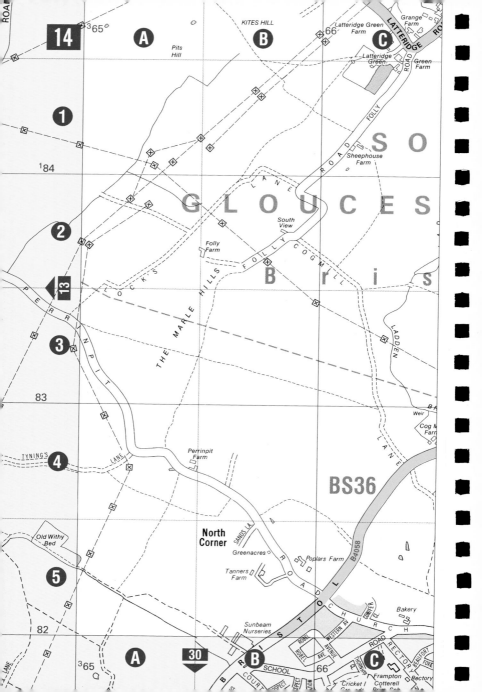

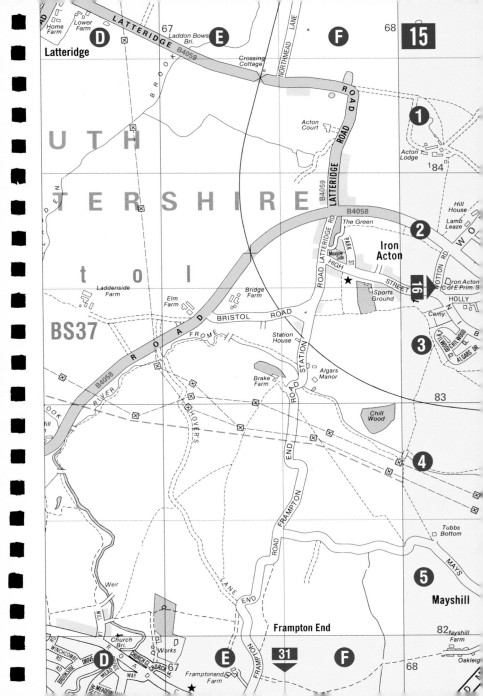

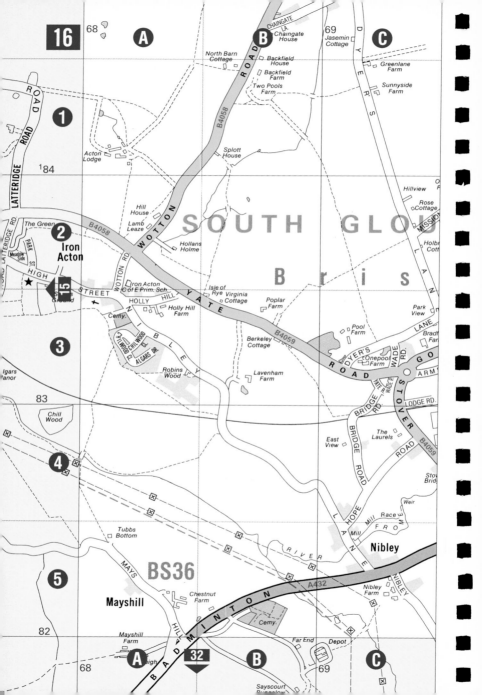

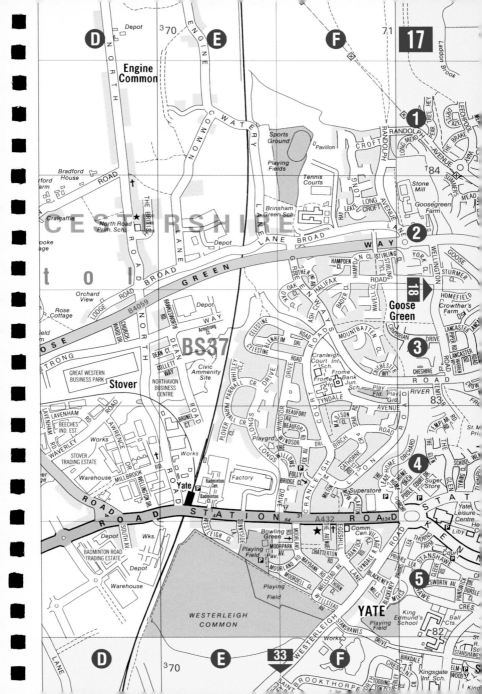

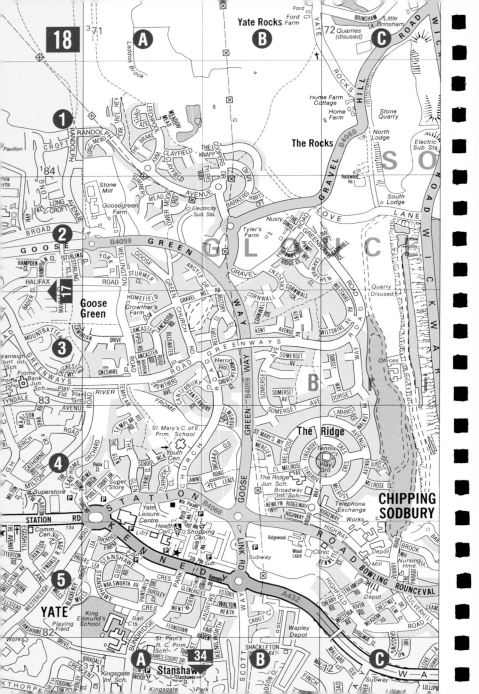

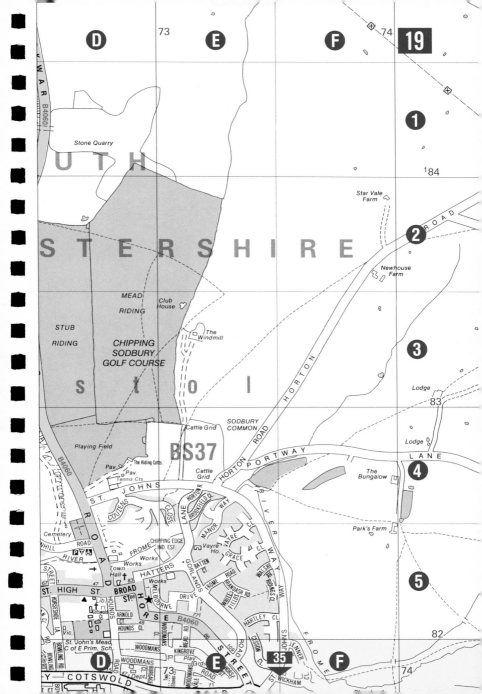

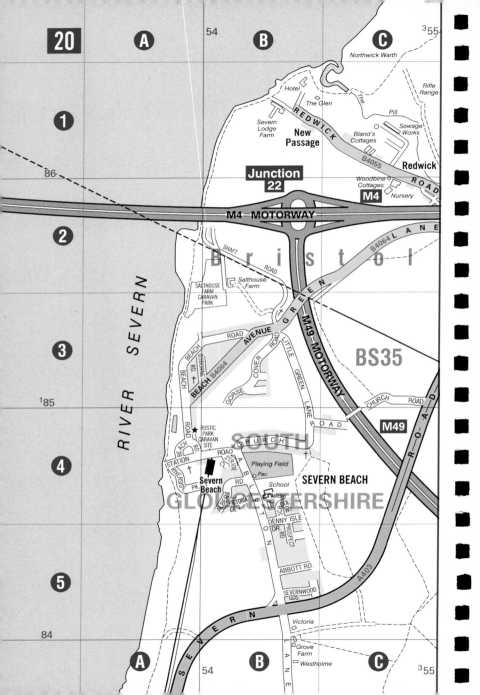

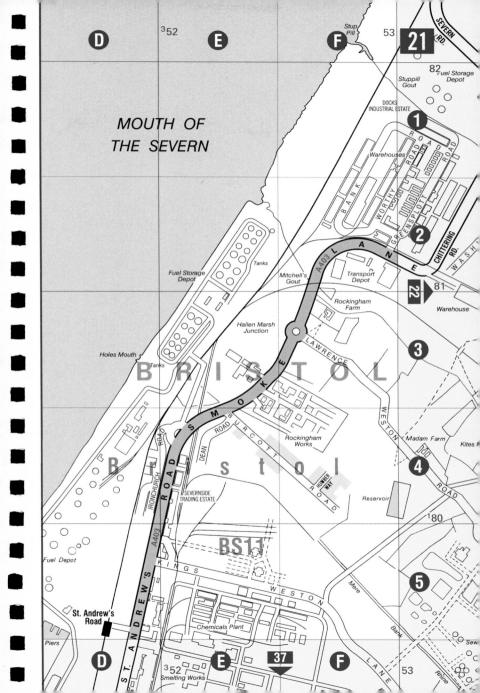

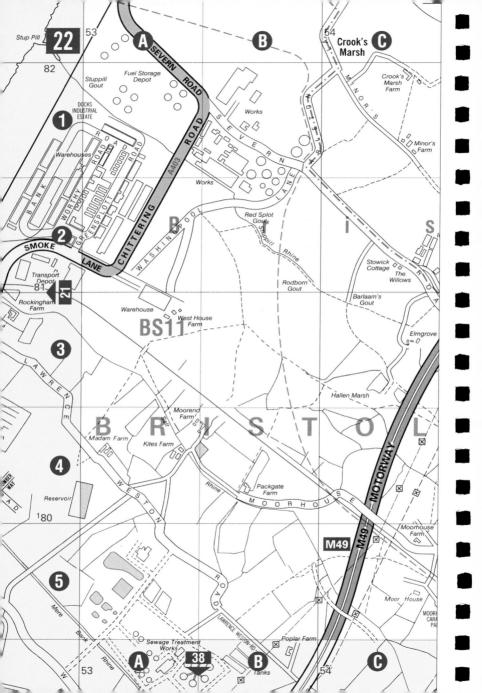

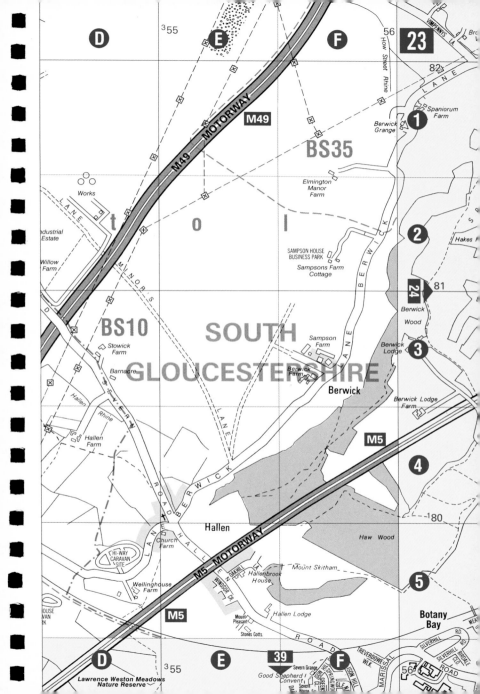

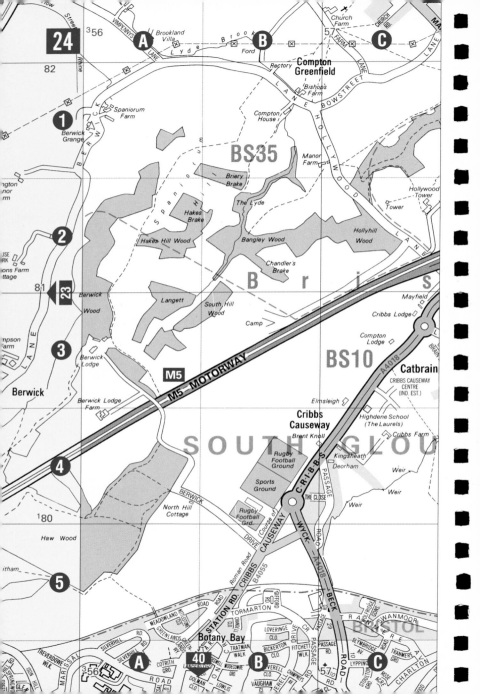

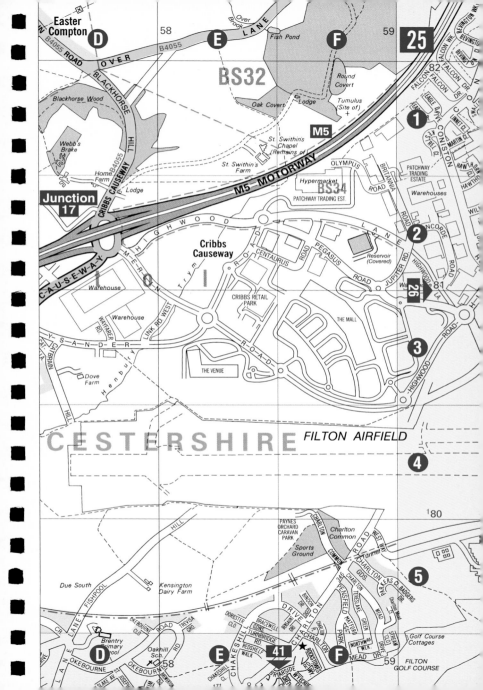

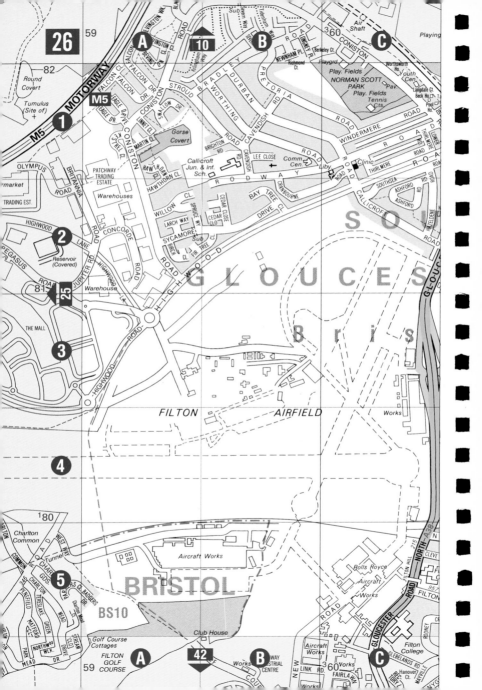

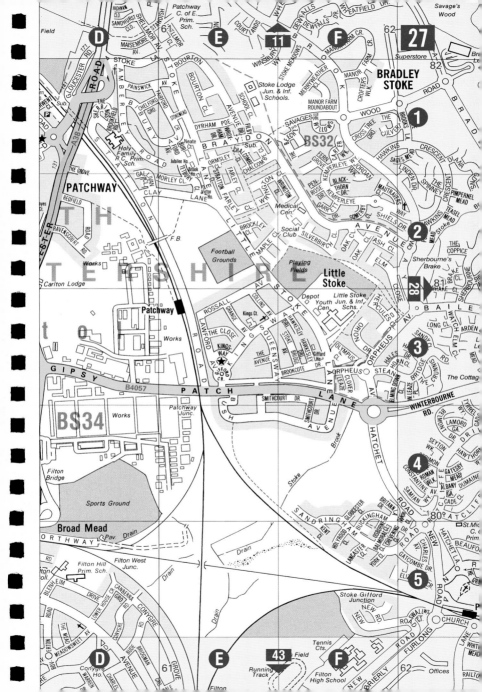

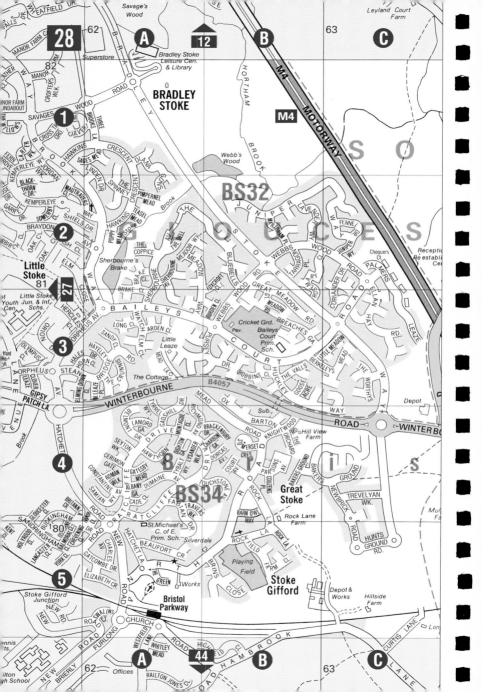

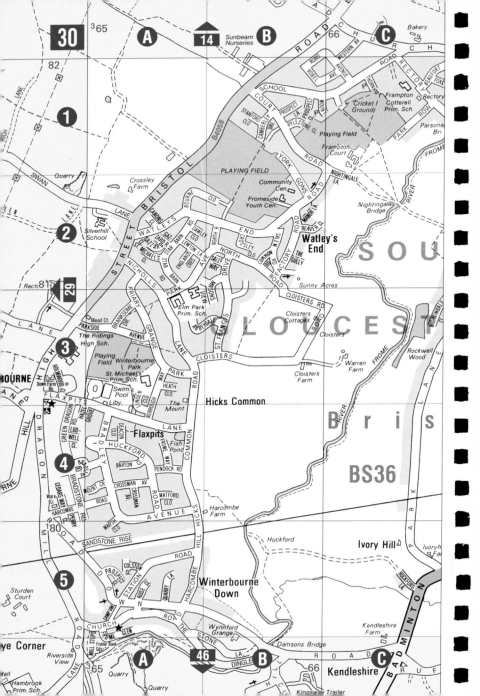

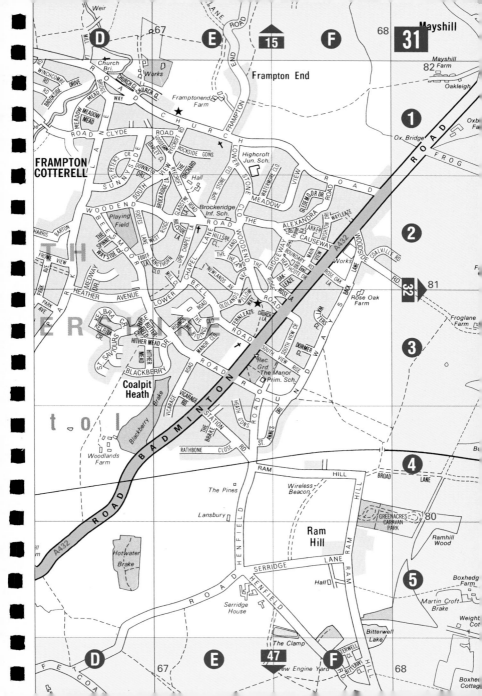

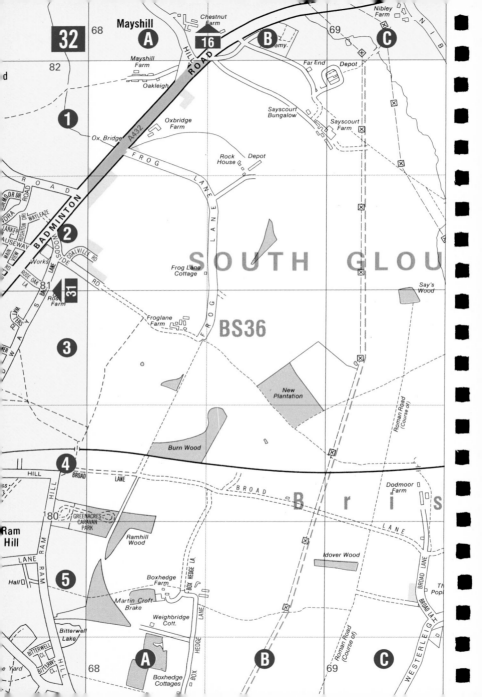

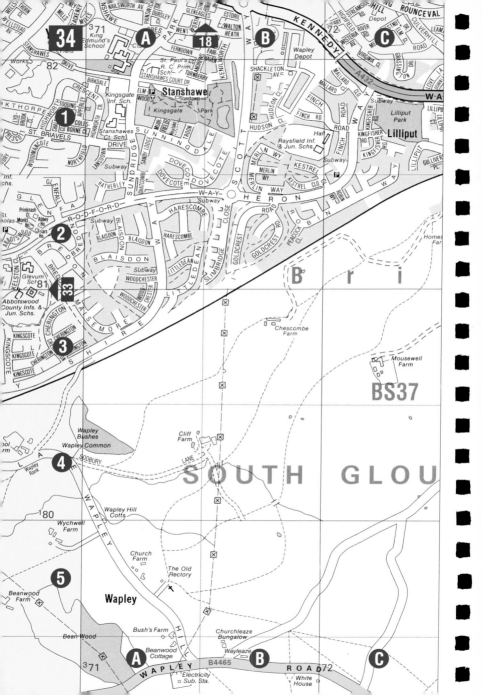

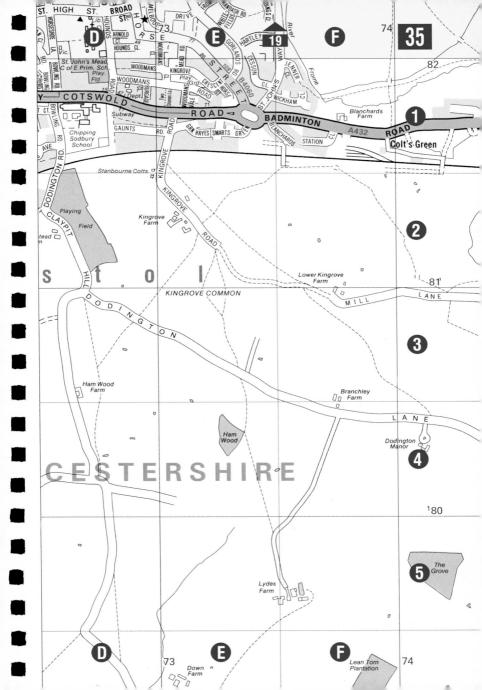

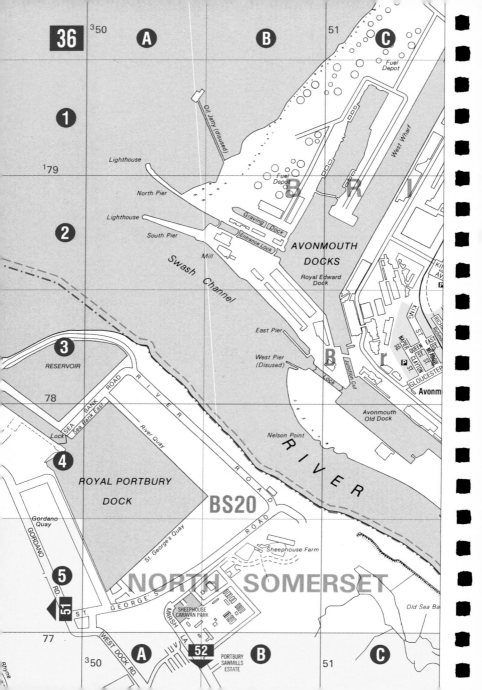

36 ¹350   Ⓐ   Ⓑ   51   Ⓒ

❶

¹79

Lighthouse

North Pier

Lighthouse

South Pier

Swash Channel

Mill

❷

Oil Jetty (disused)

Fuel Depot

Fuel Depot

West Wharf

B R I

Graving Dock

Entrance Lock

AVONMOUTH
DOCKS

Royal Edward
Dock

East Pier

West Pier
(Disused)

B

Junction Cut

Lock

KIN
AV
P

ST.

QUEEN
EAST

MA CLATTON

ST.

RICHM

ST.

P

GLOUCESTER
Avonm

❸

RESERVOIR

78

SEA
BANK

ROAD

Sea Bank East

R
I
V
E
R

Lock

River Quay

❹

ROYAL PORTBURY

DOCK

BS20

Avonmouth
Old Dock

Nelson Point

R I V E R

Gordano
Quay

GORDANO

ROAD

St. George's Quay

ROAD

Sheephouse Farm

❺

⑤ ◀
51

ST.

GEORGE'S

NORTH SOMERSET

SHEEPHOUSE
CARAVAN PARK

MARSH LA.

Old Sea Ba

77

Rhyne

WEST DOCK RD.

³350   Ⓐ   ⑤ 52 PORTBURY
SAWMILLS
ESTATE   Ⓑ   51   Ⓒ

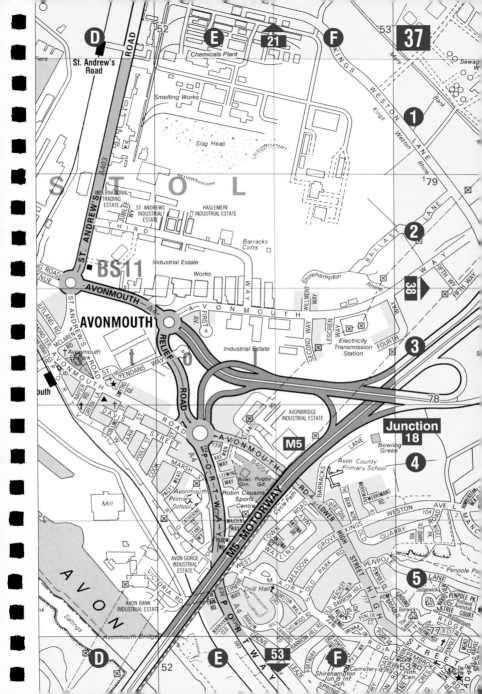

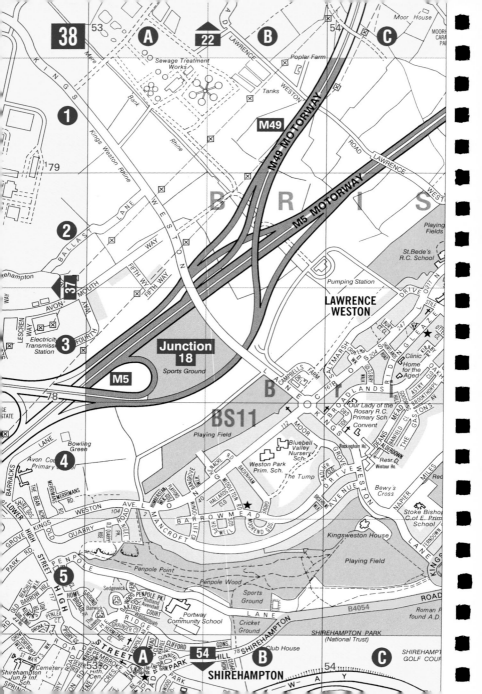

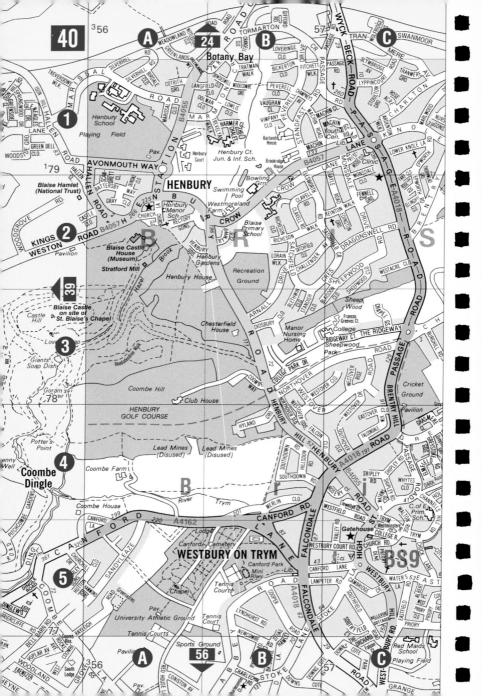

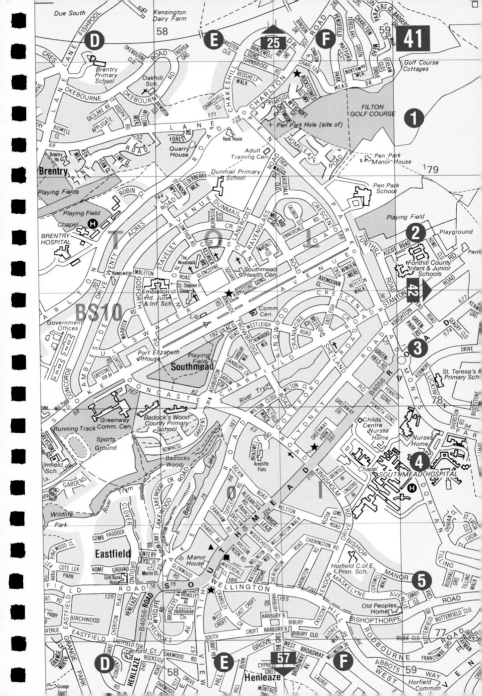

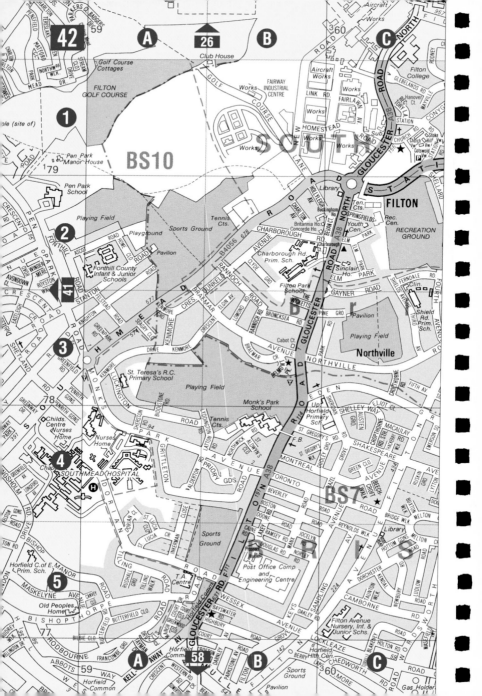

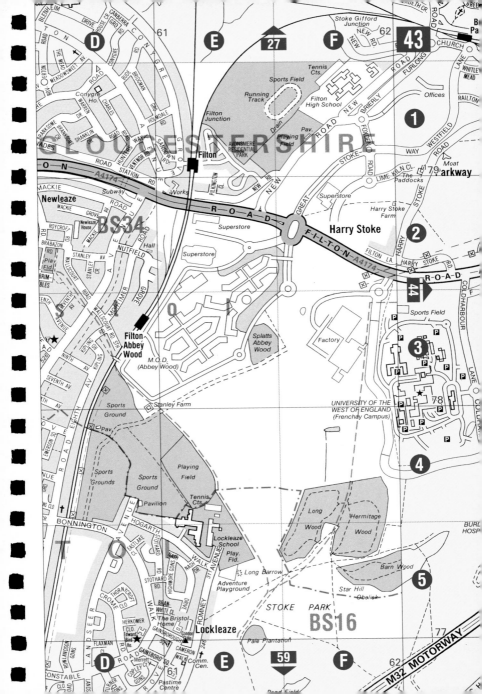

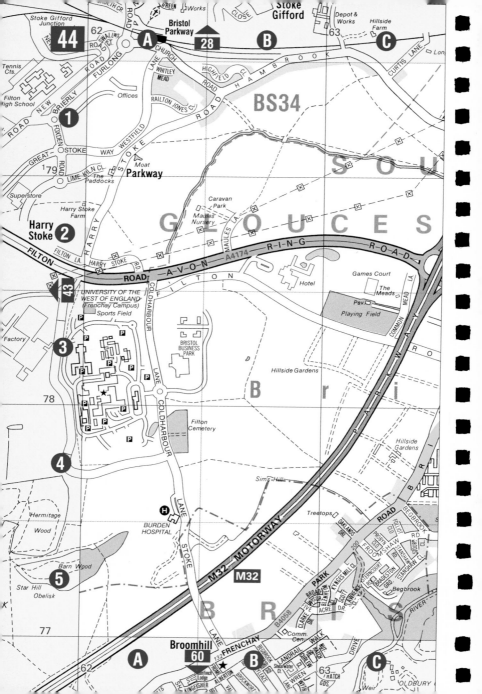

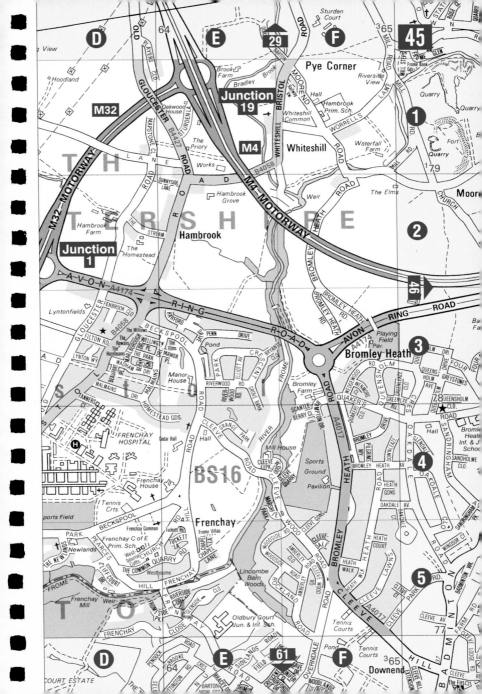

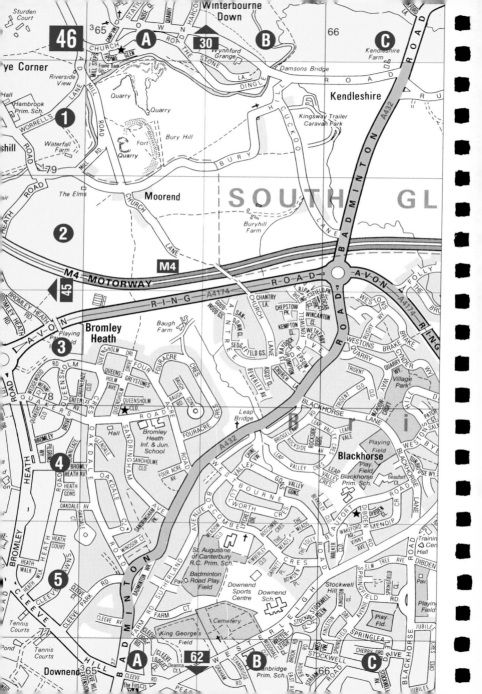

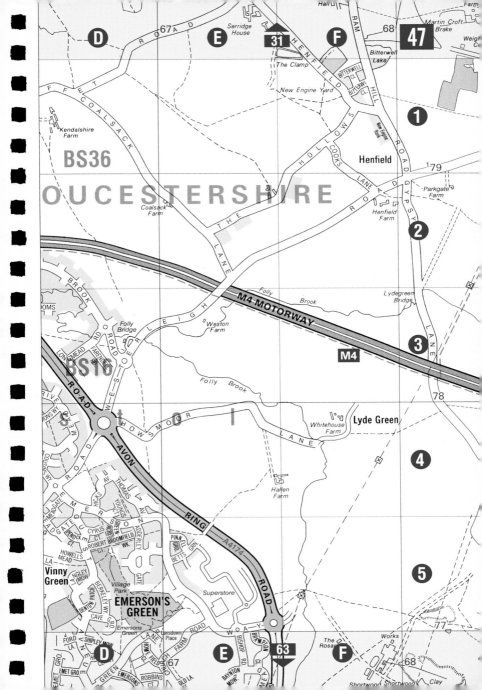

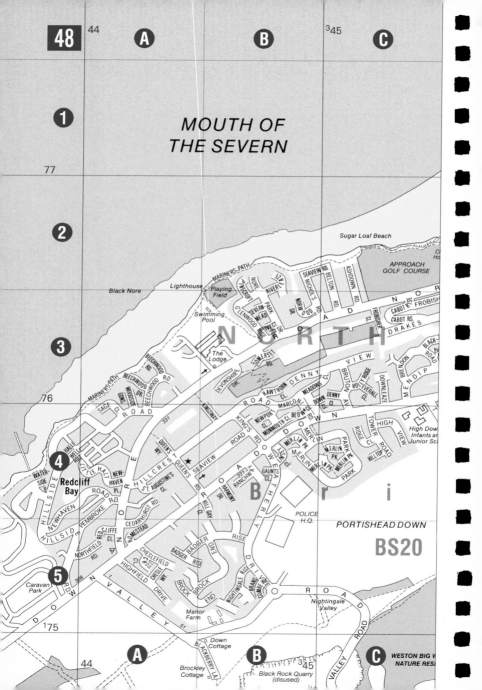

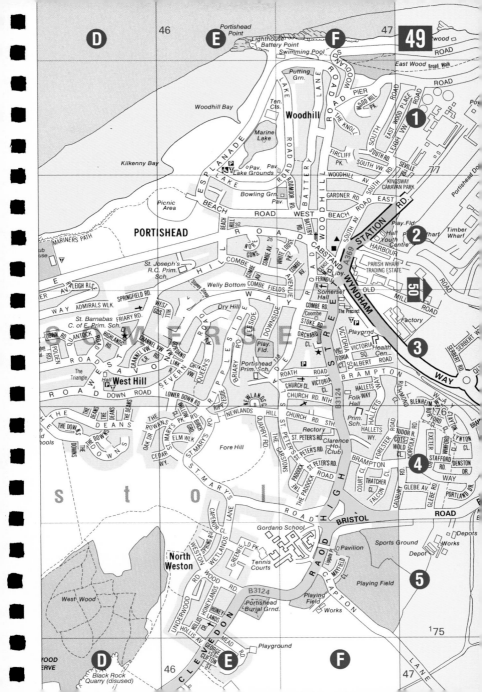

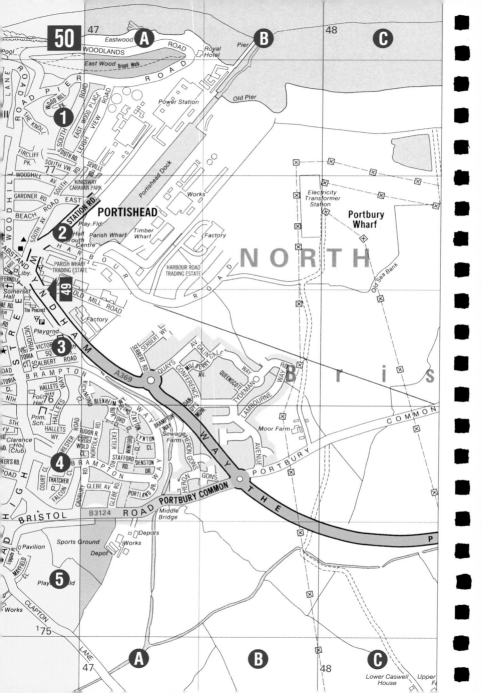

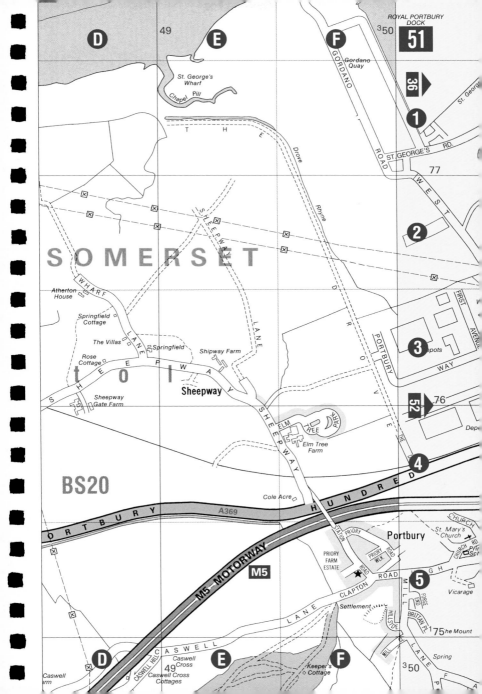

D   49   **E**   **F**   ³50

ROYAL PORTBURY DOCK

51

Gordano Quay

36 ▶

St. George's Wharf

Chapel Pill

GORDANO ROAD

ST. GEORGE'S ROAD

ST. George

1

WEST

RD.

77

T H E

Drove

Rhyne

2

SOMERSET

WHARF

Atherton House

Springfield Cottage

The Villas

Rose Cottage

Springfield

Shipway Farm

SHEEPWAY LANE

DROVE

FIRST AVENUE

PORTBURY

3   Depots

WAY

t o l

L A N E

S H E E P W A Y

Sheepway Gate Farm

Sheepway

SHEEPWAY

ELM TREE PARK

THE

52 ▶ 76

Depo

ELM TREE FARM

Elm Tree Farm

4

BS20

Cole Acre

HUNDRED

P O R T B U R Y

A369

M5 — MOTORWAY

M5

STATION ROAD

PRIORY

Portbury

St. Mary's Church

CHURCH RD.

CHURCH RD.

Pri

PRIORY WLK

PRIORY FARM ESTATE

★

ROAD

HIGH

5

MILL

Vicarage

CLAPTON

LANE

Settlement

HILLSIDE

FORGE END

BRITAIN PL.

75 he Mount

Spring

D   **E**   **F**

CASWELL HILL

Caswell Cross

49

Caswell Cross Cottages

Keeper's Cottage

MILL LANE

³50

Caswell arm

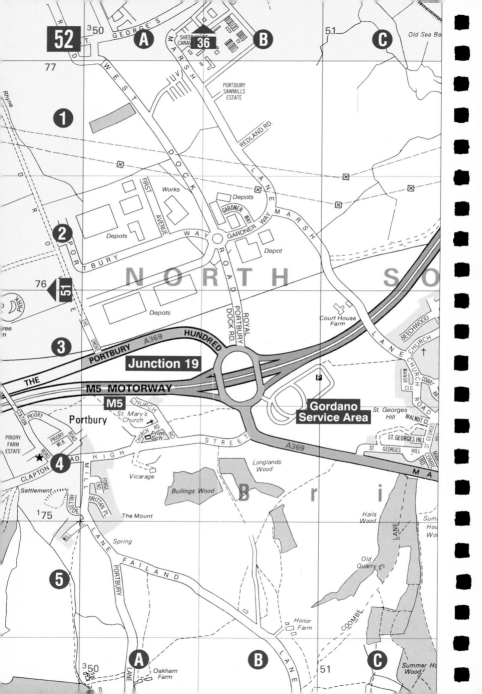

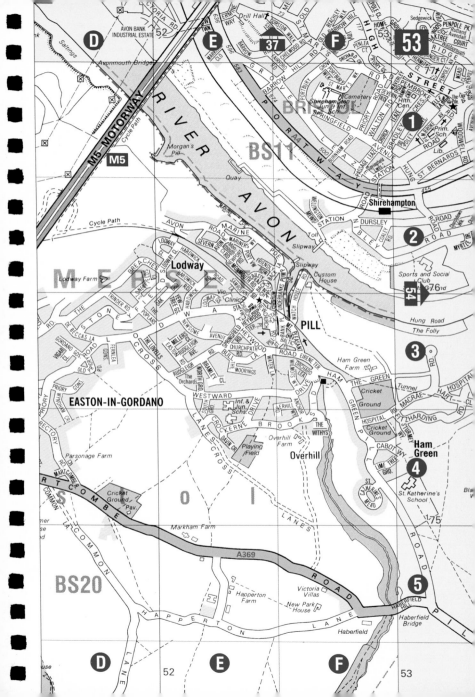

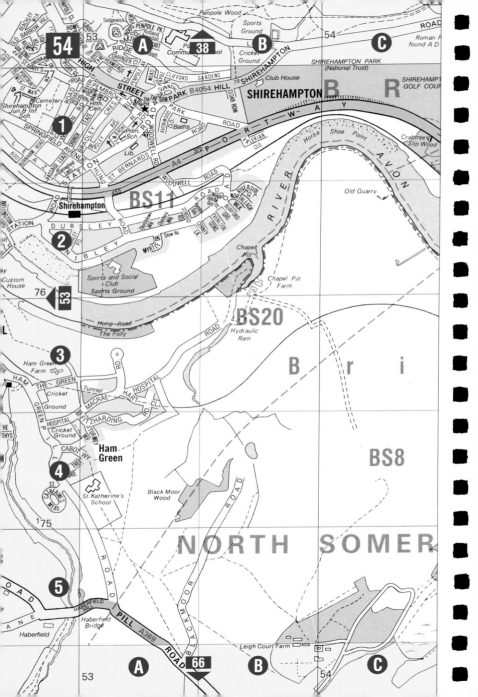

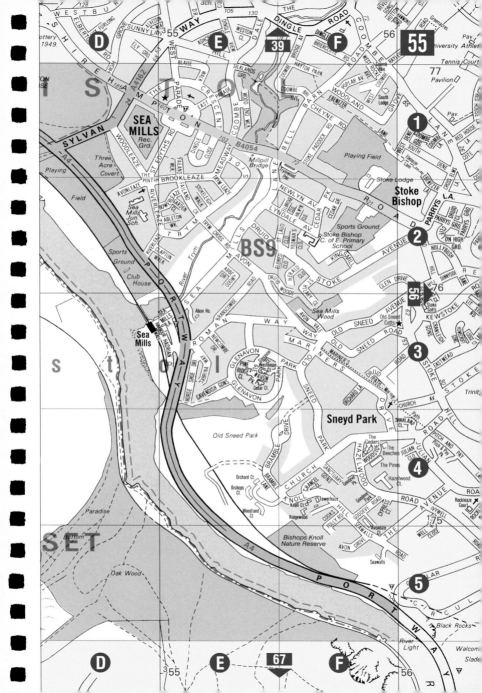

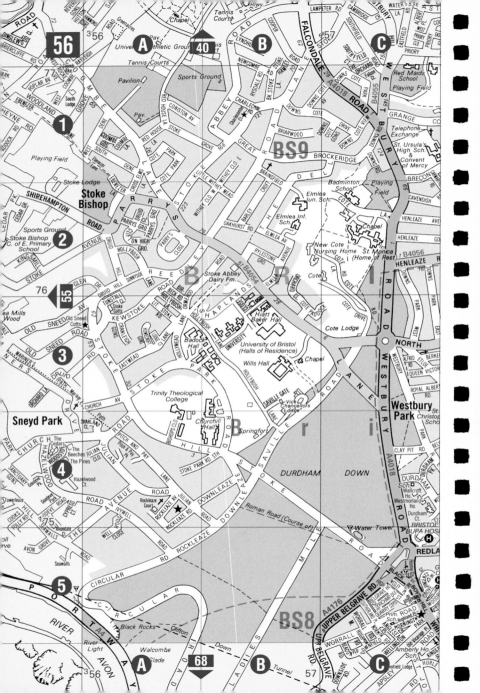

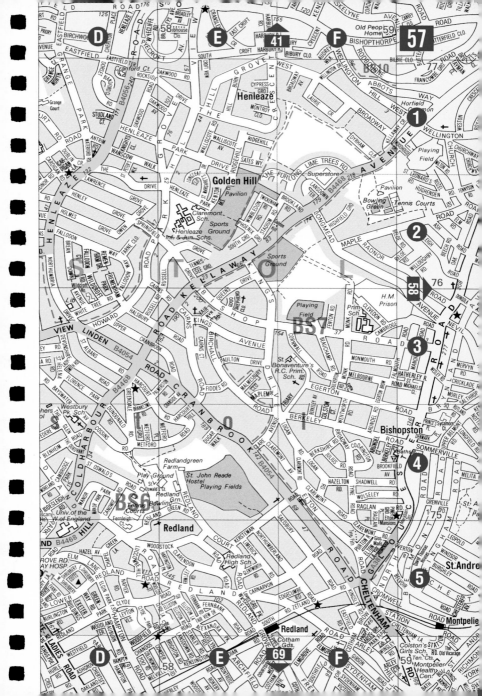

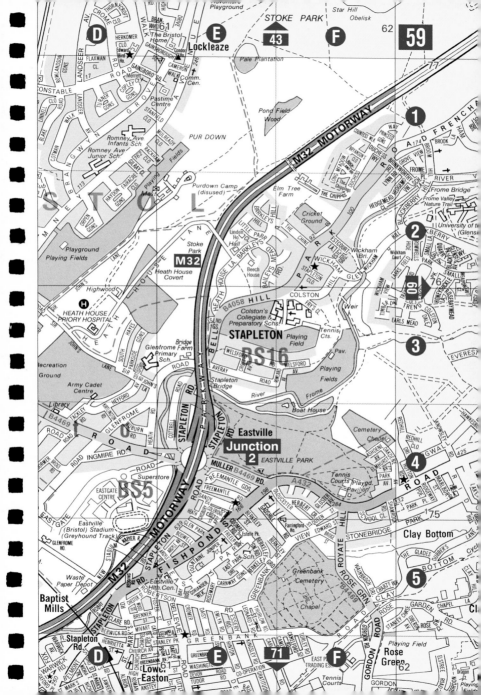

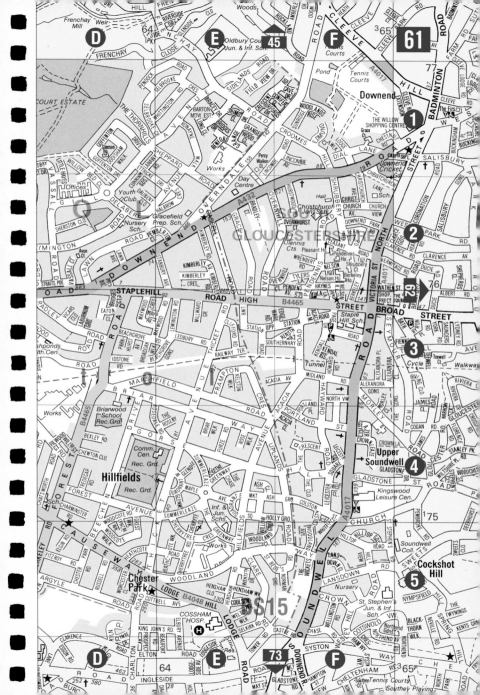

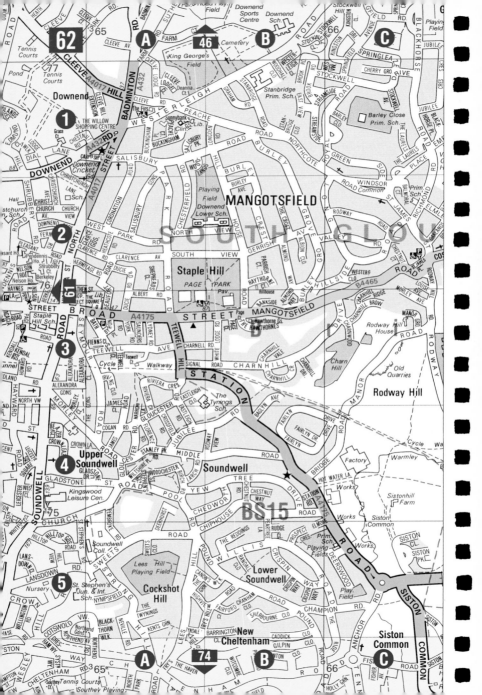

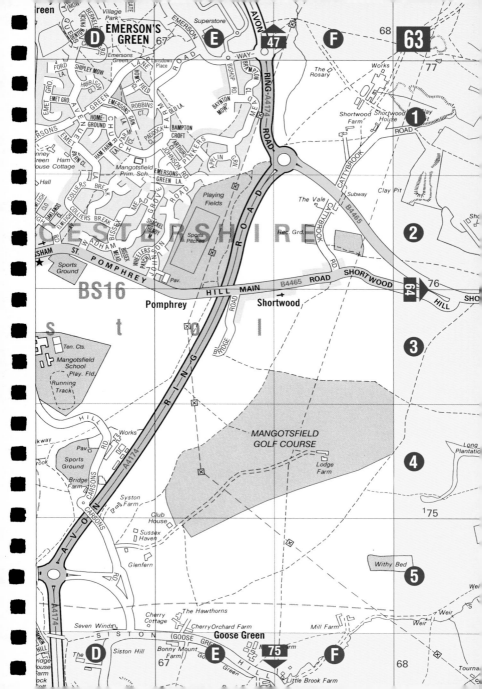

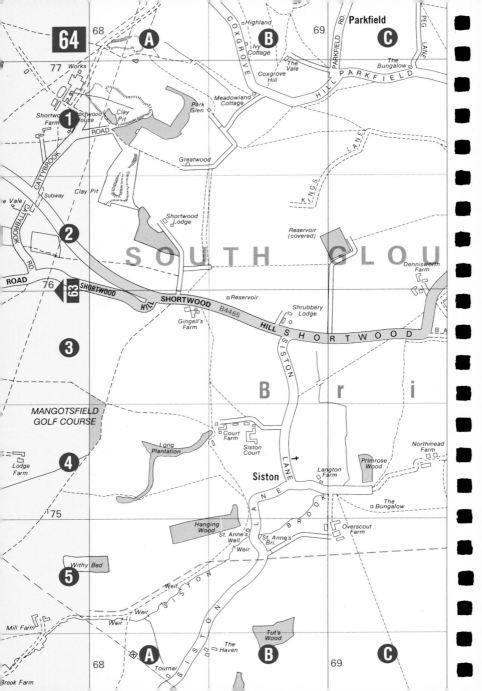

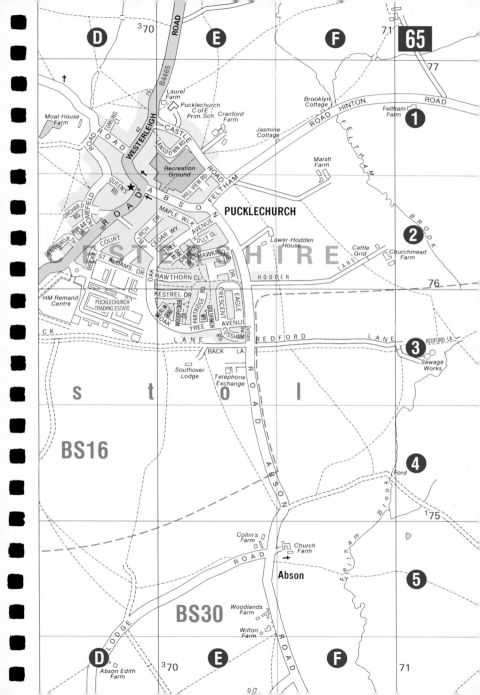

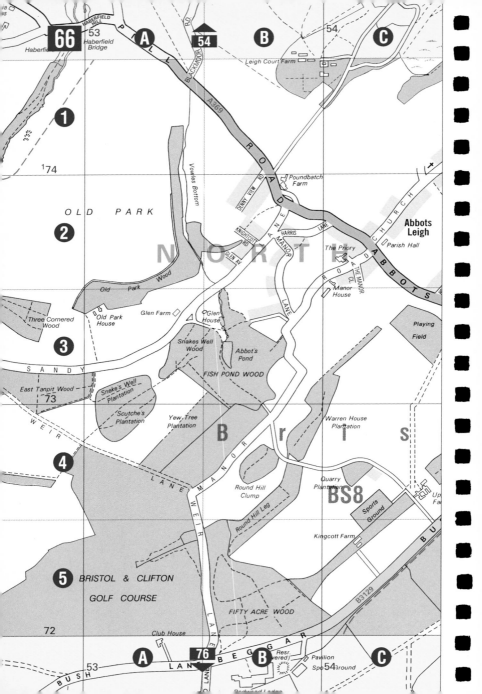

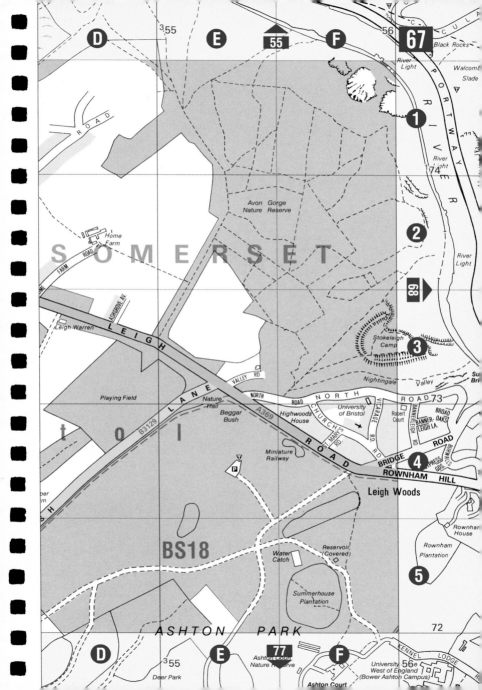

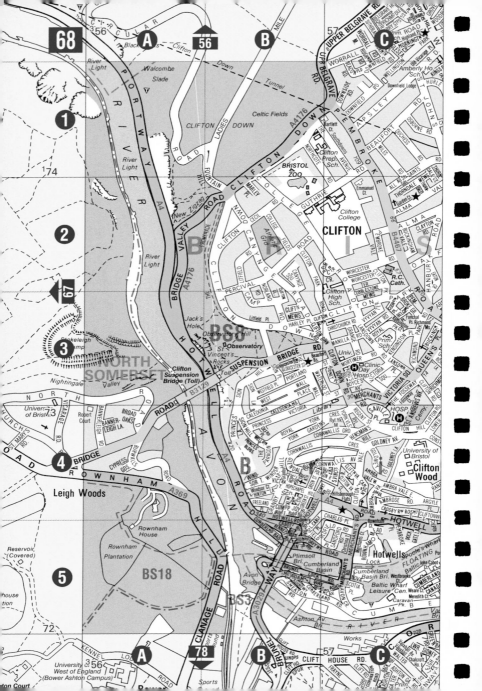

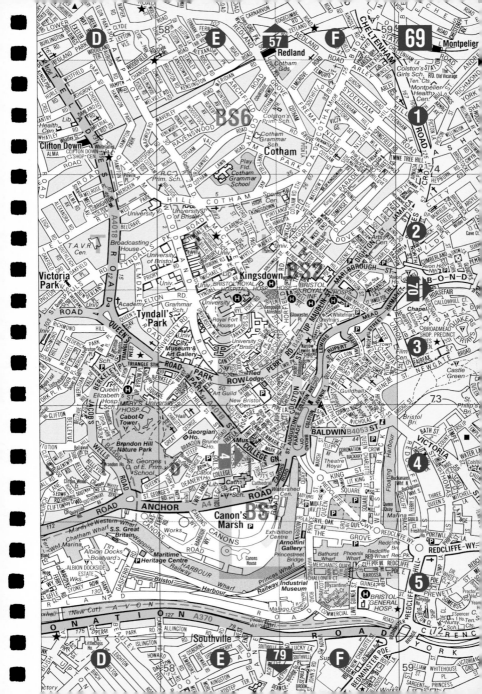

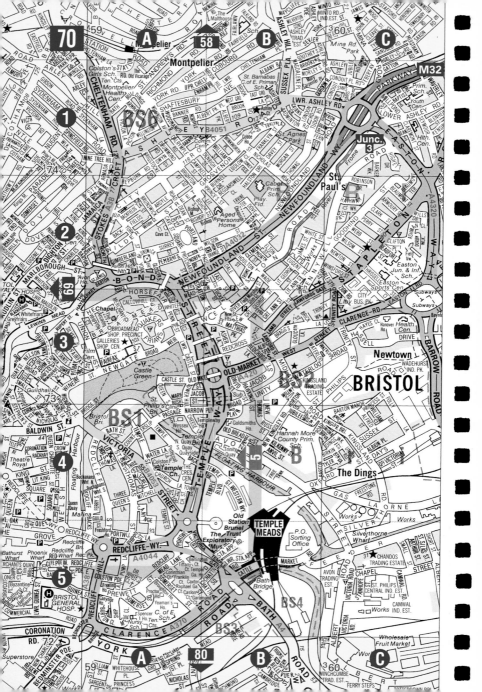

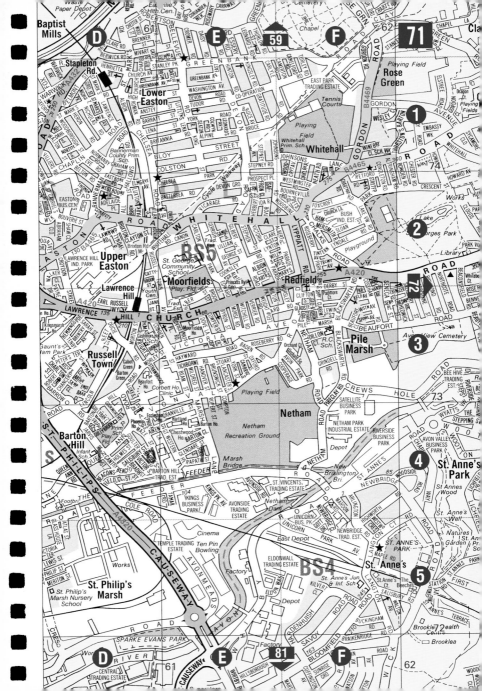

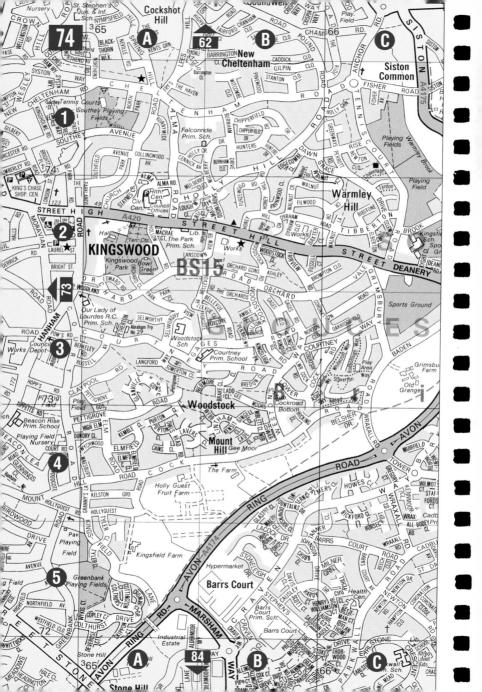

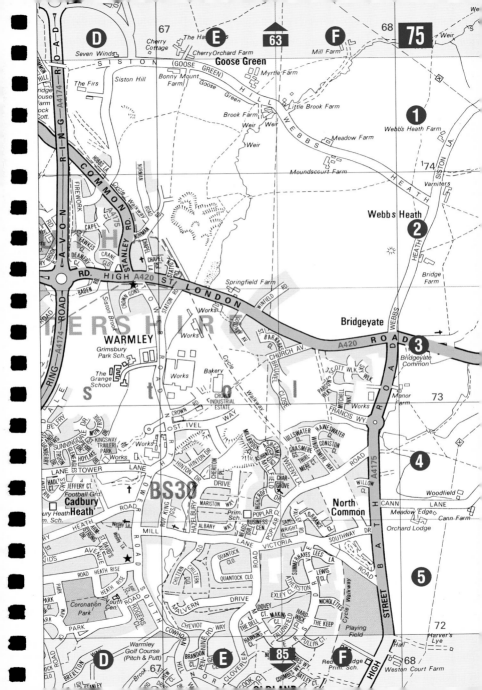

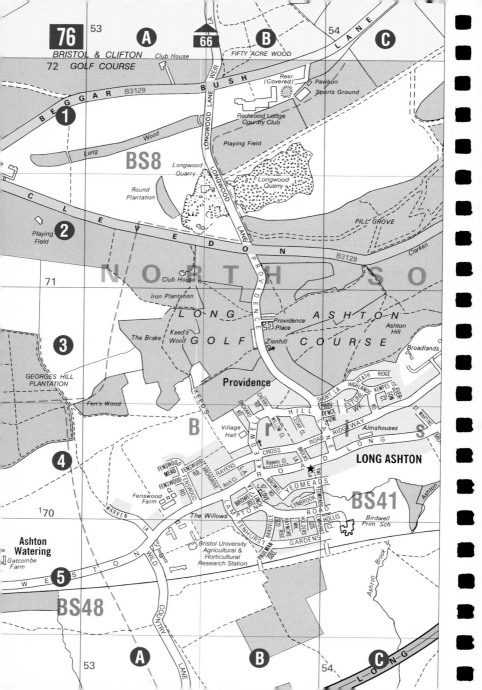

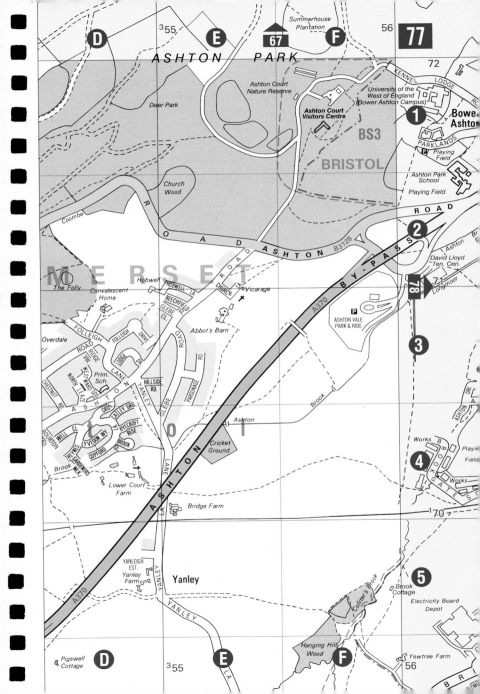

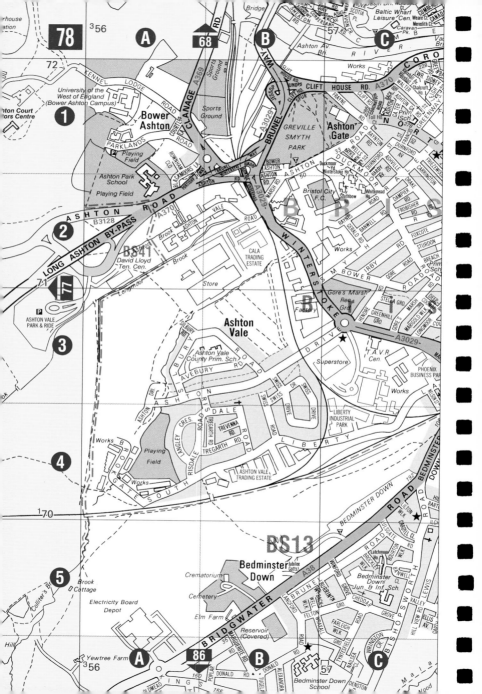

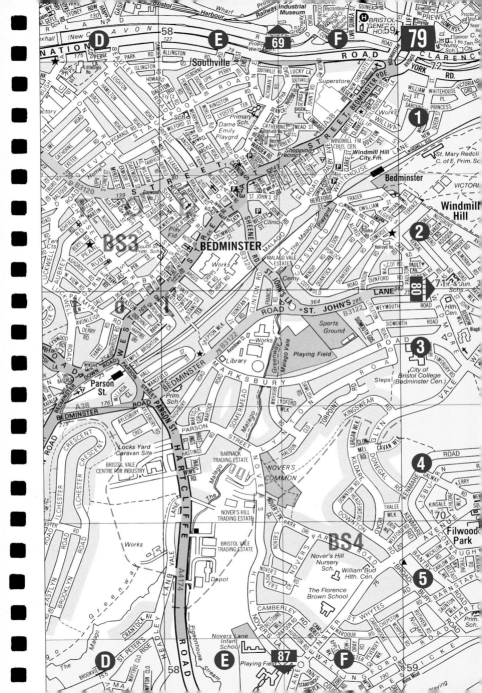

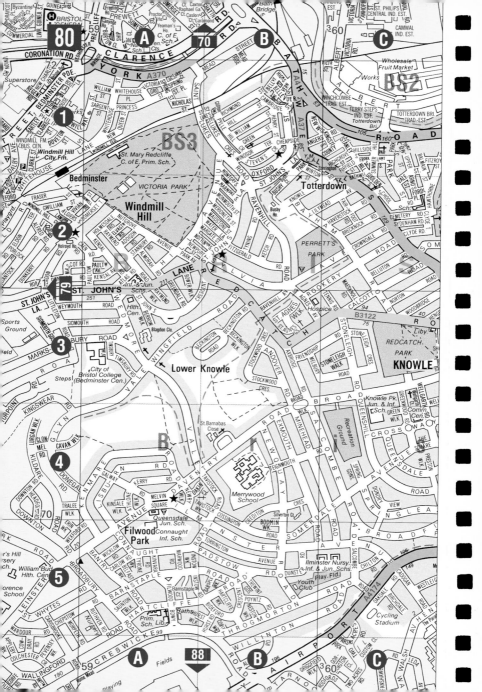

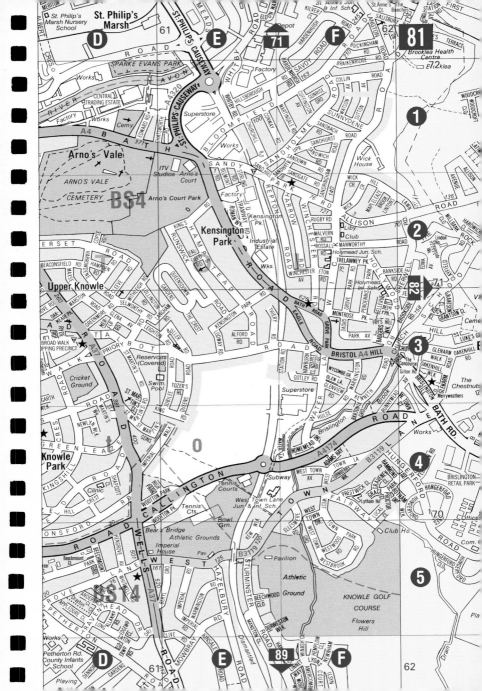

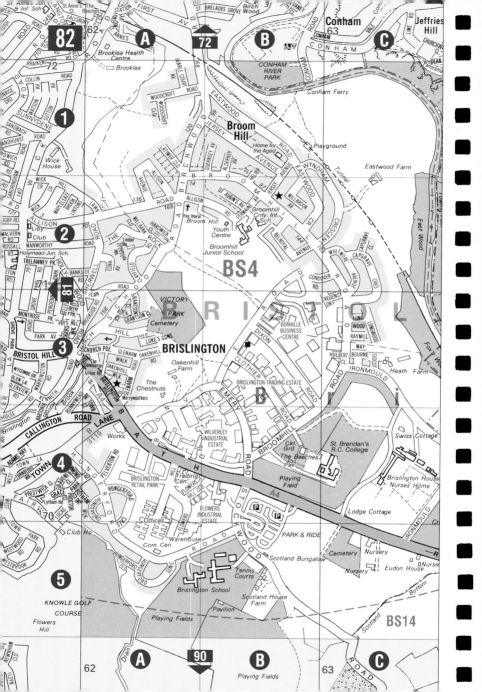

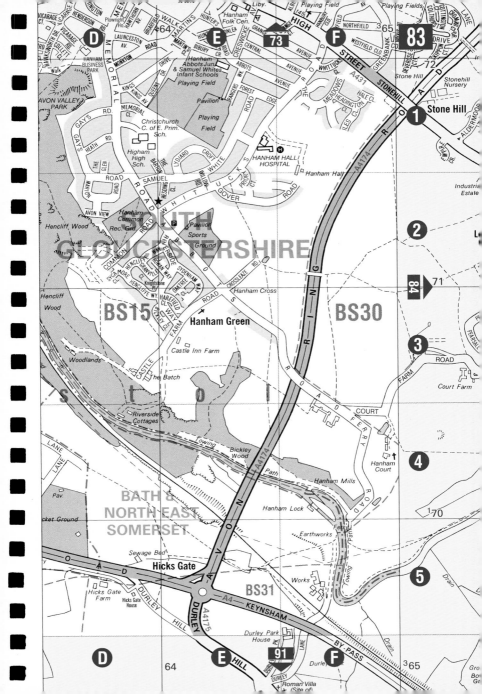

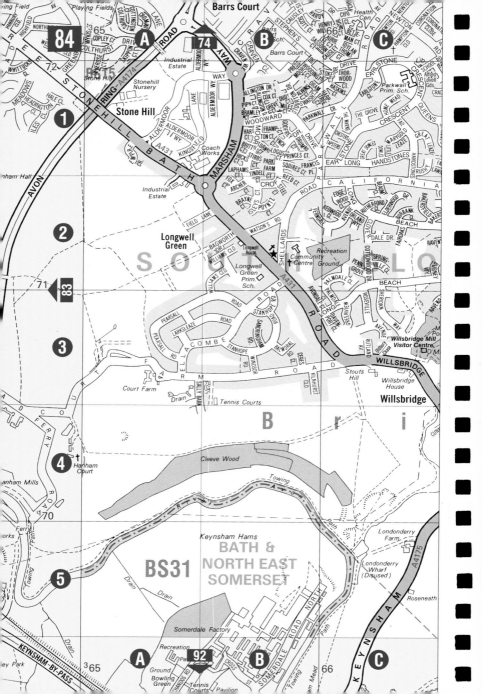

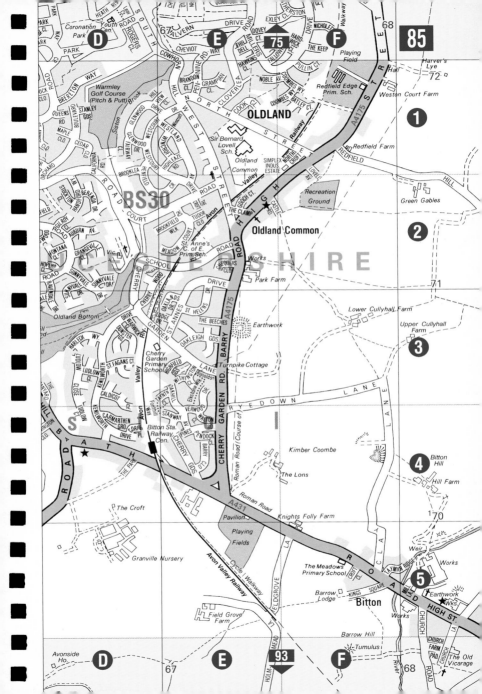

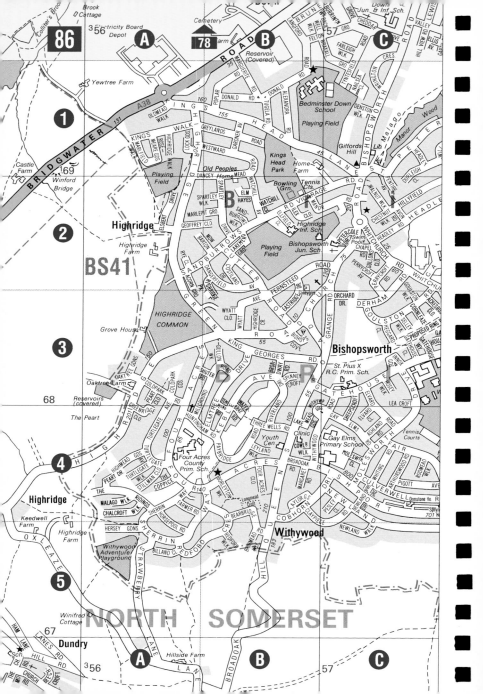

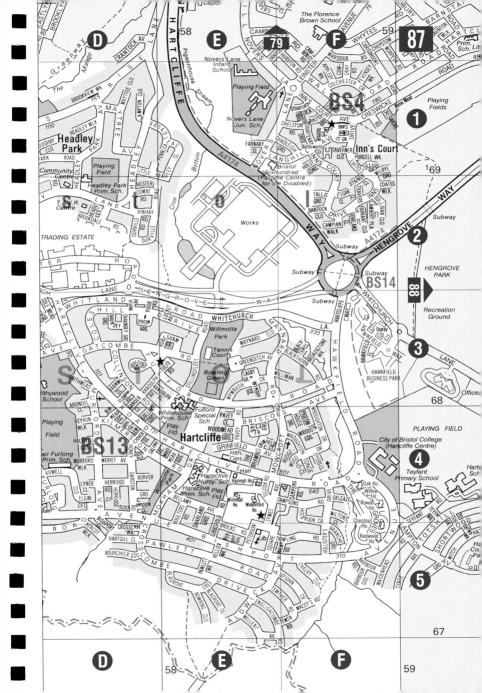

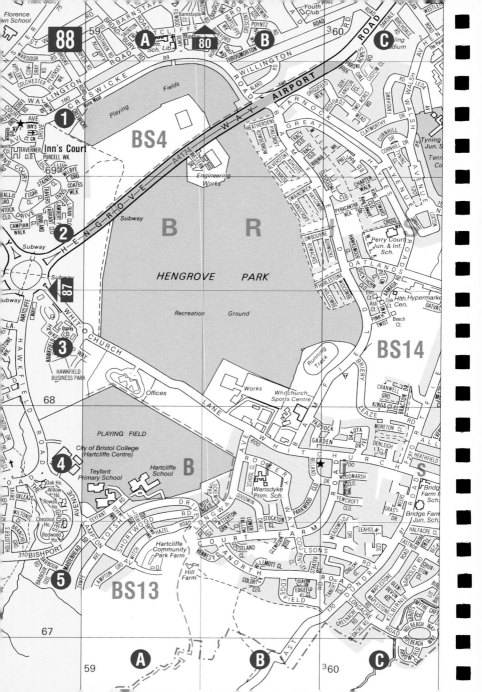

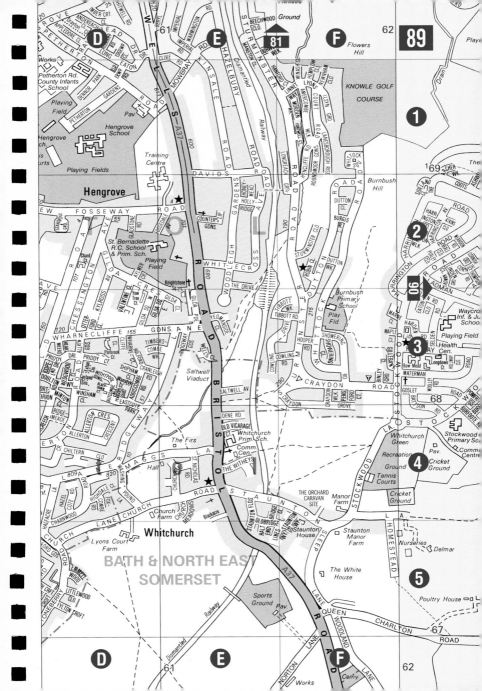

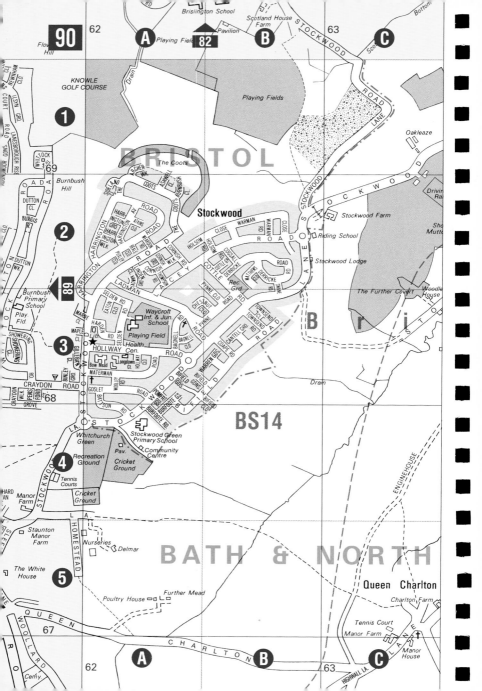

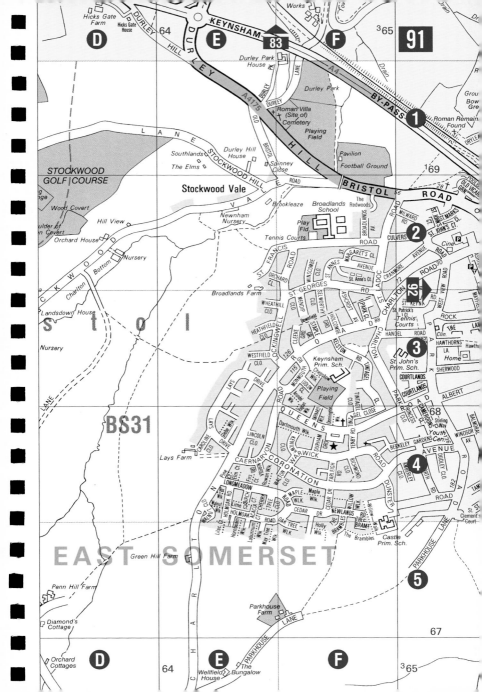

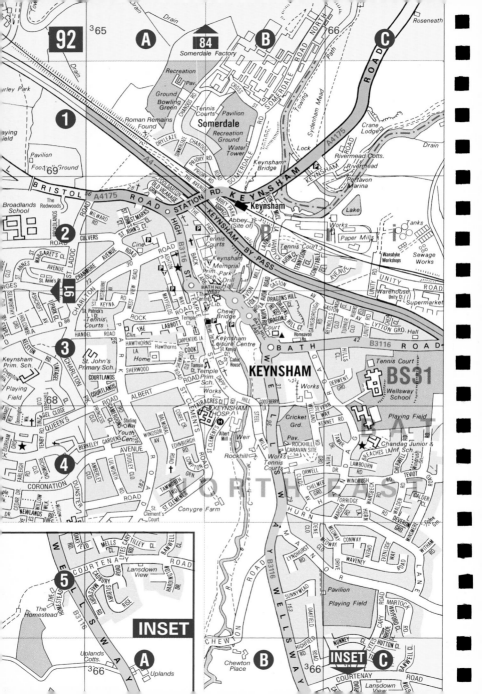

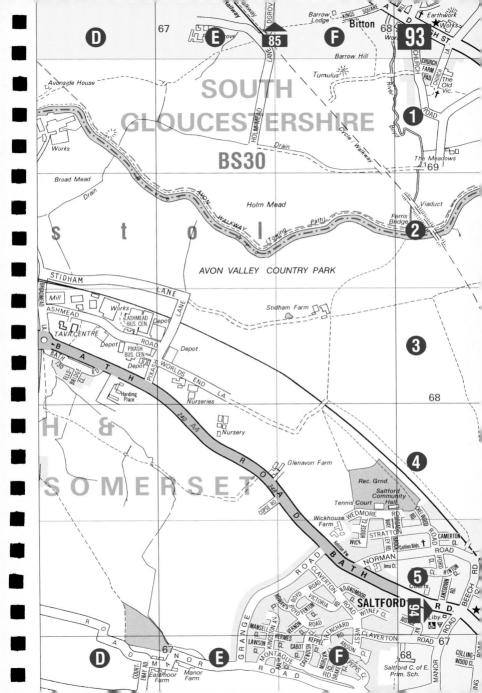

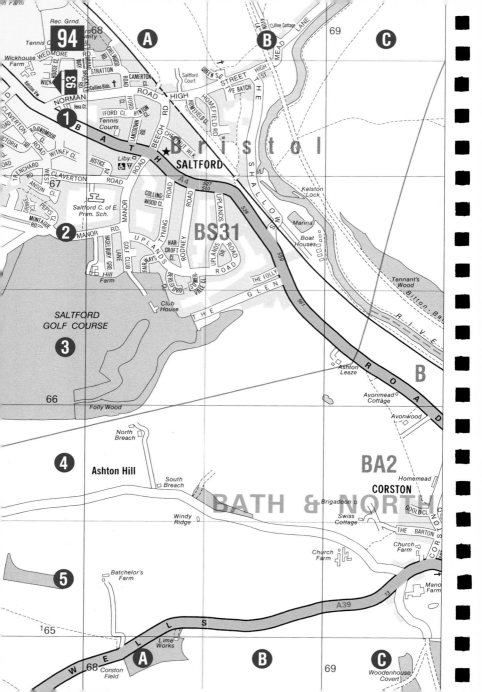

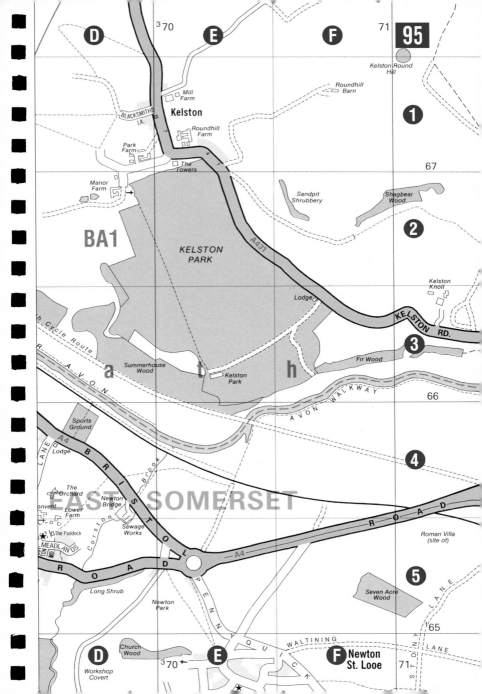

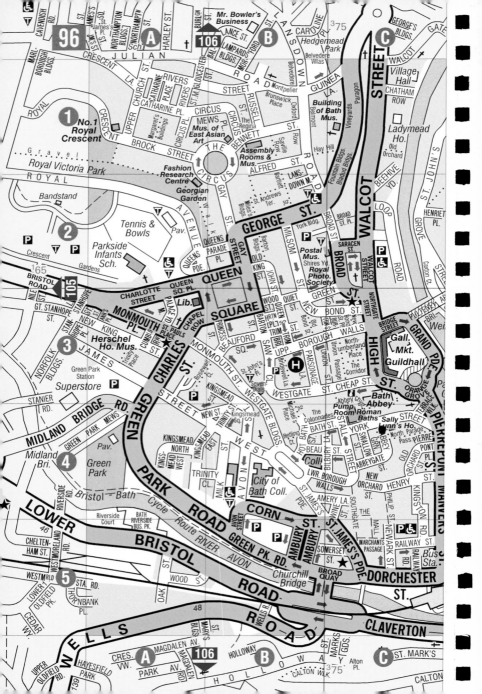

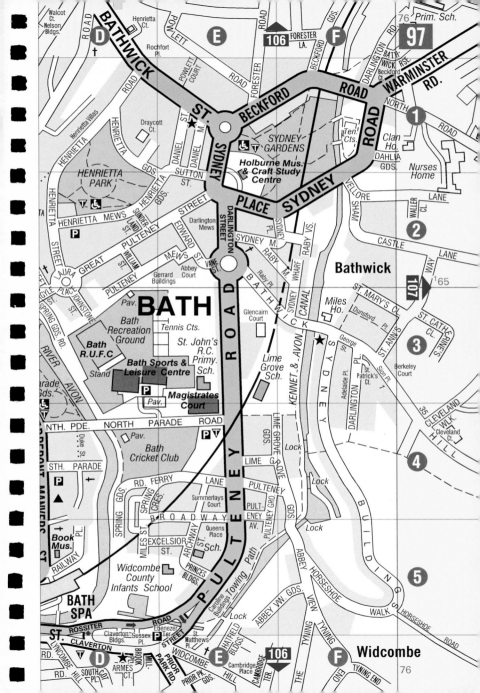

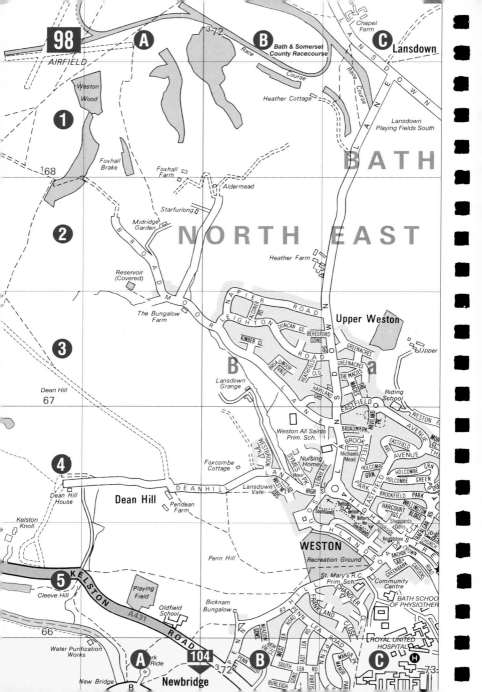

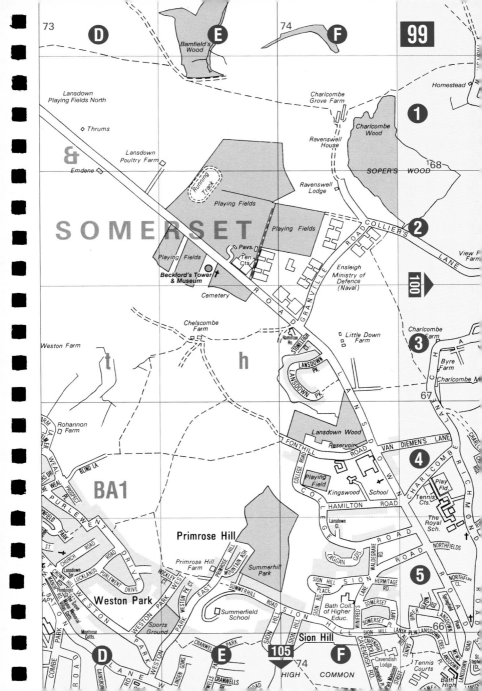

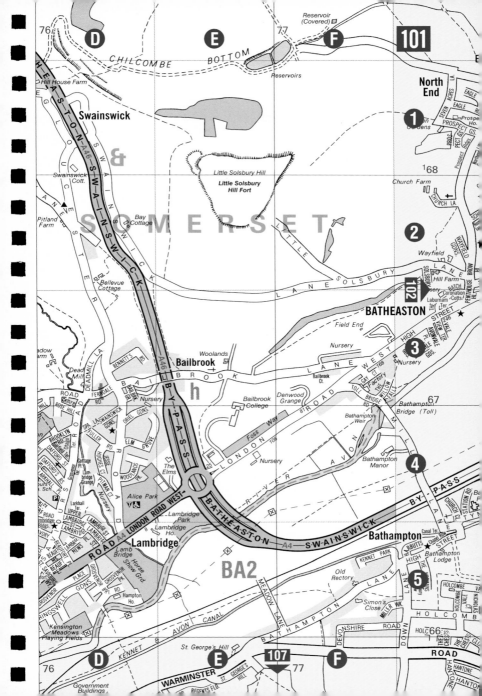

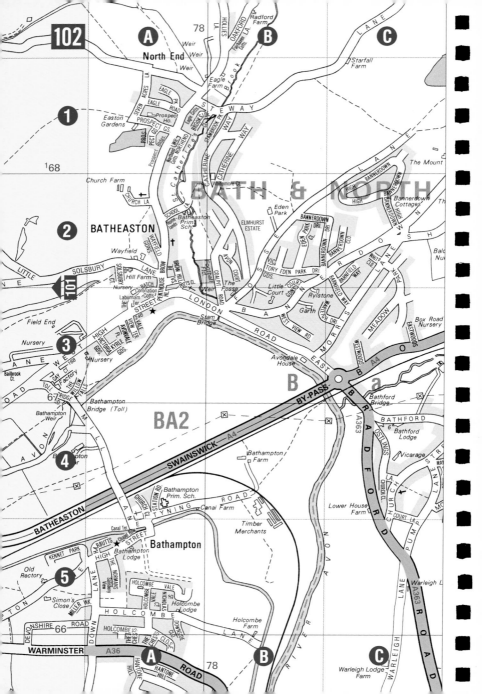

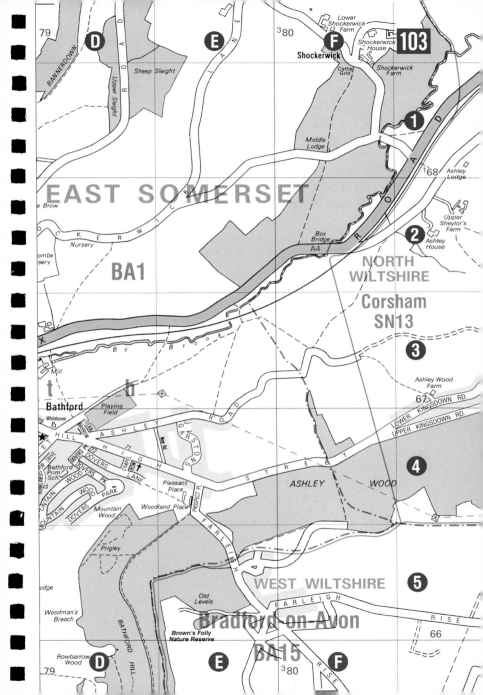

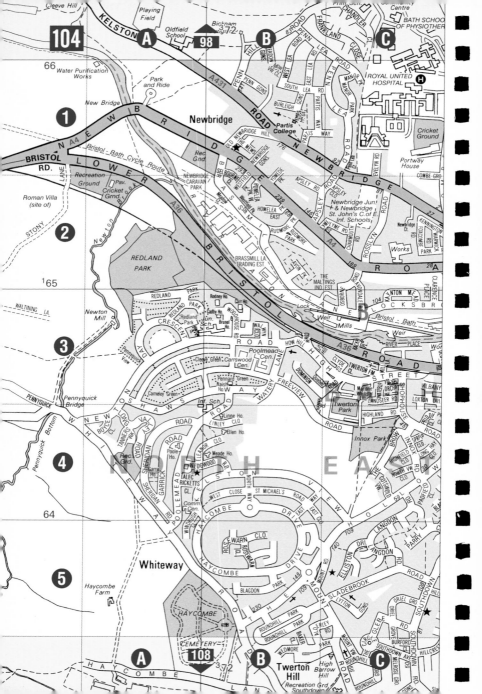

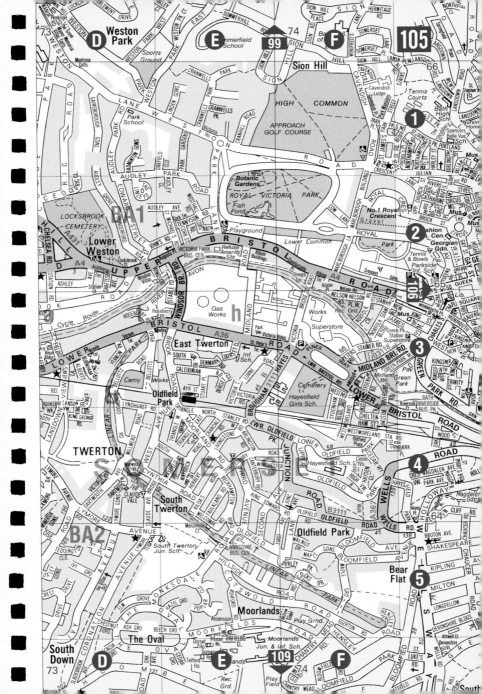

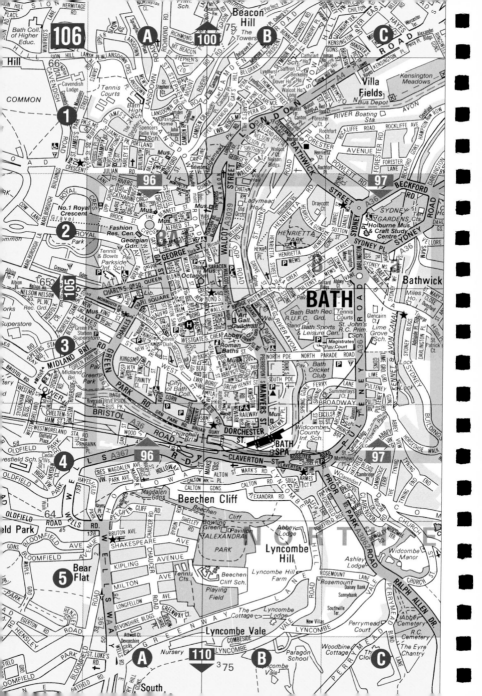

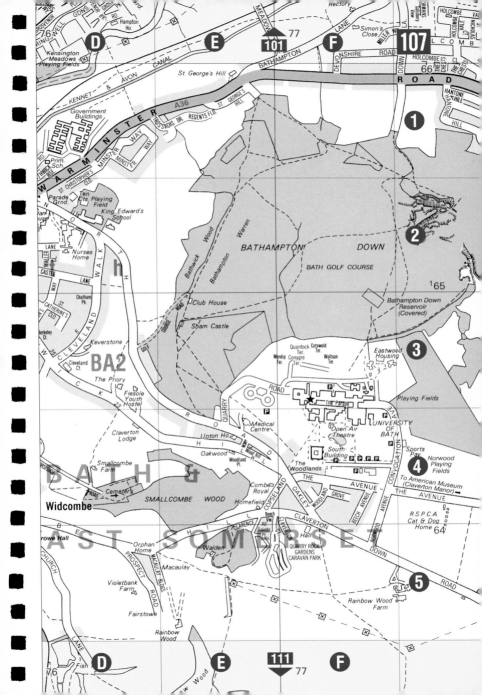

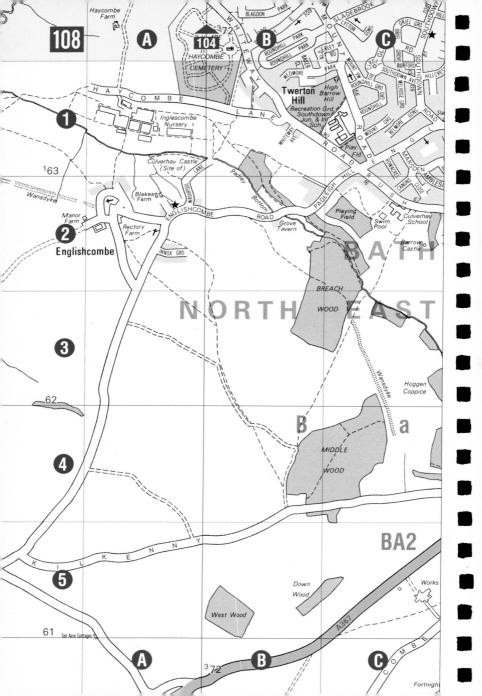

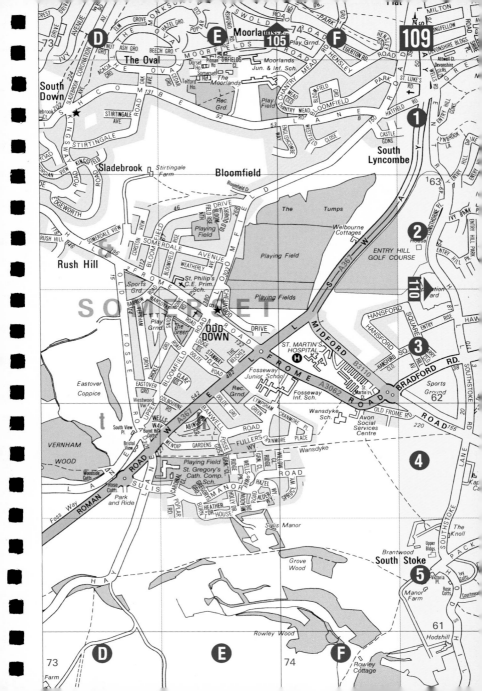

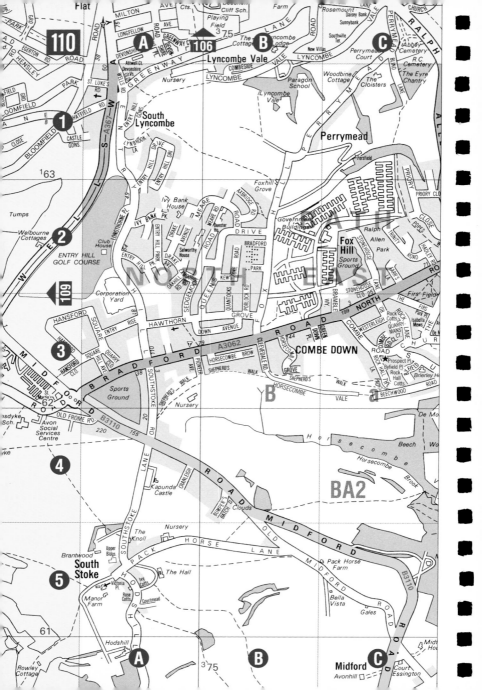

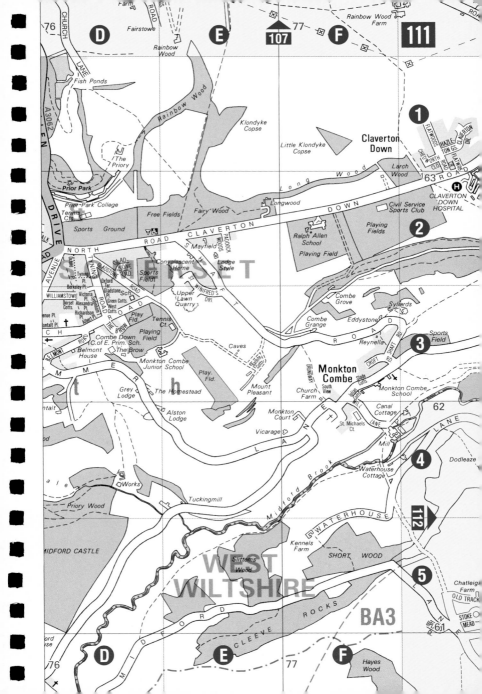

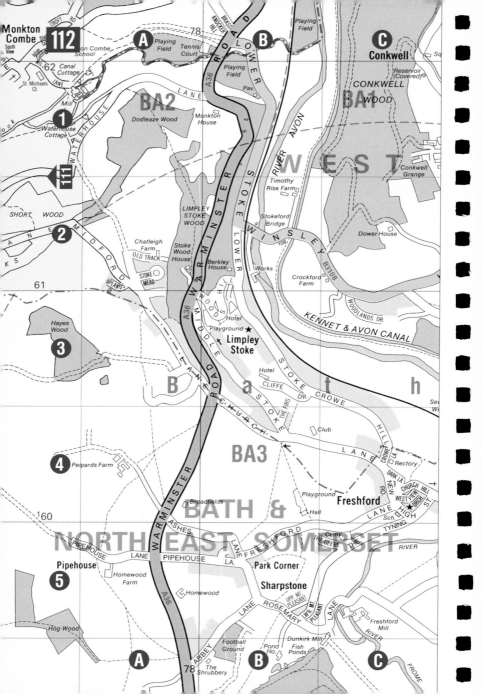

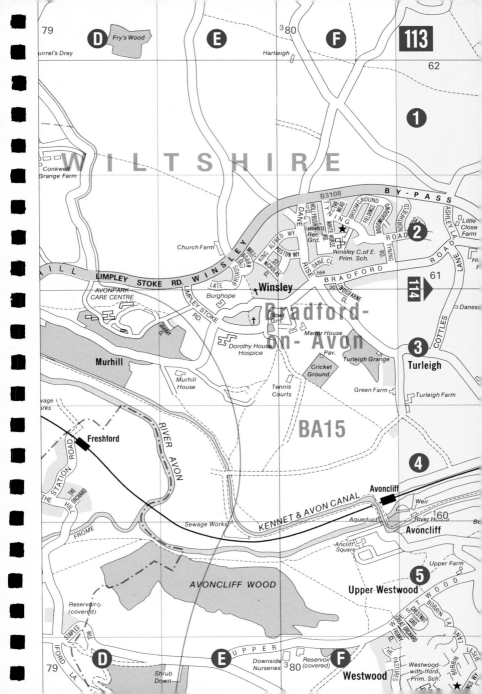

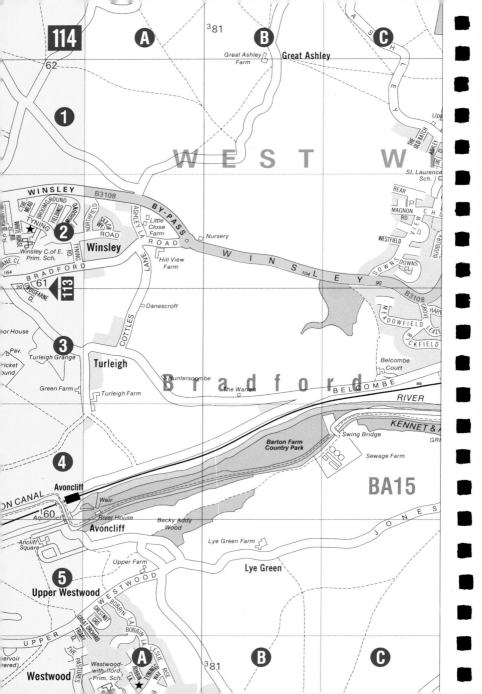

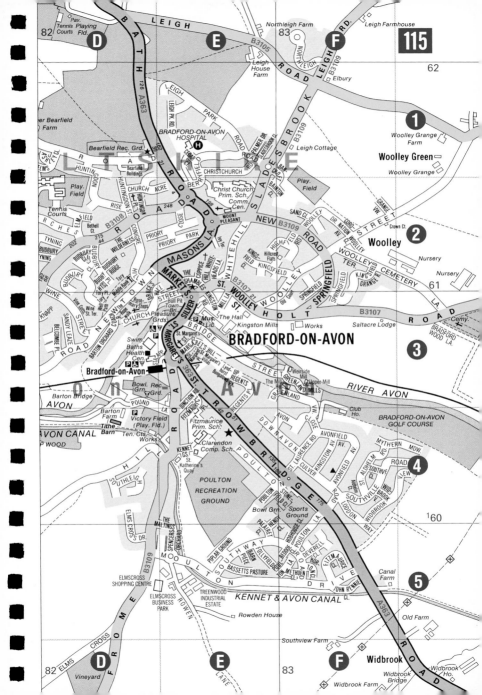

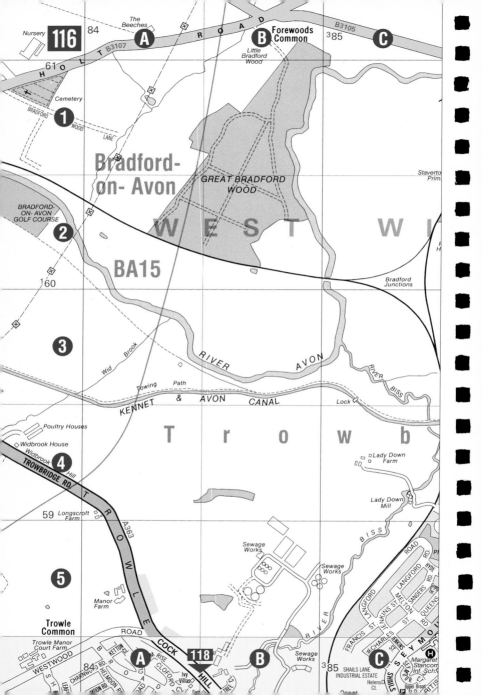

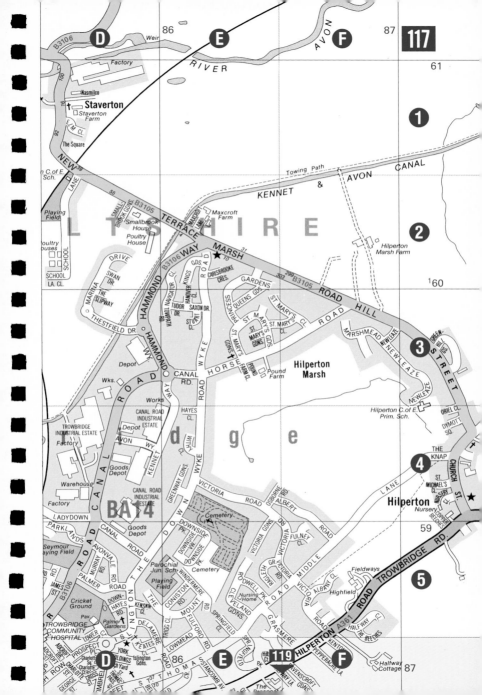

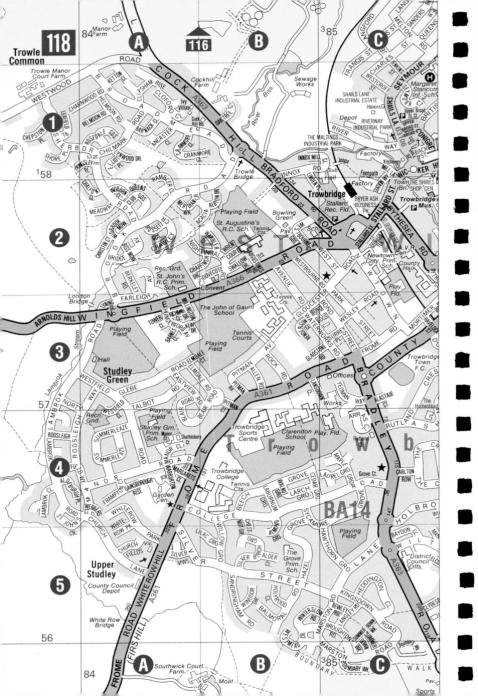

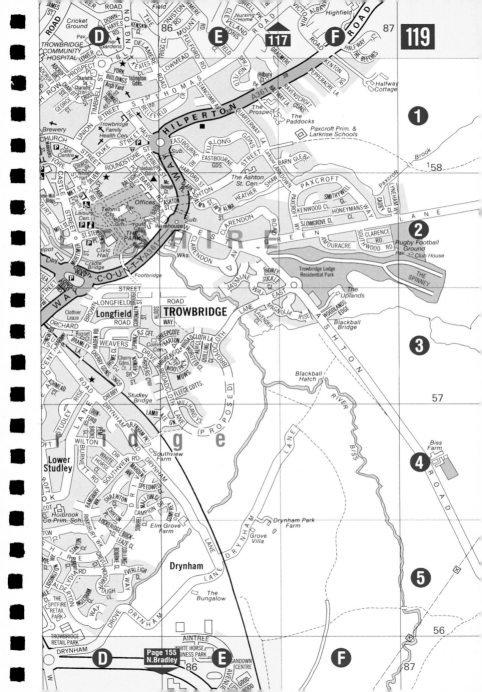

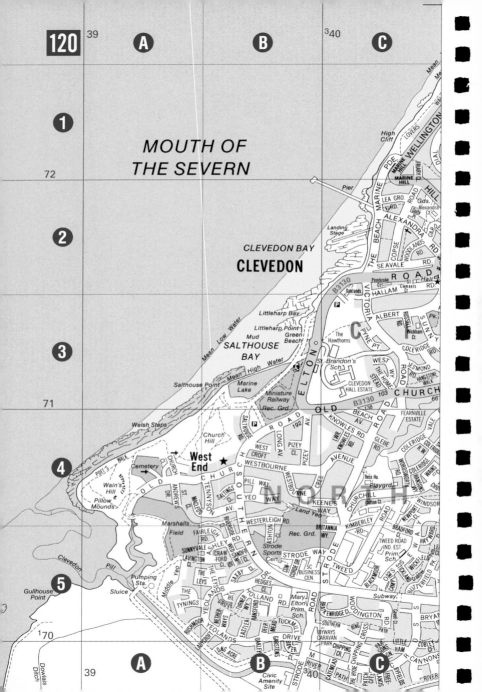

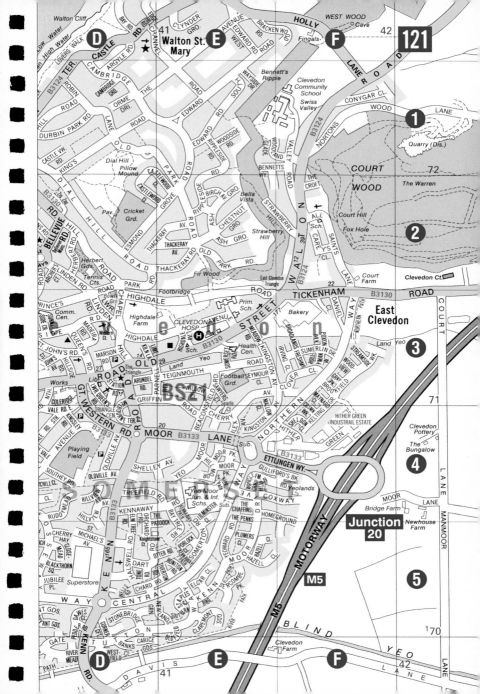

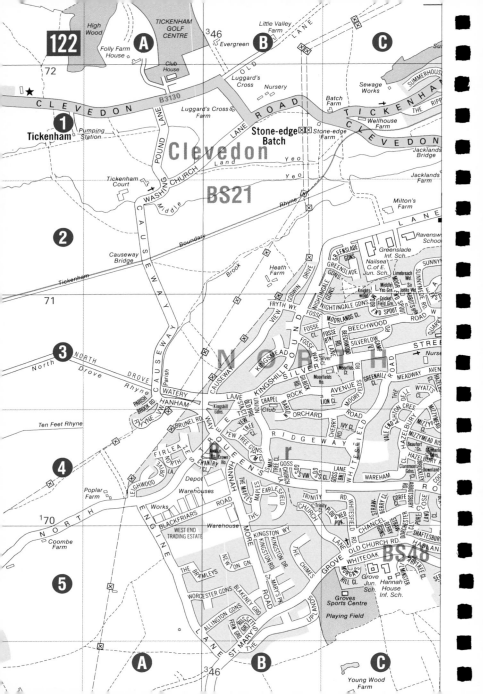

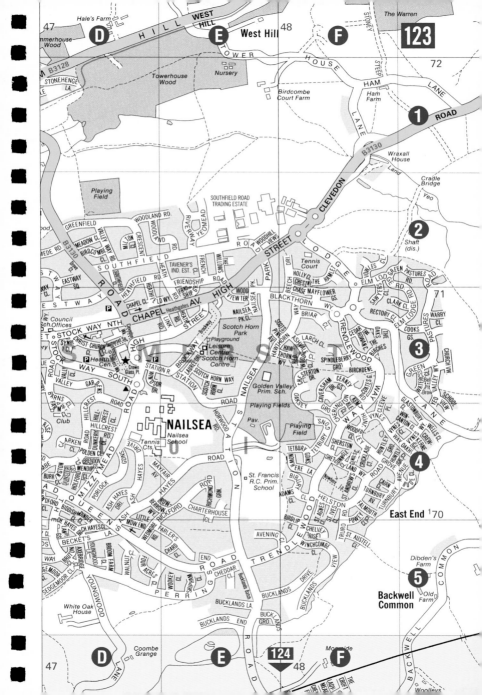

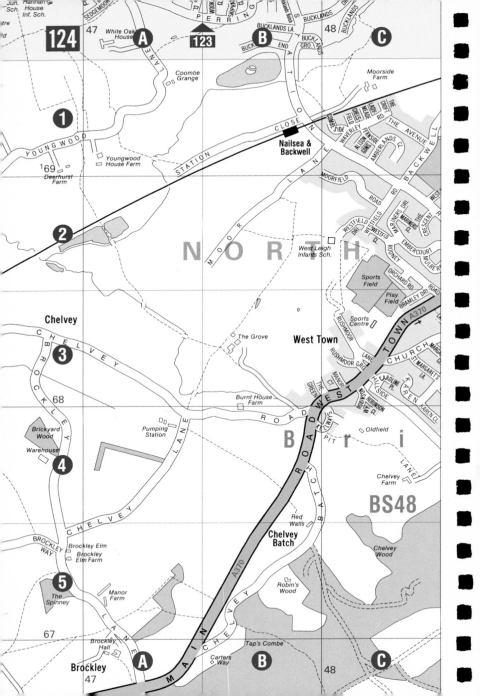

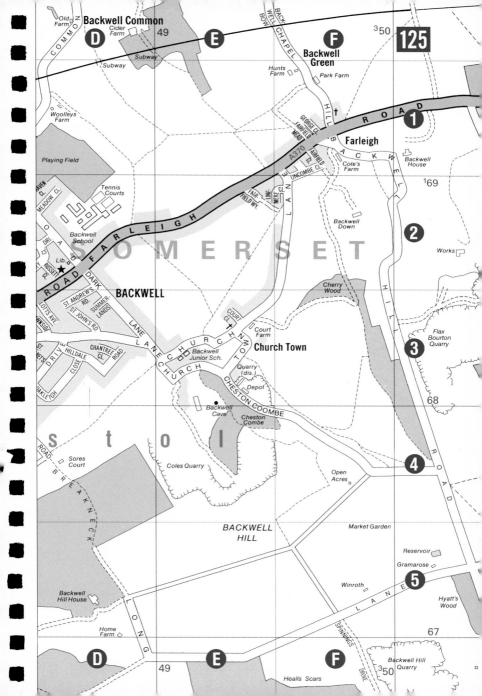

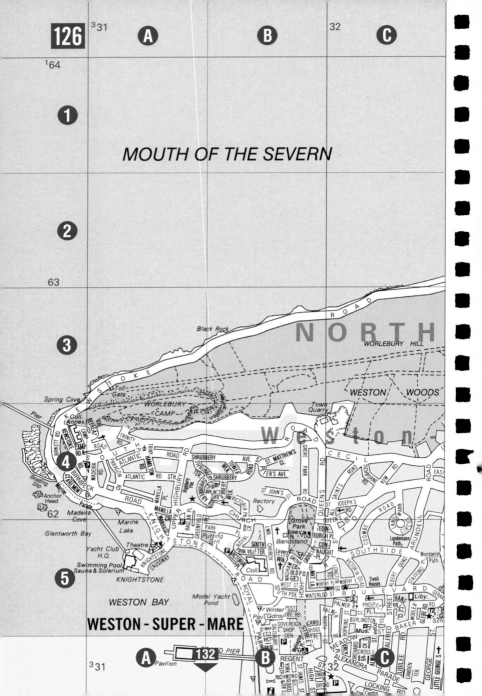

MOUTH OF THE SEVERN

Black Rock

N O R T H

WORLEBURY HILL

Spring Cove

Toll Gate

WORLEBURY CAMP

WESTON WOODS

Town Quarry

Pier

W e s t o n -

Coll. Annex

TREFUSE

TRINITY RD

SHRUBBERY

AVE.

ST. MATTHEW'S CL.

GROVE

CECIL

CAMP RD. W.

ATLANTIC

HAMILTON RD.

ROAD

TOWER

ST. PETER'S AVE.

PARK

ROAD

ROAD EAS

Boating Slip

BIRNBECK RD

MADEIRA RD

ATLANTIC RD. STH.

SHRUBBERY

ST. JOHN'S CT.

QUEEN'S

ST. MT'S RD.

TOWNSEND RD.

NSW RD

Anchor Head

CLAREMONT CR.

Parade

MANILLA

UPPER HIGHBURY

Highbury Pl.

Rectory

JOSEPH'S

ROAD

62

ROAD

MANILLA

VICTORIA

ROAD

QUEEN'S

ROAD

COOMBE

COMBE

ARUNDELL

Madeira Cove

Marine Lake

PARK

CHURCH

Grove Park

EDIN.

BURGH PL.

CONS

SOUTHSIDE

Landemann Path

Glentworth Bay

Yacht Club H.Q.

Theatre

Putting Grn

Bandstand

NAUGHT

VICTORIA QU

Montpelier Path

Swimming Pool Sauna & Solarium

KNIGHTSTONE

CAUSEWAY

KNIGHTSTONE

PARK VILL TER

Coll.

OLD P.O.

WORTHY

STAFFORD RD

Tivoli Houses

Liby.

KNIGHTSTONE

ROAD

Model Yacht Pond

MKT.

WEST ST.

WORTHY

VICTORIA QU

BOULEVARD

GERAR

WESTON BAY

ROYAL

STH PDE

WATERLOO ST

PALMER PL.

STREET

HANS

JUBILEE

GEORGE S

WESTON - SUPER - MARE

Winter Pav. Gdns

POST OFF

PROSP

BURLINGTON ST.

BAKER RD

GLEBE RD.

WOOLF

CAMDEN TER

LITTLE GEORGE S

SOVEREIGN SHOP. CEN.

HOPKINS ST.

Mus.

ALBERT

ALFRED

132

Pavilion

OLD PIER

REGENT

MEADOW

ORCHARD

ALMA

CROSS ST.

PARADE

LOCKING

RICHMOND

ST.

ALEXANDRA

HIGH

OXFORD

UNION

ST JAMES

ST.

P

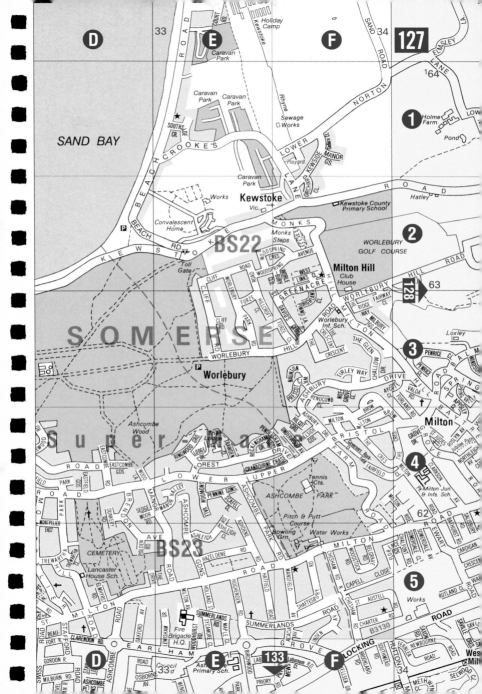

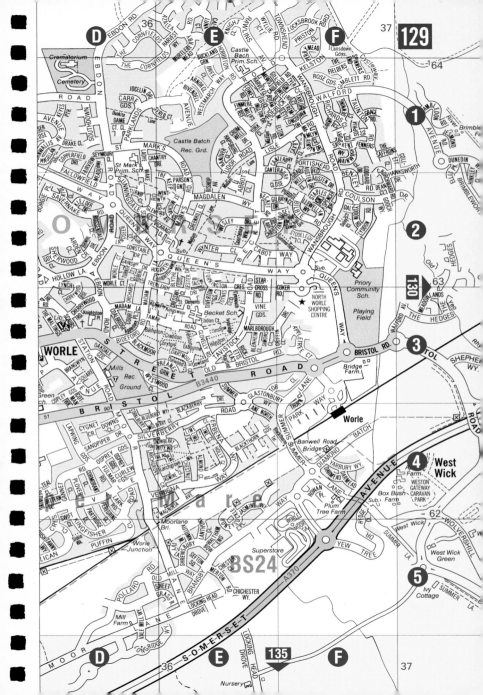

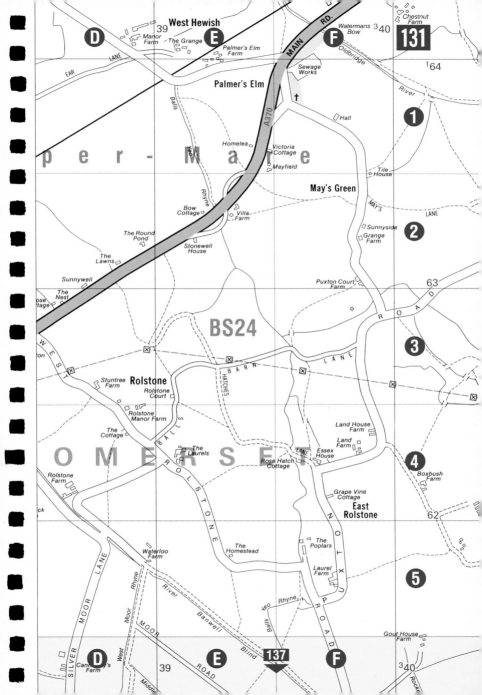

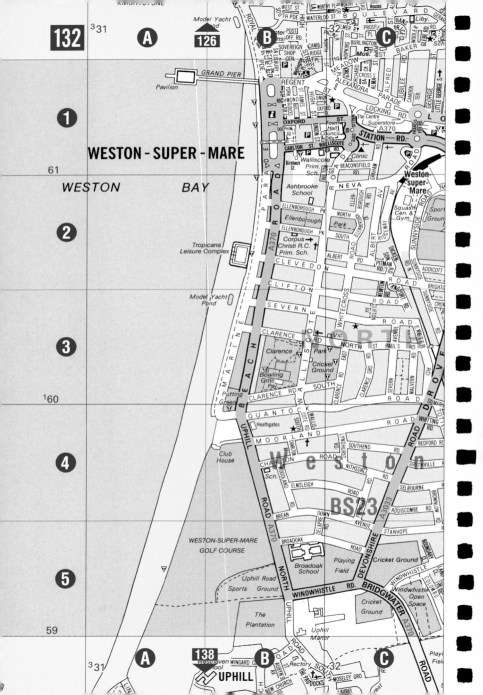

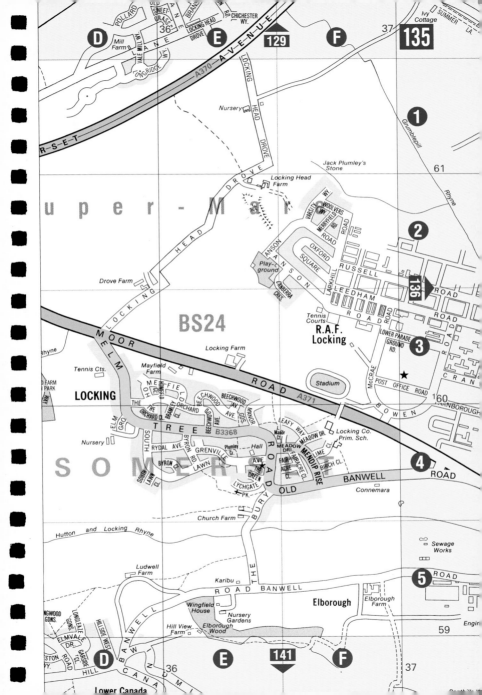

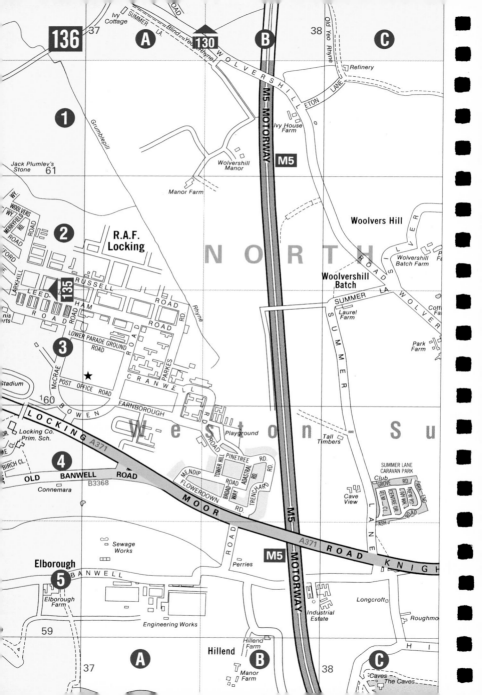

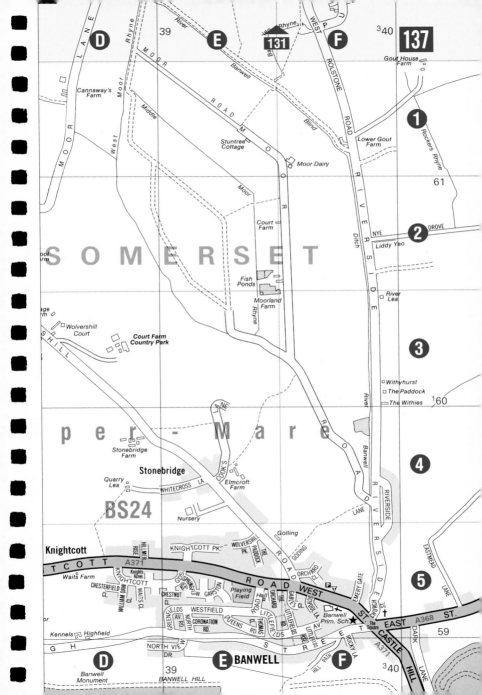

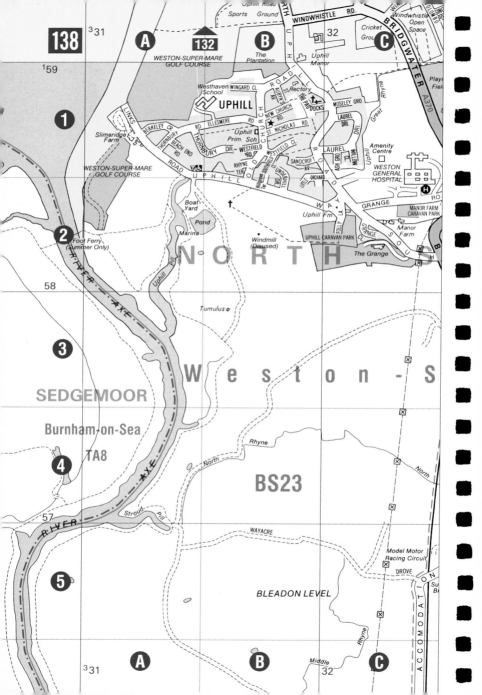

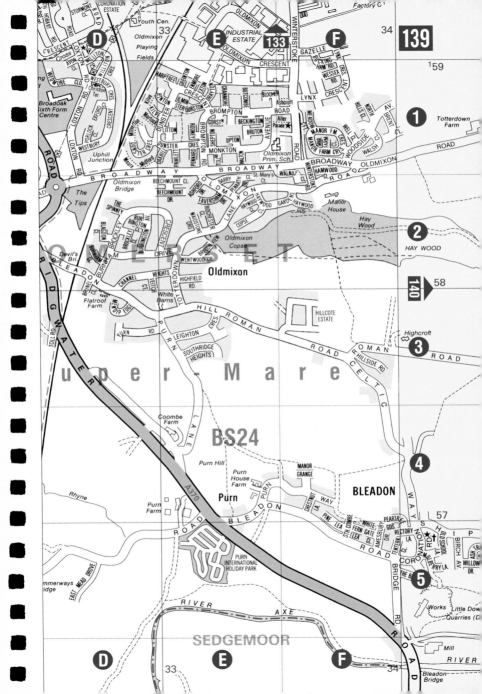

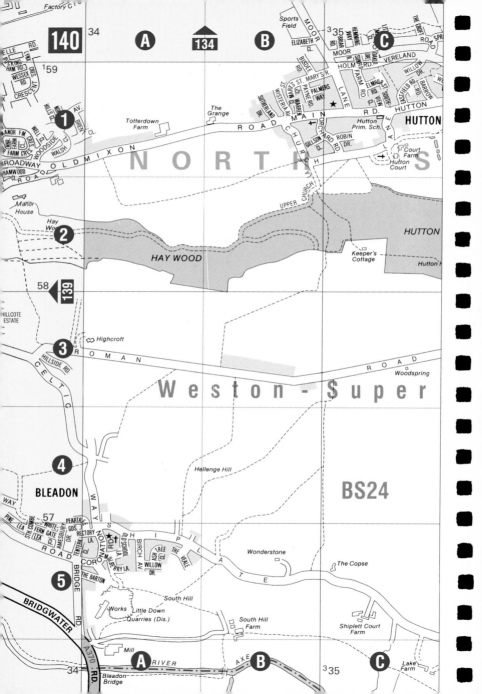

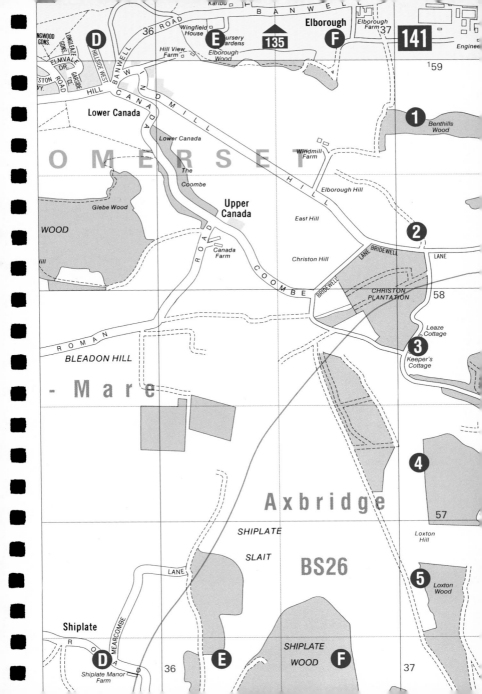

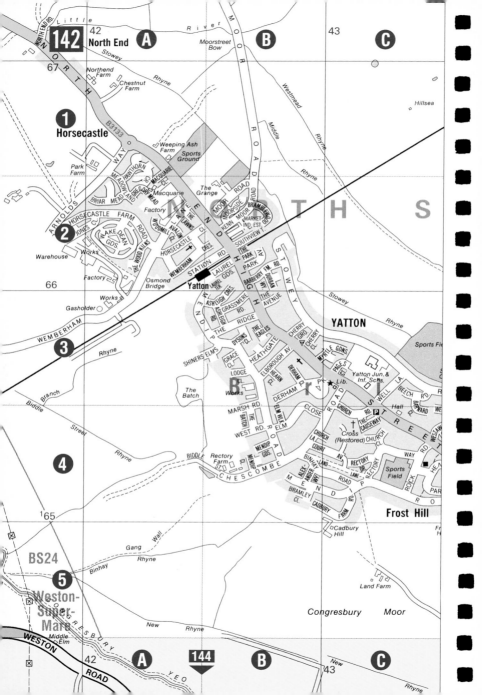

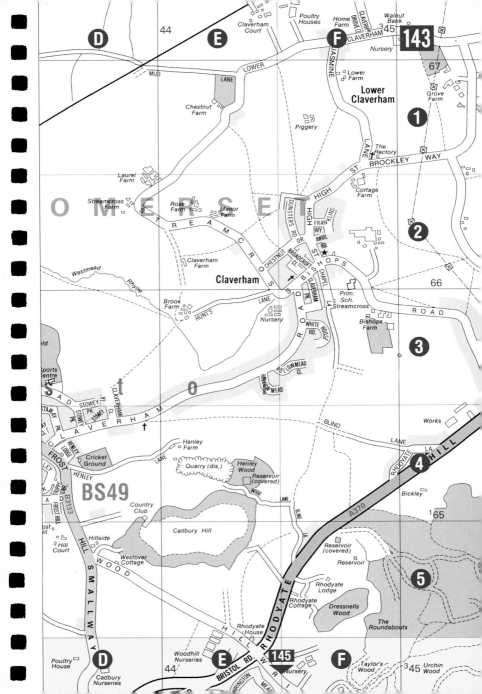

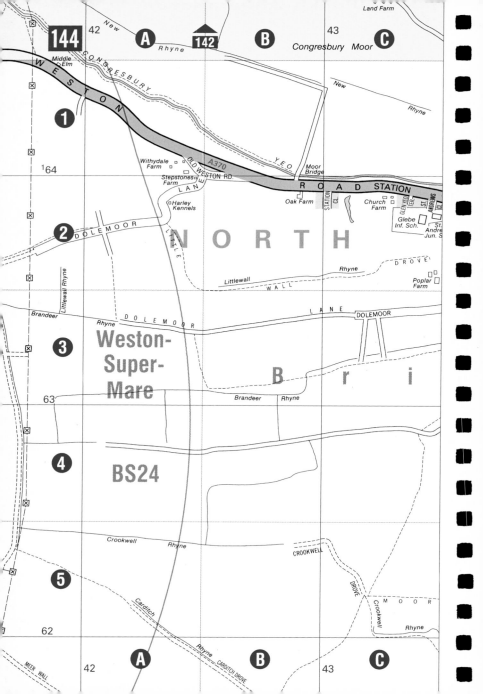

144 42   New   **A**   **142**   **B** 43   **C**

Land Farm

Rhyne

Congresbury Moor

WESTON

CONGRESBURY LANE

Middle Elm

1

New

Rhyne

YEO

¹64

Withydale Farm

A370

OLD WESTON RD.

Moor Bridge

R O A D   S T A T I O N

Stepstones Farm

LITTLE LANE

Harley Kennels

Oak Farm

STATION CL.

Church Farm

GLEN YEO TER.

ST. ANDREWS CL.

2

DOLEMOOR

N O R T H

Glebe Inf. Sch.

St. Andrew Jun. S

DROVE

Littlewall Rhyne

Littlewall

WALL

Rhyne

Poplar Farm

Brandeer

DOLEMOOR

Rhyne

LANE

DOLEMOOR

3

Weston- Super- Mare

B   e   r   i

63

Brandeer

Rhyne

4

BS24

Crookwell

Rhyne

CROOKWELL

5

Crookwell

DROVE

M O O R

62

Carditch

Crookwell

Rhyne

MEER WALL

42

A Rhyne CARDITCH DROVE **B** 43 **C**

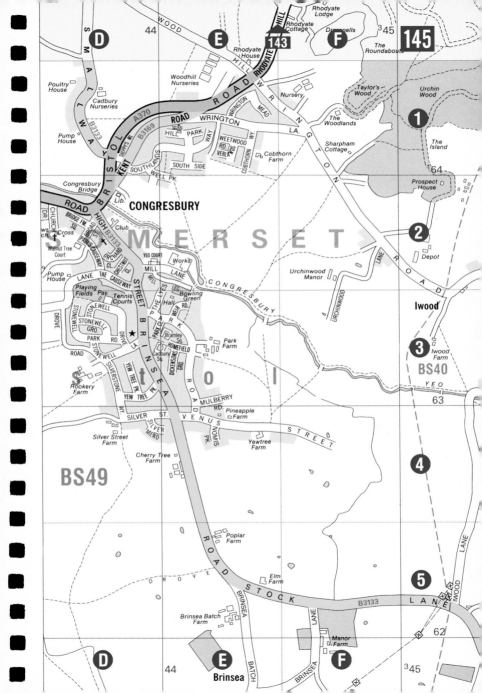

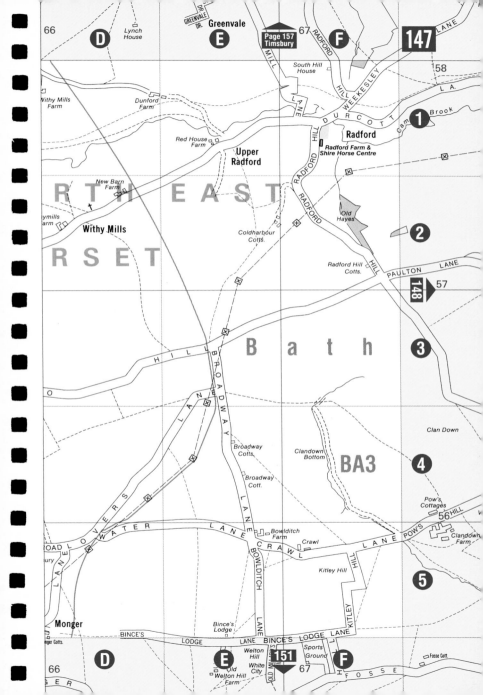

66

D

Lynch House

GREENVALE DR.

Greenvale

E

MILL LANE

Page 157
Timsbury

67

RADFORD HILL

F

WEEKESLEY LANE

147

158

Withy Mills Farm

Dunford Farm

South Hill House

DURCOTT HILL

WEEKESLEY

Cam Brook

1

Red House Farm

Upper Radford

RADFORD HILL

Radford

Radford Farm & Shire Horse Centre

RTH EAST

New Barn Farm

Coldharbour Cotts.

RADFORD

Old Hayes

2

RSET

Withy Mills

Radford Hill Cotts.

HILL

PAULTON LANE

148

57

HILL

BROADWAY

Bath

3

Broadway Cotts.

Clandown Bottom

Clan Down

BA3

4

Broadway Cott.

LANE LOVERS WATER

LANE

Pow's Cottages

56 HILL

Bowlditch Farm

Crawl

Clandown Farm

ROAD

CRAWL

Bowlditch

POW'S LANE

Kitley Hill

5

bury

Monger

nger Cotts.

BINCE'S

BROAD

LODGE LANE

Bince's Lodge

BINCE'S LANE

LODGE

LANE

KITLEY HILL

Welton Hill

BINCE'S LODGE LANE

Sports Ground

F

D

66

E

Old Welton Hill Farm

White City

151

67

FOSSE

Fosse Cott.

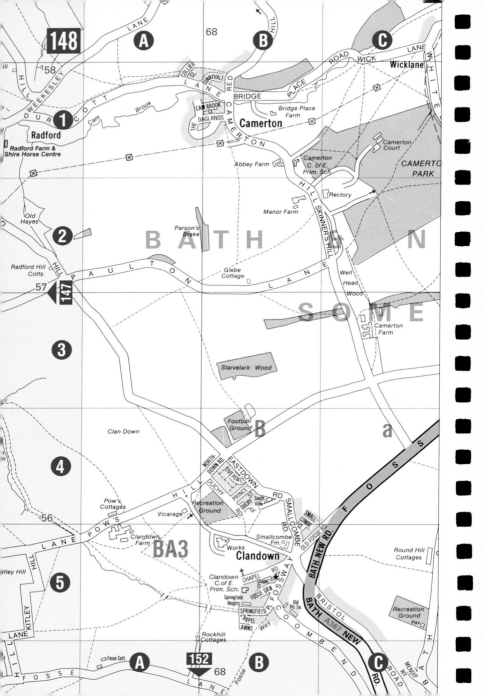

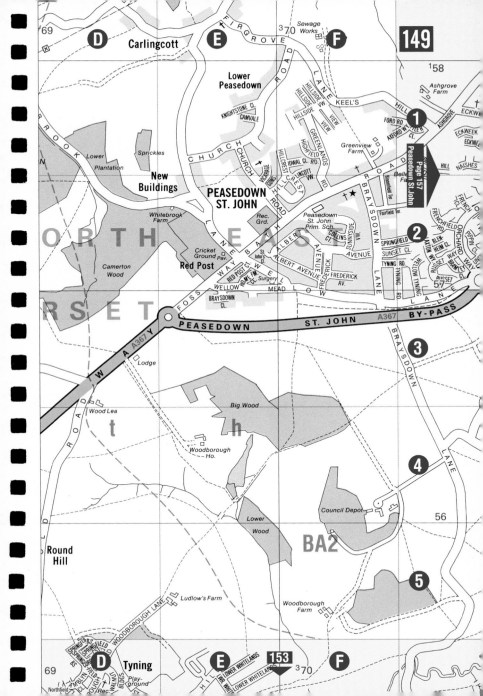

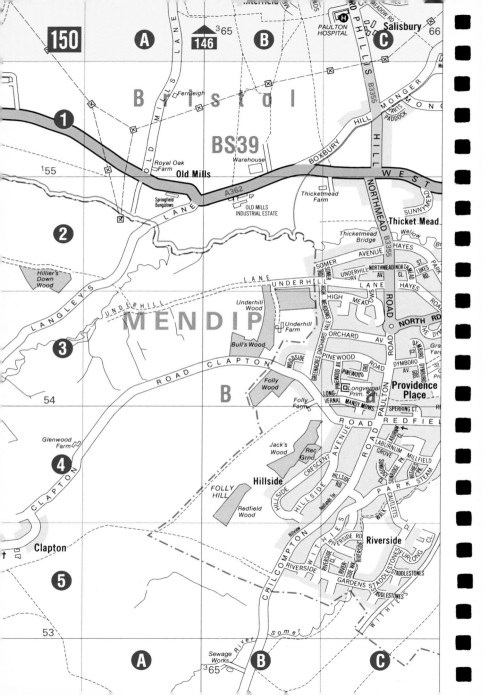

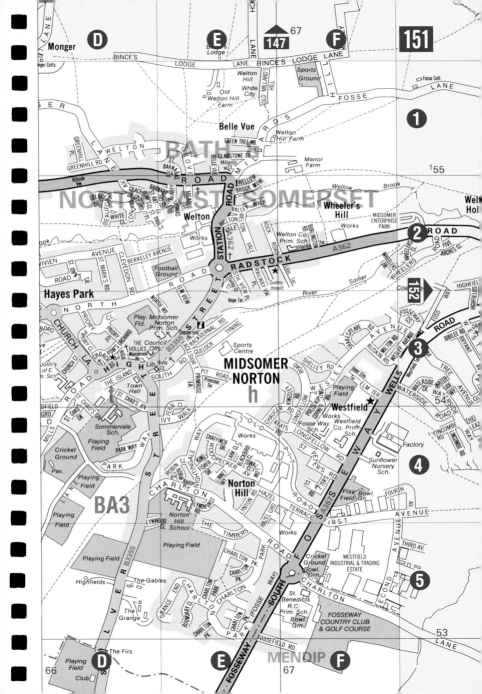

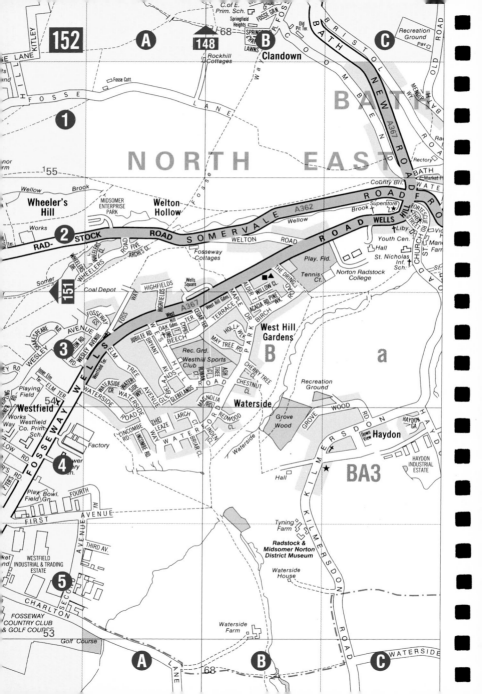

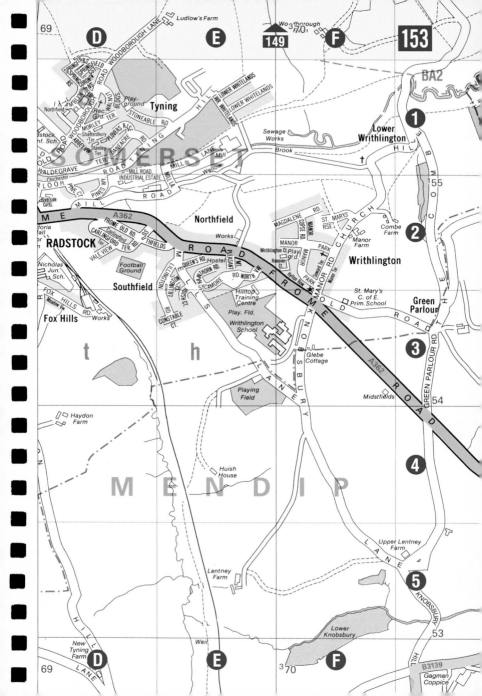

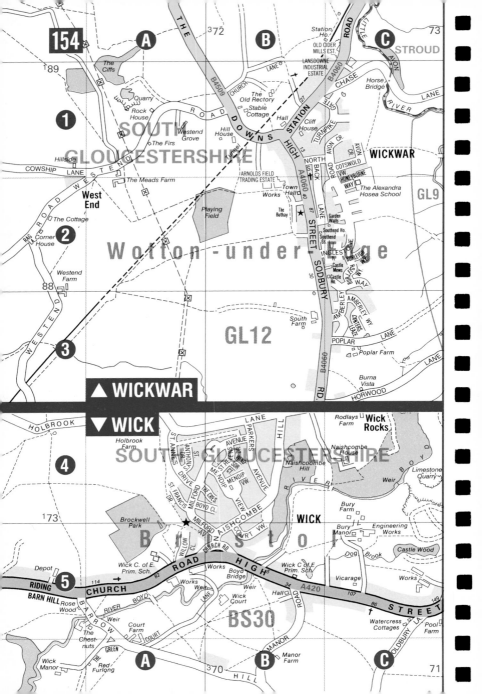

A   **B**   **C**   STROUD

372

73

†89

Station Ho.
OLD CIDER
MILLS EST.
LANSDOWNE
INDUSTRIAL
ESTATE

Horse Bridge

The Ciffs

Quarry
Rock House

The Old Rectory
Stable Cottage
Hall

Cliff House

1

SOUTH
GLOUCESTERSHIRE

Westend Grove
The Firs
Hill House

Hillside

COWSHIP LANE

The Meads Farm

ARNOLDS FIELD
TRADING ESTATE

Town Hall

Works

The Buthay ★

North
BACK

COTSWOLD
HONEYBORNE
WAY

WICKWAR

The Alexandra
Hosea School

GL9

West End

The Cottage

Playing Field

Garden Walls

Southend Ho.
Southend Ct.

2

Corner House

Wotton-under-Edge

Castle Mews
Castle Ho.

AMBERLEY WY.
CARTERS
PIECE

Westend Farm

88

INGLESTONE

POPLAR

South Farm

Poplar Farm

3

WESTEND

GL12

Burna Vista

HORWOOD

▲ **WICKWAR**

▼ **WICK**

HOLBROOK

Holbrook Farm

LANE
PARKERS

Rodlays Farm

Wick Rocks

Naishcombe House

SOUTH GLOUCESTERSHIRE

Naishcoombe Hill

Limestone Quarry

ST. ANNES DRIVE
ST. ANTHONYS
AVENUE
ST. FRANCIS DR.

ST. HELENS
MENDIP
MENDIP VW.

AVENUE

Weir

4

MILFORD INCRES
BOYD CL.

RIVER BOYD

Bury Farm

†73

Brockwell Park

WILLOW CL.

MILFORD
NAISHCOMBE
COURT VW.

★

WICK

Bury Manor

Engineering Works

Castle Wood

CHURCH RD.

Dog Brook

Depot

Wick C. of E.
Prim. Sch.

Works

Wick C of E
Prim. Sch.

Vicarage

Works

5

RIDING
BARN HILL

114

CHURCH

ROAD

82

Boyd Bridge

HIGH

34

A420

107

STREET

149

Rose Wood

BARROW

RIVER BOYD

Weir

Court Farm

Weir

Wick Court

Hall

86

Watercress Cottages

Pool Farm

The Chestnuts

THE
GREEN

Br**i**stol

BS30

MANOR RD.

OLDBURY LA.

Wick Manor

Red Furlong

A

HILL

370

B

Manor Farm

C

71

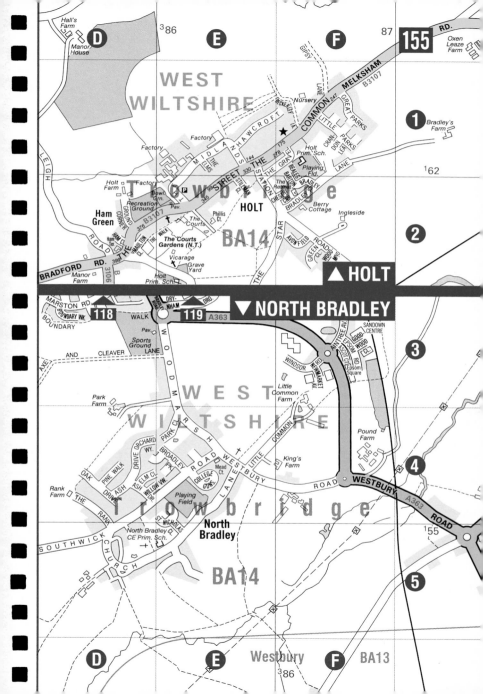

D Hall's Farm
Manor House

³86

E

F 87 **155** RD.
Oxen Leaze Farm

WEST WILTSHIRE

COMMON MELKSHAM B3107

GIPSY LANE

Nursery

GREAT PARKS

1 Bradley's Farm

HAWKCROFT

Factory
Factory

THE ELMS

MIDLAND

THE STATION

THE STREET

144

330

175

278

Holt Prim. Sch.

LITTLE PARKS LANE

CRAN DON

¹62

Holt Farm
Factory

T r o w b r i d g e

Bowl. Grn.

345

339

Playing Fld.

The Retreat

GREAT BRADLEY

BARTON

CHESTER

BRADLEY

Berry Cottage
Ingleside

LEIGH

Ham Green

Recreation Ground

HAM CORNER

B3107

Pav.

HOLT

Phillis Ct.

The Courts

AVON FIELD

THE STAR

2

ROAD

3106

HAMILTON

HAM CL.

WALK

376

399

The Courts Gardens (N.T.)

BA14

GREEN ROAD

CL.

WOOD

BRADFORD RD.

Manor Farm

Vicarage
Grave Yard

Holt Prim. Sch.

THE

▲ HOLT

MARSTON RD. **118** WALK

BOUNDARY WK.

DRY-NHAM ORD.

WOOD LANE

ORD.

▼ NORTH BRADLEY

BOUNDARY

119 A363

AXE

AND CLEAVER LANE

Pav.
Sports Ground

AITREE AV.

WINDSOR

NERO

NEWMARKET AV.

SANDOWN CENTRE

GOOD- WOOD

ASCOT CL.

EPSOM RD.

WOOD

CL.

3

W E S T

Park Farm

WOODMARSH

PARK WY.

BRADLEY

Little Common Farm

Epsom Square

W I L T S H I R E

Pound Farm

4

ORCHARD DRIVE

PINE WALK

ELM CL.

ASH

WILLOW VW.

PARK

ROAD

COLLEGE

Mead Ct.

GDNS.

WESTBURY LANE

LITTLE COMMON

King's Farm

WESTBURY ROAD

A363

ROAD

155

OAK

DRIVE

THE RANK

Rank Farm

Playing Field

T r o w b r i d g e

NICHOLLS

North Bradley

SOUTHWICK

CHURCH

North Bradley CE Prim. Sch.

North Bradley

5

BA14

D

E Westbury

³86

F BA13

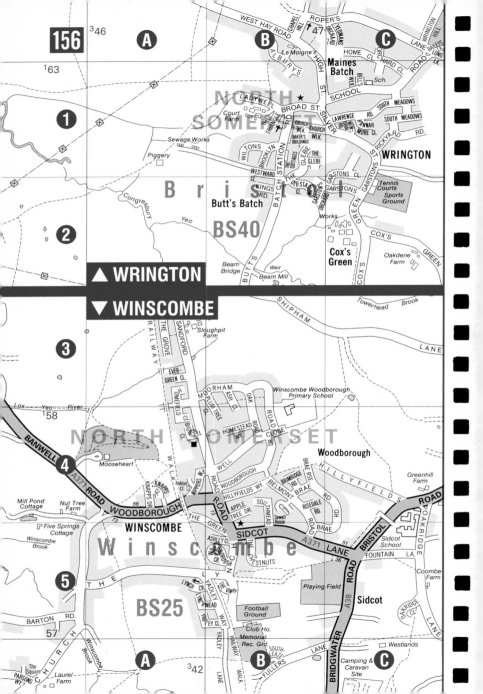

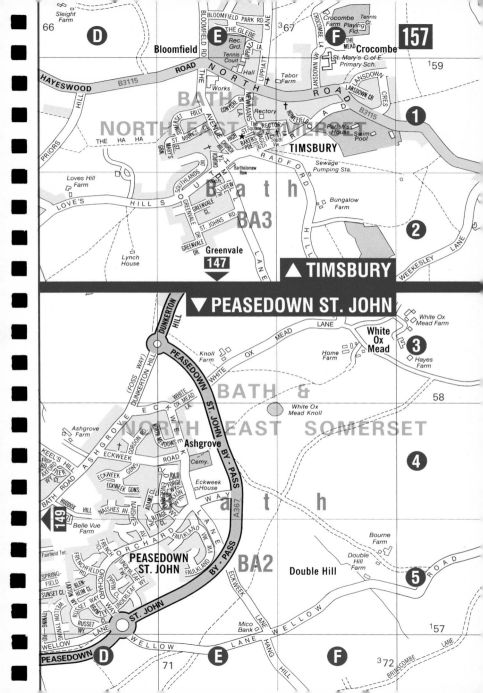

Timsbury (upper map):

Sleight Farm — 66 — **D** — Bloomfield — BLOOMFIELD PARK RD — LANE — 367 — **E** — THE GLEBE — Rec. Grd. — Crocombe Farm — Tennis Ct. — Playing Fld. — **F** — THE MEAD — Crocombe — **157** — ¹59

Tennis Court — LIPPIATT LA. — ST. Mary's C. of E. Primary Sch. — CROCOMBE LA. — LANSDOWN

HAYESWOOD — B3115 — ROAD — NORTH — Hall — Tabor Farm — Rectory — LANSDOWN CR — CRES — **1**

HILL — PRIORS — THE HA HA — BATH — NORTH EAST SOMERSET — Works — CONYGRE GN. — NEWMANS — FOLLY — ST. MARY'S — HIGH — BAKERS — RECTORY — South Vw — TIMSBURY — Parish's House — Swim Pool — B3115

THE — AVENUE — ST. MARY'S GRN. — Bartholomew Row — RADFORD — Sewage Pumping Sta.

Loves Hill Farm — SOUTHLANDS — GREENVALE CL — ST JOHNS RD. — B a t h — BA3 — Bungalow Farm — **2**

LOVE'S — HILL S — GREENVALE DR. — GREENVALE DR. — LANE — RADFORD HILL

Lynch House — Greenvale — **147** ▼ — **▲ TIMSBURY** — WEEKESLEY LANE

▼ PEASEDOWN ST. JOHN (lower map):

DUNKERTON HILL — MEAD — LANE — White Ox Mead Farm — **F** — White Ox Mead — **3** — Hayes Farm

(FOSS WAY) — PEASEDOWN — WHITE — OX — MEAD — Knoll Farm — Home Farm

DUNKERTON HILL — ST. JOHN BY-PASS — WHITE OX MEAD LA. — BATH & — 58

ECK — NORTH MEADOWS — NORTH EAST SOMERSET — White Ox Mead Knoll — **4**

Ashgrove Farm — GORDON RD — Ashgrove — ECKWEEK — ROAD — Cemy. — B a t h

KEEL'S HILL — PROP. RD — AXFORD WY — ECKWEEK GDNS — OLD FORGE — Eckweek House — A367 — a — t — h

BATH — HUDDOX HILL — ROAD — NAISHES AV. — ADAMS CL. — WAY — Bourne Farm

149 ◀ — Belle Vue Farm — THE RITZAGE — LANE — Double Hill Farm — **5**

Fairfield Ter. — FRENCH CL — ORCHARD — FAULKLAND — WM — ROAD

SPRING-FIELD — FRENCHFIELD TCE — PIPPIN CL — PEASEDOWN ST. JOHN — FAULKLAND LANE — BA2 — Double Hill — ROAD

SUNSET CL — LATIM WY — BLEM — HEM CL — UNDERLEAF WY — ST. JOHN BY-PASS — ECKWEEK LANE

LYTYNING — TYNING RD — RUSSET WY — WILLOW WAY — BRANCH — LANE — Mico Bank — WELLOW — HANG HILL

WELLOW — PEASEDOWN — **D** — ST. JOHN — WELLOW — 71 — LANE — **E** — LANE — **F** — ³72 — BRINSCOMBE LANE — ¹57

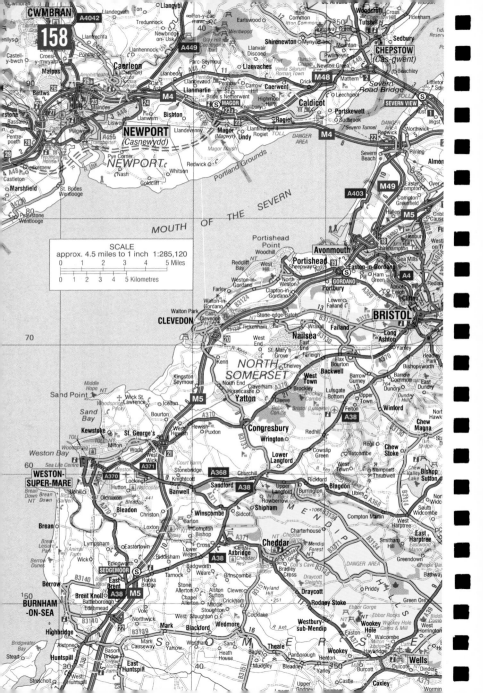

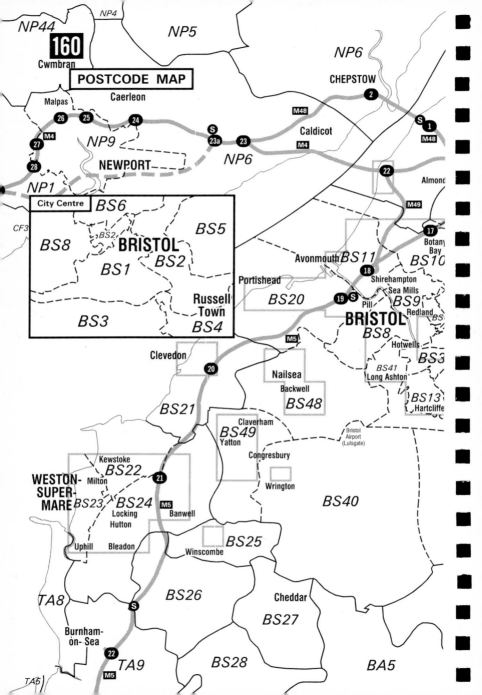

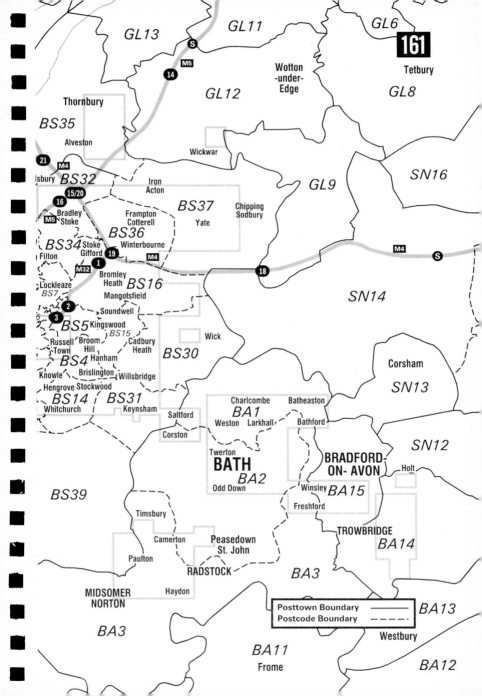

INDEX TO PLACES & AREAS

with their map square reference

NOTES

1. Names in this Index shown in CAPITAL LETTERS followed by their Postcode District(s), are Postal Addresses.

2. The places & areas index reference indicates the approximate centre of the town or place and not where the name occurs on the map.

INDEX

Including Streets, Industrial Estates and Selected Subsidiary Addresses

HOW TO USE THIS INDEX

1. Each street name is followed by its Postal District, and then by its map reference; e.g. Abbeydale. *Wint* —3A **30** is in the Winterbourne Postal Locality and is found in square 3A on page **30**. The page number being shown in bold type. A strict alphabetical order is followed in which Av., Rd., St. etc. (though abbreviated) are read in full and as part of the street name; e.g. Caledonian Rd. appears after Caledonia M. but before Caledonia Pl.

2. Streets and a selection of Subsidiary names not shown on the Maps, appear in this index in *Italics* with the thoroughfare to which it is connected shown in brackets; e.g. *Abbey Chambers. Bath —3B* **106** *(4C 96) (off York St.)*

5. Map references shown in brackets; e.g. Abbey Ct. *Bath* —2C **106** (2E **97**) refer to entries that also appear on the large scale pages **4-5** & **96-97**.

GENERAL ABBREVIATIONS

All : Alley
App : Approach
Arc : Arcade
Av : Avenue
Bk : Back
Boulevd : Boulevard
Bri : Bridge
B'way : Broadway
Bldgs : Buildings
Bus : Business
Cvn : Caravan
Cen : Centre
Chu : Church
Chyd : Churchyard
Circ : Circle
Cir : Circus
Clo : Close
Comn : Common
Cotts : Cottages
Ct : Court
Cres : Crescent
Cft : Croft
Dri : Drive
E : East
Embkmt : Embankment

Est : Estate
Fld : Field
Gdns : Gardens
Gth : Garth
Ga : Gate
Gt : Great
Grn : Green
Gro : Grove
Ho : House
Ind : Industrial
Info : Information
Junct : Junction
La : Lane
Lit : Little
Lwr : Lower
Mc : Mac
Mnr : Manor
Mans : Mansions
Mkt : Market
Mdw : Meadow
M : Mews
Mt : Mount
Mus : Museum
N : North
Pal : Palace

Pde : Parade
Pk : Park
Pas : Passage
Pl : Place
Quad : Quadrant
Res : Residential
Ri : Rise
Rd : Road
Shop : Shopping
S : South
Sq : Square
Sta : Station
St : Street
Ter : Terrace
Trad : Trading
Up : Upper
Va : Vale
Vw : View
Vs : Villas
Vis : Visitors
Wlk : Walk
W : West
Yd : Yard

POSTTOWN AND POSTAL LOCALITY ABBREVIATIONS

Abb L : Abbots Leigh
Alm : Almondsbury
Alv : Alveston
Arn V : Arnos Vale
Ash D : Ashley Down
Asht : Ashton
Ash G : Ashton Gate
Avon : Avoncliff
A'mth : Avonmouth
Avon V : Avon Valley Bus. Pk.
Azt W : Aztec West
Back : Backwell
Bann : Bannerdown
Ban : Banwell
Bap M : Baptist Mills
Bar G : Barrow Gurney
Bar C : Barrs Court
Bar H : Barton Hill
Bath : Bath
B'ptn : Bathampton
Bathe : Batheaston
Bathf : Bathford
Bathw : Bathwick
Bedm : Bedminster
Bed D : Bedminster Down
Bishop : Bishopston
B'wth : Bishopsworth
Bit : Bitton
B'don : Bleadon
Brad A : Bradford-on-Avon
Brad S : Bradley Stoke

Bren : Brentry
B'yte : Bridgeyate
Brisl : Brislington
Bris : Bristol
B'ley : Brockley
C'ton : Camerton
Charl : Charlcombe
C'vey : Chelvey
Chip S : Chipping Sodbury
Chit : Chittening
C'chu : Christchurch
Clan : Clandown
C'tn : Clapton
Clav : Claverham
Clav D : Claverton Down
Clay H : Clay Hill
C've : Cleeve
Clev : Clevedon
Clif : Clifton
Clif W : Clifton Wood
Clut : Clutton
Coal H : Coalpit Heath
Cod : Codrington
C Down : Combe Down
C Hay : Combe Hay
Cong : Congresbury
C Din : Coombe Dingle
Cor : Corston
Cot : Cotham
Crom : Cromhall
Dod : Dodington

Down : Downend
Dun : Dundry
E Comp : Easter Compton
E'tn : Easton
E'ton G : Easton-in-Gordano
Eastv : Eastville
E Grn : Emersons Green
Eng : Englishcombe
Fail : Failand
Far G : Farrington Gurney
Fil : Filton
Fish : Fishponds
Fram C : Frampton Cotterell
Fren : Frenchay
F'frd : Freshford
G Ear : Gaunts Earthcott
G'bnk : Greenbank
Grov : Grovesend
Hall : Hallatrow
H'len : Hallen
Ham : Hambrook
Han : Hanham
Hawk B : Hawkfield Bus. Pk.
Hay : Haydon
Hen : Henbury
H'gro : Hengrove
Henl : Henleaze
Hew : Hewish
High L : High Littleton
Hil : Hilperton
Hil M : Hilperton Marsh

Posttown and Postal Locality Abbreviations

INDEX

Albany Rd.—Armadale Av.

Albany Rd. *Bris* —1B **70**
Albany St. *Bris* —2E **73**
Albany Way. *Bris* —5E **75**
Albermarle Row. *Bris* —4B **68**
Albermarle Ter. *Bris* —4B **68**
Albert Av. *Pea J* —2F **149**
Albert Av. *W Mare* —2C **132**
Albert Cres. *Bris* —5C **70**
Albert Gro. *Bris* —2B **72**
Albert Mill. *Key* —4B **92**
Alberton Rd. *Bris* —1B **60**
Albert Pde. *Bris* —2F **71**
Albert Pk. *Bris* —1B **70**
Albert Pk. Pl. *Bris* —1A **70**
Albert Pl. *Bath* —3D **111**
Albert Pl. *Bedm* —2F **79**
Albert Pl. *W Trym* —5C **40**
Albert Quad. *W Mare* —5C **126**
Albert Rd. *Clev* —3C **120**
Albert Rd. *Han* —5F **73**
Albert Rd. *Key* —3A **92**
Albert Rd. *P'head* —3F **49**
Albert Rd. *Sev B* —4B **20**
Albert Rd. *Stap H* —3A **62**
Albert Rd. *St Ph* —1C **80**
Albert Rd. *Trow* —4F **117**
Albert Rd. *W Mare* —2C **132**
Albert St. *Bris* —2E **71**
Albert Ter. *Bris* —3B **60**
Albert Ter. *Twer A* —3D **105**
Albion Bldgs. *Bath* —2E **105**
Albion Clo. *Bris* —2B **62**
Albion Dockside Est. *Bris* —5D **69**
Albion Dri. *Trow* —2B **118**
Albion Pl. *Bath* —2F **105**
Albion Pl. *Bris* —4C **70**
Albion Pl. *St Ph* —3B **70** (2F **5**)
Albion Rd. *Bris* —1D **71**
Albion St. *Bris* —2E **71**
Albion Ter. *Bath* —2F **105**
Albion Ter. *Pat* —5D **11**
Alburys. *Wrin* —1B **156**
Alcove Rd. *Bris* —4A **60**
Aldeburgh Pl. *Trow* —4A **118**
Alder Clo. *Trow* —5B **118**
Aldercombe Rd. *Bris* —4E **39**
Alderdown Clo. *Bris* —4C **38**
Alder Dri. *Bris* —1A **72**
Alderley Rd. *Bath* —5B **104**
Aldermoor Way. *L Grn* —1A **84**
Alderney Av. *Bris* —1B **82**
Alders, The. Bris —3D **45**
  (off Marlborough Dri.)
Alder Ter. *Rads* —2B **152**
Alderton Rd. *Bris* —4A **42**
Alderton Way. *Trow* —5D **119**
Alder Way. *Bath* —4E **109**
Aldhelm Ct. *Brad A* —4F **115**
Aldwick Av. *Bris* —5E **87**
Alec Ricketts Clo. *Bath* —4A **104**
Alexander Bldgs. *Bath* —5C **100**
Alexander Way. *Yat* —4B **142**
Alexandra Clo. *Bris* —3F **61**
Alexandra Ct. *Clev* —2C **120**
Alexandra Gdns. *Bris* —3F **61**
Alexandra Pde. *W Mare* —1C **132**
Alexandra Pk. *Fish* —3B **60**
Alexandra Pk. *Paul* —4B **146**
Alexandra Pk. *Redl* —5E **57**
Alexandra Pl. *Bath* —3D **111**
Alexandra Pl. *Bris* —3F **61**
Alexandra Rd. *Bath* —4B **106**
Alexandra Rd. *Bed D* —1B **86**
Alexandra Rd. *Clev* —2C **120**
Alexandra Rd. *Clif* —2D **69**
Alexandra Rd. *Coal H* —2F **31**
Alexandra Rd. *Han* —5F **73**
Alexandra Rd. *W Trym* —4E **41**
Alexandra Ter. *Paul* —4B **146**
Alexandra Way. *T'bry* —1C **6**
Alford Rd. *Bris* —3E **81**
Alfred Hill. *Bris* —2F **69**

Alfred Lovell Gdns. *Bris* —1C **84**
Alfred Pde. *Bris* —2F **69** (1B **4**)
Alfred Pl. *K'dwn* —2E **69**
Alfred Pl. *Redc* —5F **69** (5C **4**)
Alfred Rd. *Bris* —2F **79**
Alfred Rd. *W'bry P* —3C **56**
Alfred St. *Bath* —2A **106** (1B **96**)
Alfred St. *Redf* —2E **71**
Alfred St. *St Ph* —4C **70**
Alfred St. *W Mare* —1C **132**
Algars Dri. *Iron A* —3A **16**
Algiers St. *Bris* —2F **79**
Alison Gdns. *Back* —1C **124**
Allanmead Rd. *Bris* —5D **81**
Allen Rd. *Trow* —3B **118**
Aller Pde. *W Mare* —1F **139**
Allerton Cres. *Bris* —4D **89**
Allerton Gdns. *Bris* —3D **89**
Allerton Rd. *Bris* —4C **88**
Allfoxton Rd. *Bris* —4C **58**
All Hallows Rd. *Bris* —2D **71**
Allington Dri. *Bar C* —1B **84**
Allington Gdns. *Nail* —5B **122**
Allington Rd. *Bris* —5E **69**
Allison Av. *Bris* —2A **82**
Allison Rd. *Bris* —2F **81**
All Saints Ct. *Bris* —3F **69** (3C **4**)
All Saints Gdns. *Bris* —2C **68**
All Saints La. *Bris* —3F **69** (2C **4**)
All Saints La. *Clev* —2F **121**
All Saints Pl. *Bath* —4E **107**
All Saints Rd. *Bath* —1A **106**
All Saints Rd. *Bris* —2C **68**
All Saints Rd. *W Mare* —4C **126**
All Saints St. *Bris* —3F **69** (2C **4**)
Alma Clo. *Bris* —2A **74**
Alma Ct. *Bris* —1D **69**
Alma Rd. *Clif* —2C **68**
Alma Rd. *K'wd* —1A **74**
Alma Rd. Av. *Bris* —2D **69**
Alma St. *Trow* —2E **119**
Alma St. *W Mare* —1C **132**
Alma Va. Rd. *Bris* —2C **68**
Almeda Rd. *Bris* —4C **72**
Almond Clo. *W Mare* —4E **129**
Almond Gro. *Trow* —5B **118**
Almondsbury Bus. Cen. *Alm* —3F **11**
Almond Way. *Bris* —2B **62**
Almorah Rd. *Bris* —2A **80**
Alpha Rd. *Bris* —1F **79**
Alpine Clo. *Paul* —5C **146**
Alpine Gdns. *Bath* —1B **106**
Alpine Rd. *Bris* —1E **71**
Alpine Rd. *Paul* —5C **146**
Alsop Rd. *Bris* —2F **73**
Alton Pl. *Bath* —4B **106** (5C **96**)
Alton Rd. *Bris* —2B **58**
Altringham Rd. *Bris* —1F **71**
Alum Clo. *Trow* —3E **119**
Alverstoke. *Bris* —1B **88**
Alveston Hill. *T'bry* —1B **8**
Alveston Wlk. *Bris* —5D **39**
Alwins Ct. *Bar C* —1B **84**
Amberey Rd. *W Mare* —3D **133**
Amberlands Clo. *Back* —1C **124**
Amberley Clo. *Bris* —5F **45**
Amberley Clo. *Key* —4A **92**
Amberley Gdns. *Nail* —4C **122**
Amberley Rd. *Bris* —5F **45**
Amberley Rd. *Pat* —1D **27**
Amberley Way. *Wickw* —3C **154**
Amble Clo. *Bris* —3B **74**
Ambleside Av. *Bris* —3D **41**
Ambleside Rd. *Bath* —2C **108**
Ambra Va. *Bris* —4C **68**
Ambra Va. E. *Bris* —4C **68**
Ambra Va. S. *Bris* —4C **68**
Ambra Va. W. *Bris* —4C **68**
Ambrose Rd. *Bris* —4C **68**
Ambury. *Bath* —4A **106** (5B **96**)
  (in two parts)
Amercombe Wlk. *Bris* —1F **89**

Amery La. *Bath* —3B **106** (4C **96**)
Amesbury Dri. *B'don* —5F **139**
Amouracre. *Trow* —2F **119**
Ancaster Clo. *Trow* —1A **118**
Anchor Clo. *St G* —4B **72**
Anchor La. *Bris* —4E **69** (4A **4**)
Anchor Rd. *Bath* —5C **98**
Anchor Rd. *Bris* —4D **69** (4A **4**)
Anchor Rd. *K'wd* —1C **74**
Anchor Way. *Pill* —3F **53**
Ancliff Sq. *Avon* —3F **115**
Andereach Clo. *Bris* —5D **81**
Andover Rd. *Bris* —3B **80**
Angels Ground. *St Ap* —4B **72**
Angers Rd. *Tot* —1B **80**
Anglesea Pl. *Bris* —5C **56**
Anglo Ter. Bath —1B **106**
  (off London Rd.)
Annandale Av. *W Mare* —4C **128**
Anson Clo. *Salt* —5F **93**
Anson Rd. *Kew* —1B **128**
Anson Rd. *Lock* —2E **135**
Anstey's Rd. *Han* —5D **73**
Anstey St. *Bris* —1D **71**
Anthea Rd. *Bris* —5A **60**
Antona Ct. *Bris* —5E **37**
Antona Dri. *Bris* —5F **37**
Antrim Rd. *Bris* —1D **57**
Anvil Rd. *Clav* —2F **143**
Anvil St. *Bris* —4B **70** (3F **5**)
Apex Ct. *Alm* —3F **11**
Apperley Clo. *Yate* —1F **33**
Appleby Wlk. *Bris* —1F **87**
Appledore. *W Mare* —3D **129**
Appledore Clo. *Bris* —5D **81**
Applegate. *Bris* —1D **41**
Appletree Ct. *Wor* —3F **129**
Apple Tree Dri. *Wins* —4B **156**
Applin Grn. *E Grn* —1E **63**
Appsley Clo. *W Mare* —3A **128**
Apseleys Mead. *Brad S* —4E **11**
Apsley Clo. *Bath* —2C **104**
Apsley Rd. *Bath* —2B **104**
Apsley Rd. *Bris* —1C **68**
Apsley St. *Bris* —5E **59**
Apsley Vs. *Bris* —1F **69**
Arbutus Dri. *Bris* —5E **39**
Arbutus Wlk. *Bris* —3F **39**
Arcade, The. *Bris* —3A **70** (1D **5**)
Arch Clo. *L Ash* —4B **76**
Archer Ct. *L Grn* —2B **84**
Archer's Ct. *Clev* —2D **121**
Archer Wlk. *Bris* —1A **90**
Archfield Rd. *Bris* —1E **69**
Archgrove. *L Ash* —4B **76**
Archway St. *Bath* —4C **106** (5E **97**)
Arch Yd. *Trow* —1D **119**
Arden Clo. *Brad S* —3A **28**
Arden Clo. *W Mare* —2D **129**
Ardenton Wlk. *Bris* —1C **40**
Ardern Clo. *Bris* —4D **39**
Argus Rd. *Bris* —2E **79**
Argyle Av. *Bris* —5E **59**
Argyle Av. *W Mare* —4D **133**
Argyle Dri. *Yate* —2A **18**
Argyle Pl. *Bris* —4C **68**
Argyle Rd. *Clev* —1D **121**
Argyle Rd. *Fish* —5D **61**
Argyle Rd. *St Pa* —2A **70**
Argyle St. *Bath* —3B **106** (3C **96**)
Argyle St. *Bedm* —1E **79**
Argyle St. *Eastv* —5E **59**
Argyle Ter. *Bath* —3D **105**
Arley Cotts. *Bris* —1F **69**
Arley Hill. *Bris* —1F **69**
Arley Pk. *Bris* —5F **57**
Arley Ter. *Bris* —1A **72**
Arlingham Way. *Pat* —5A **10**
Arlington Rd. *Bath* —4E **105**
Arlington Rd. *Bris* —4F **71**
Arlington Vs. *Bris* —3D **69**
Armadale Av. *Bris* —1A **70**

Belmont Dri.—Blanchards

Belmont Dri. *Stok G* —4A **28**
Belmont Pk. *Bris* —3B **42**
Belmont Rd. *Bath* —3D **111**
Belmont Rd. *Brisl* —1E **81**
Belmont Rd. *St And* —5A **58**
Belmont Rd. *Wins* —4B **156**
Belmont St. *Bris* —1D **71**
Belmore Gdns. *Bath* —1C **108**
Beloe Rd. *Bris* —2A **58**
Belroyal Av. *Bris* —2B **82**
Belsher Dri. *K'wd* —4C **74**
Belstone Wlk. *Bris* —5E **79**
Belton Ct. *Bath* —4C **98**
Belton Ho. *Bath* —4C **98**
Belton Rd. *Bris* —1D **71**
Belton Rd. *P'head* —2C **48**
Belvedere. *Bath* —2A **106** (1B **96**)
Belvedere Cres. *W Mare* —4A **128**
Belvedere Pl. *Bath* —1A **106** (1B **96**)
Belvedere Rd. *Bris* —4C **56**
Belvedere Vs. *Bath* —1A **106** (1B **96**)
Belverstone. *Bris* —2E **73**
Belvoir Rd. *Bath* —4E **105**
Belvoir Rd. *Bris* —5A **58**
Bence Ct. *Han* —4D **73**
Benford Clo. *Bris* —1E **61**
Bengough's Almshouses. *Bris*
⁣—3E **69** (1A **4**)
Bennett Rd. *Bris* —3A **72**
Bennetts Ct. *Yate* —5C **18**
Bennett's La. *Bath* —5B **100**
Bennett's Rd. *Bath* —3D **101**
Bennett St. *Bath* —2A **106** (1B **96**)
Bennetts Way. *Clev* —1E **121**
Bennett Way. *Bris* —5B **68**
Bensaunt Gro. *Bris* —5F **25**
Bentley Clo. *Bris* —5B **88**
Bentley Rd. *W Mare* —2F **129**
Benville Av. *Bris* —4E **39**
Berchel Ho. *Bris* —1E **79**
Berenda Dri. *L Grn* —2D **85**
Beresford Clo. *Salt* —2A **94**
Beresford Gdns. *Bath* —3B **98**
Berkeley Av. *Bishop* —4F **57**
Berkeley Av. *Bris* —3E **69**
Berkeley Av. *Mid N* —2D **151**
Berkeley Clo. *Bris* —4B **46**
Berkeley Ct. *Bath* —3D **107** (3F **97**)
Berkeley Ct. *Bris* —4F **57**
Berkeley Ct. *Pat* —5B **10**
Berkeley Cres. *Bris* —3D **69**
Berkeley Cres. *Uph* —1A **138**
Berkeley Gdns. *Key* —4A **92**
Berkeley Grn. *Bris* —3D **45**
Berkeley Grn. Rd. *G'bnk* —5E **59**
Berkeley Gro. *G'bnk* —5E **59**
Berkeley Ho. *Bath* —1B **106**
Berkeley Ho. *Bris* —2F **61**
Berkeley Pl. *Bath* —1B **106**
Berkeley Pl. *Bris* —3D **69**
Berkeley Pl. *C Down* —2D **111**
Berkeley Rd. *Bishop* —4F **57**
Berkeley Rd. *Fish* —5C **60**
Berkeley Rd. *K'wd* —3A **74**
Berkeley Rd. *Stap H* —3F **61**
Berkeley Rd. *Trow* —2A **118**
Berkeley Rd. *W'bry P* —3C **56**
Berkeleys Mead. *Brad S* —3B **28**
Berkeley Sq. *Bris* —3E **69**
Berkeley St. *Bris* —4E **59**
(in two parts)
Berkeley Way. *E Grn* —5D **47**
Berkshire Rd. *Bris* —4F **57**
Berlington Ct. *Bris* —5A **70** (5E **5**)
Berners Clo. *Bris* —1F **87**
Berrow Wlk. *Bris* —3A **80**
Berry Cft. *Bris* —1F **79**
Berryfield Rd. *Brad A* —2E **115**
Berry La. *Bris* —1B **58**
Berwick Dri. *Bris* —4A **24**
Berwick La. *H'len & E Comp* —4E **23**
Berwick Rd. *Bris* —5D **59**

Beryl Gro. *Bris* —5E **81**
Beryl Rd. *Bris* —2D **79**
Besom La. *W'lgh* —4E **33**
Bess Ho. *Clev* —4C **120**
Bethell Ct. *Brad A* —2D **115**
Bethel Rd. *Bris* —2B **72**
Betjeman Ct. *Bar C* —5C **74**
Betts Grn. *E Grn* —5E **47**
Bevan Ct. *Bris* —2C **42**
Beverley Av. *Bris* —3B **46**
Beverley Clo. *Bris* —4D **73**
Beverley Gdns. *Bris* —5F **39**
Beverley Rd. *Bris* —4B **42**
Beverstone. *Bris* —2E **73**
Beverston Gdns. *Bris* —2D **39**
Bevington Clo. *Pat* —5A **10**
Bevington Wlk. *Pat* —5A **10**
Bewdley Rd. *Bath* —5C **106**
Bewley Rd. *Trow* —5C **118**
Bexley Rd. *Bris* —4D **61**
Bibstone. *Bris* —2C **74**
Bibury Av. *Pat* —1D **27**
Bibury Clo. *Bris* —5F **41**
Bibury Clo. *Nail* —4F **123**
Bibury Cres. *Han* —5E **73**
Bibury Cres. *W Trym* —5F **41**
Bickerton Clo. *Bris* —1B **40**
Bickford Clo. *Bar C* —4C **74**
Bickley Clo. *Bris* —3D **83**
Biddestone Rd. *Bris* —4A **42**
Biddisham Clo. *Nail* —4D **123**
Biddle St. *Yat* —4A **142**
Bideford Cres. *Bris* —5B **80**
Bideford Rd. *W Mare* —3D **129**
Bidwell Clo. *Bris* —1D **41**
Bifield Clo. *Bris* —3B **90**
Bifield Gdns. *Bris* —3A **90**
(in two parts)
Bifield Rd. *Bris* —4A **90**
Bignell Clo. *Wins* —4A **156**
Bilberry Clo. *Bris* —4E **39**
Bilbie Clo. *Bris* —5F **41**
Bilbie Rd. *W Mare* —2F **129**
Bilbury Ho. *Bath* —4C **98**
Bilbury La. *Bath* —3B **106** (4C **96**)
Bileys Mead Rd. *Bris* —2E **59**
Billand Clo. *Bris* —5A **86**
Bince's Lodge La. *Mid N* —5D **147**
Bindon Dri. *Bris* —5F **25**
Binhay Rd. *Yat* —4B **142**
Binley Gro. *Bris* —3F **89**
Binmead Gdns. *Bris* —4D **87**
Birbeck Rd. *Bris* —2A **56**
Birchall Rd. *Bris* —3E **57**
Birch Av. *B'don* —5A **140**
Birch Av. *Clev* —2E **121**
Birch Clo. *Lock* —4F **135**
Birch Clo. *Pat* —2A **26**
Birch Ct. *Key* —4E **91**
Birch Cft. *Bris* —5C **88**
Birchdale Rd. *Bris* —5C **80**
Birchdene. *Nail* —3F **123**
Birch Dri. *Alv* —3A **8**
Birch Dri. *Puck* —2D **65**
Birches, The. *Nail* —3F **123**
Birch Gro. *P'head* —4E **49**
Birch Rd. *K'wd* —4A **62**
Birch Rd. *Rads* —3B **152**
Birch Rd. *S'vle* —1D **79**
Birch Rd. *Yate* —4F **17**
Birchwood. *Bris* —5D **41**
Birchwood Av. *W Mare* —1E **133**
Birchwood Ct. *St Ap* —4B **72**
Birchwood Rd. *Bris* —2A **82**
Birdale Clo. *Bris* —1A **40**
Birdcombe Clo. *Nail* —2D **123**
Birdlip Clo. *Nail* —4F **123**
Birdwell La. *L Ash* —4B **76**
Birdwell Rd. *L Ash* —4B **76**
Birdwood. *Bris* —4F **73**
Birkdale. *War* —4C **74**
Birkdale. *Yate* —1A **34**

Birkett Rd. *W Mare* —4A **126**
Birkin St. *Bris* —4C **70**
Birnbeck Ct. *W Mare* —1B **132**
Birnbeck Rd. *W Mare* —4A **126**
Bisdee Rd. *Hut* —5B **134**
Bishop Av. *W Mare* —2E **129**
Bishop Manor Rd. *Bris* —5F **41**
Bishop M. *Bris* —2A **70**
Bishop Rd. *Bris* —3E **57**
Bishop Rd. *E Grn* —1E **63**
Bishops Clo. *Bris* —4A **56**
Bishops Ct. *Bris* —4E **55**
Bishops Cove. *Bris* —3B **86**
Bishops Rd. *Clav* —2F **143**
Bishop St. *St Pa* —2A **70**
Bishops Wood. *Alm* —1E **11**
Bishopsworth Rd. *Bris* —1C **86**
Bishop Ter. *St Pa* —2B **70**
Bishopthorpe Rd. *Bris* —5F **41**
Bishport Av. *Bris* —4C **86**
Bishport Clo. *Bris* —4D **87**
Bishport Grn. *Bris* —5E **87**
Bisley. *Yate* —2E **33**
Bissex Mead. *E Grn* —2D **63**
Biss Mdw. *Trow* —2A **118**
Bittern Clo. *W Mare* —4D **129**
Bitterwell Clo. *Coal H* —1F **47**
Bittle Mead. *Bris* —4B **88**
Blackacre. *Bris* —4E **89**
Blackberry Av. *Bris* —2A **60**
Blackberry Dri. *Fram C* —3D **31**
Blackberry Dri. *W Mare* —4E **129**
Blackberry Hill. *Stap* —2A **60**
Blackberry La. *P'head* —5B **48**
Blackbird Clo. *Mid N* —4E **151**
Black Boy Hill. *Bris* —5C **56**
Blackdown Ct. *Bris* —3D **89**
Blackdown Rd. *P'head* —3C **48**
Blackfriars. *Bris* —3F **69** (1B **4**)
Blackfriars Rd. *Nail* —4A **122**
Blackhorse Hill. *E Comp* —1D **25**
Blackhorse La. *Bris* —3B **46**
(in two parts)
Blackhorse Pl. *Mang* —1C **62**
Blackhorse Rd. *Bris* —2F **73**
Blackhorse Rd. *Mang* —5C **46**
Blackmoor. *Clev* —5C **120**
Blackmoor. *W Mare* —3D **129**
Blackmoor Rd. *Abb L* —1A **66**
Blackmoors La. *Bris* —2A **78**
Blackmore Dri. *Bath* —4D **105**
Blacksmith La. *Up Swa* —1C **100**
Blacksmiths La. *Kel* —1D **95**
Blackswarth Rd. *Bris* —3F **71**
Blackthorn Clo. *Bris* —3F **87**
Blackthorne Ter. *W Mare* —4E **129**
Blackthorn Gdns. *W Mare* —4E **129**
Blackthorn Rd. *Bris* —3F **87**
Blackthorn Sq. *Clev* —5D **121**
Blackthorn Wlk. *Bris* —5A **62**
Blackthorn Way. *Nail* —3F **123**
Blackwell Hill Rd. *Back* —1F **125**
Bladen Clo. *P'head* —4A **50**
Bladud Bldgs. *Bath* —2B **106** (2C **96**)
Blagdon Clo. *Bris* —3A **80**
Blagdon Clo. *W Mare* —2D **139**
Blagdon Pk. *Bath* —5B **104**
Blagrove Clo. *Bris* —5E **87**
Blagrove Cres. *Bris* —5E **87**
Blair Rd. *Trow* —4A **118**
Blaisdon. *Yate* —2A **34**
Blaisdon Clo. *Bris* —3C **40**
Blaise Wlk. *Bris* —5E **39**
Blake End. *Kew* —1C **128**
Blakeney Gro. *Nail* —5B **122**
Blakeney Mills. *Yate* —5F **17**
Blakeney Rd. *Bris* —1C **58**
Blakeney Rd. *Pat* —5A **10**
Blake Rd. *Bris* —1D **59**
Blakes Rd. *T'bry* —3C **6**
Blanchards. *Chip S* —1F **35**

Briarside Rd. *Bris* —1E **41**
Briar Wlk. *Bris* —4E **61**
Briar Way. *Bris* —3D **61**
Briarwood. *Bris* —1B **56**
Briary Rd. *P'head* —3E **49**
Briavels Gro. *Bris* —5B **58**
Briburn M. Bath —3F **105** *(3A 96)*
  (off Stanhope Pl.)
Brick St. *Bris* —3B **70**
Bridewell La. *Bath* —3A **106** (3B **96**)
Bridewell La. *Hut* —3F **141**
Bridewell St. *Bris* —3F **69** (1C **4**)
Bridge Av. *Trow* —2A **118**
Bridge Clo. *Bris* —4E **89**
Bridge Farm Clo. *Bris* —5C **88**
Bridge Farm Sq. *Cong* —2D **145**
Bridgeleap Rd. *Bris* —4B **46**
Bridge Pl. Rd. *C'ton* —1B **148**
Bridge Rd. *Bath* —4D **105**
Bridge Rd. *B'don* —5F **139**
Bridge Rd. *Eastv* —4D **59**
Bridge Rd. *K'wd* —4B **62**
Bridge Rd. *L Wds* —4F **67**
Bridge Rd. *Mang* —3E **63**
Bridge Rd. *W Mare* —2D **133**
Bridge Rd. *Yate* —4C **16**
Bridges Ct. *Fish* —3D **61**
Bridges Dri. *Bris* —1E **61**
Bridge St. *Bath* —3B **106** (3C **96**)
Bridge St. *Brad A* —3E **115**
Bridge St. *Bris* —4A **70** (3C **4**)
Bridge St. *Eastv* —5F **59**
Bridge St. *Trow* —3D **119**
Bridge Valley Rd. *Bris* —2A **68**
Bridge Wlk. *Bris* —4C **42**
Bridge Way. *Fram C* —1D **31**
Bridgewell La. *W Mare* —2F **141**
Bridgman Gro. *Bris* —1E **43**
Bridgwater Rd. *Bris* —2A **86**
Bridgwater Rd. *Uph & B'don* —5C **132**
Bridgwater Rd. *Wins* —5C **156**
Bridle Way. *Alv* —3A **8**
Briercliffe Rd. *Bris* —5F **39**
Brierly Furlong. *Stok G* —1F **43**
Briery Leaze Rd. *Bris* —3C **88**
Brighton Cres. *Bris* —3D **79**
Brighton M. *Bris* —2D **69**
Brighton Pk. *Bris* —2D **71**
Brighton Pl. *Bris* —1F **73**
Brighton Rd. *Bris* —1E **69**
Brighton Rd. *Pat* —1B **26**
Brighton Rd. *W Mare* —2C **132**
Brighton St. *Bris* —1A **70**
Brighton Ter. *Bedm* —3D **79**
Bright St. *Bar H* —3D **71**
Bright St. *K'wd* —2F **73**
Brigstocke Rd. *Bris* —1A **70**
Brimbles. *Bris* —2D **43**
Brimbleworth La. *St Geo* —2A **130**
Brimridge Rd. *Wins* —4B **156**
Brinkworthy Rd. *Bris* —1A **60**
Brinmead Wlk. *Bris* —5B **86**
Brins Clo. *Stok G* —5B **28**
Brinscombe La. *Bath* —5F **157**
Brinsea Batch. *Cong* —5E **145**
Brinsea La. *Cong* —5F **145**
Brinsea Rd. *Cong* —3D **145**
Brinsham La. *Yate* —1C **18**
Briscoes Av. *Bris* —4E **87**
Brislington Hill. *Bris* —3A **82**
Brislington Retail Pk. *Brisl* —4A **82**
Brislington Trad. Est. *Bris* —3B **82**
Bristol Bus. Pk. *Bris* —3A **44**
Bristol Ga. *Bris* —5B **68**
Bristol Hill. *Bris* —3F **81**
Bristol Rd. *Bath* —4D **95** & 1A **104**
Bristol Rd. *Cong* —2D **145**
Bristol Rd. *Fram C* —5C **14**
Bristol Rd. *Fren* —4C **44**
Bristol Rd. *Ham* —1F **45**
Bristol Rd. *Key* —2F **91**
Bristol Rd. *Paul* —3B **146**

Bristol Rd. *P'head* —4F **49**
Bristol Rd. *Rads* —5B **148**
Bristol Rd. *T'bry* —5C **6**
Bristol Rd. *W Mare* —3A **130**
Bristol Rd. *W'chu* —3E **89**
Bristol Rd. *Wins* —5C **156**
Bristol Rd. *Wint* —2A **30**
Bristol Rd. Lwr. *W Mare* —5B **126**
Bristol Va. Cen. for Industry. *Bris*
  —4D **79**
Bristol Va. Trad. Est. *Bris* —5E **79**
Bristol Vw. *Bath* —4D **109**
Britannia Cres. *Stok G* —4F **27**
Britannia Ho. *Brad S* —2B **42**
Britannia Rd. *E'tn* —1D **71**
Britannia Rd. *K'wd* —2E **73**
Britannia Rd. *Pat* —1F **25**
Britannia Way. *Clev* —5C **120**
British Rd. *Bris* —2D **79**
British Row. *Trow* —1C **118**
British, The. *Yate* —2D **17**
Brittan Pl. *P'bry* —4A **52**
Britten Ct. *L Grn* —1B **84**
Britten's Clo. *Paul* —3C **146**
Britten's Hill. *Paul* —3C **146**
Brixham Rd. *Bris* —3E **79**
Brixton Rd. *Bris* —2D **71**
Brixton Rd. M. *E'tn* —2D **71**
Broadbury Rd. *Bris* —3C **80**
Broadcloth La. *Trow* —3E **119**
Broadcloth La. E. *Trow* —4E **119**
Broad Cft. *Brad S* —4E **11**
Broadcroft Av. *Clav* —2F **143**
Broadcroft Clo. *Clav* —2F **143**
Broadfield Av. *Bris* —2E **73**
Broadfield Rd. *Bris* —5C **80**
Broadlands. *Clev* —3F **121**
Broadlands Av. *Key* —2F **91**
Broadlands Dri. *Bris* —3C **38**
Broad La. *W'lgh* —4F **31**
Broad La. *Yate* —2D **17**
Broadleas. *Bris* —1E **87**
Broadleaze. *Shire* —5F **37**
Broadley Pk. *N Brad* —4E **155**
Broadleys Av. *Bris* —5E **41**
Broadmead. *Bris* —3A **70** (1D **5**)
Broadmead. *Trow* —1A **118**
Broadmead La. *Key* —3D **93**
Broadmead Shop. Cen. *Bris*
  —3A **70** (1D **5**)
Broadmoor La. *Bath* —2A **98**
Broadmoor Pk. *Bath* —4C **98**
Broadmoor Va. *Bath* —3B **98**
Broadoak Hill. *Dun* —5B **86**
Broadoak Rd. *Bris* —4B **86**
Broadoak Rd. *W Mare* —5B **132**
Broad Oaks. *Bris* —4A **68**
Broadoak Wlk. *Bris* —3D **61**
Broad Plain. *Bris* —3B **70** (3F **5**)
Broad Quay. *Bath* —4A **106** (5C **96**)
Broad Quay. *Bris* —4F **69** (3B **4**)
Broad Rd. *Bris* —1E **73**
Broadstone Wlk. *Bris* —3F **87**
Broad St. *Bath* —2B **106** (2C **96**)
Broad St. *Bris* —3F **69** (2C **4**)
Broad St. *Chip S* —5D **19**
Broad St. *Cong* —2D **145**
Broad St. *Stap H* —3F **61**
Broad St. *Trow* —1C **118**
Broad St. *Wrin* —1B **156**
Broad St. Pl. *Bath* —2B **106** (2C **96**)
Broad Wlk. *Bris* —3B **80**
Broad Wlk. *P'head* —1A **50**
Broad Wlk. Shop. Precinct. *Bris*
  —3D **81**
Broadway. *Bath* —3C **106** (4E **97**)
Broadway. *Lock* —4B **136**
Broadway. *Salt* —5F **93**
Broadway. *W Mare* —1D **139**
Broadway. *Yate* —4B **18**
Broadway Av. *Bris* —1F **57**
Broadway La. *Rads* —3E **147**

Broadway Rd. *Bishop* —4F **57**
Broadway Rd. *B'wth* —3B **86**
Broadways Dri. *Bris* —5B **44**
Broad Weir. *Bris* —3A **70** (2E **5**)
Brock End. *P'head* —5A **48**
Brockhurst Gdns. *Bris* —2C **72**
Brockhurst Rd. *Bris* —2C **72**
Brockley Clo. *Lit S* —2E **27**
Brockley Clo. *Nail* —4C **122**
Brockley Clo. *W Mare* —2D **139**
Brockley Combe Rd. *Back* —5A **124**
Brockley Cres. *W Mare* —2D **139**
Brockley La. *B'ley* —3A **124**
Brockley Rd. *Salt* —5F **93**
Brockley Wlk. *Bris* —5C **78**
Brockley Way. *B'ley* —5A **124**
Brockley Way. *Clav* —1F **143**
Brockridge La. *Fram C* —2E **31**
Brocks La. *L Ash* —4B **76**
Brocks Rd. *Bris* —5E **87**
Brock St. *Bath* —2A **106** (1A **96**)
Brockway. *Nail* —3E **123**
Brockworth. *Yate* —3E **33**
Brockworth Cres. *Bris* —1B **60**
Bromley Dri. *Bris* —4F **45**
Bromley Heath Av. *Bris* —4F **45**
Bromley Heath Rd. *Bris* —5F **45**
  (in two parts)
Bromley Rd. *Bris* —2B **58**
Brompton Clo. *Bris* —2B **74**
Brompton Rd. *W Mare* —1E **139**
Broncksea Rd. *Bris* —3B **42**
Brook Clo. *L Ash* —4D **77**
Brookcote Dri. *Lit S* —3F **27**
Brookdale Rd. *Bris* —2D **87**
Brookfield Av. *Bris* —4F **57**
Brookfield Clo. *Chip S* —4E **19**
Brookfield Pk. *Bath* —4C **98**
Brookfield Rd. *Bris* —5F **57**
Brookfield Rd. *Pat* —1D **27**
Brookfield Wlk. *Clev* —3F **121**
Brookfield Wlk. *Old C* —2E **85**
Brookgate. *Bris* —4A **78**
Brook Hill. *Bris* —1B **70**
Brook Ho. *Lit S* —1E **27**
Brookland Rd. *Bris* —2F **57**
Brookland Rd. *W Mare* —1F **133**
Brook La. *Mont* —1B **70**
Brook La. *Stap* —1A **60**
Brooklea. *Old C* —1D **85**
Brookleaze. *Bris* —1E **55**
Brookleaze Bldgs. *Bath* —4C **100**
Brook Lintons. *Bris* —2F **81**
Brooklyn. *Wrin* —1B **156**
Brooklyn Rd. *Bath* —4D **101**
Brooklyn Rd. *Bris* —5D **79**
Brooklyn St. *Bris* —5B **58**
Brookmead. *T'bry* —5E **7**
Brookridge Ho. *Bris* —1B **40**
Brook Rd. *Bath* —3E **105**
Brook Rd. *Fish* —3C **60**
Brook Rd. *Mang* —1B **62**
Brook Rd. *Mont* —1B **70**
Brook Rd. *S'vle* —1F **79**
Brook Rd. *St G* —1A **72**
Brook Rd. *Trow* —2A **118**
Brook Rd. *War* —2C **74**
  (in two parts)
Brookside. *Paul* —3B **146**
Brookside. *Pill* —4E **53**
Brookside Clo. *Bathe* —1A **102**
Brookside Clo. *Paul* —3B **146**
Brookside Dri. *Fram C* —1D **31**
Brookside Ho. *Bath* —5C **98**
Brookside Rd. *Bris* —3A **82**
Brook St. *Bris* —3E **71**
Brook St. *Chip S* —5C **18**
Brookthorpe. *Yate* —1F **33**
Brookthorpe Av. *Bris* —3C **38**
Brookview Wlk. *Bris* —1D **87**
Brook Way. *Brad S* —5E **11**
Broom Farm Clo. *Nail* —5D **123**

Cambridge Rd. *Clev* —1D **121**
Cambridge St. *Redf* —3E **71**
Cambridge St. *Tot* —1B **80**
Cambridge Ter. *Bath* —4C **106** (5E **97**)
Cam Brook Clo. *C'ton* —1A **148**
Camden Ct. *Bath* —1A **106**
Camden Cres. *Bath* —1A **106**
Camden Rd. *Bath* —1B **106**
Camden Rd. *Bris* —5D **69**
Camden Row. *Bath* —1A **106**
(in two parts)
Camden Ter. Bath —1B **106**
(off Camden Rd.)
Camden Ter. *Bris* —4C **68**
Camden Ter. *W Mare* —1C **132**
Cameley Grn. *Bath* —3A **104**
Camelford Rd. *Bris* —5F **59**
Cameron Wlk. *Bris* —1E **59**
Cameroons Clo. *Key* —4A **92**
Camerton Clo. *Salt* —1A **94**
Camerton Hill. *C'ton* —1B **148**
Camerton Rd. *Bris* —1F **71**
Campbells Farm Dri. *Bris* —3B **38**
Campbell St. *Bris* —1A **70**
Campian Wlk. *Bris* —2F **87**
Campion Clo. *T'bry* —2E **7**
Campion Clo. *W Mare* —1B **134**
Campion Dri. *Brad S* —4F **11**
Campion Dri. *Trow* —4D **119**
Camplins. *Clev* —5C **120**
Camp Rd. *Bris* —3B **68**
Camp Rd. *W Mare* —4A **126**
Camp Rd. N. *W Mare* —4A **126**
Camp Vw. *Nail* —3C **122**
Camp Vw. *Wint D* —5A **30**
Camvale. *Pea J* —1E **149**
Camview. *Paul* —3A **146**
Camwal Ind. Est. *Bris* —5C **70**
Camwal Rd. *Bris* —5C **70**
Canada Coombe. *Hut* —1D **141**
Canada Way. *Bris* —5C **68**
Canal Rd. *Trow* —5D **117**
Canal Rd. Ind. Est. *Trow* —4D **117**
Canal Ter. *B'ptn* —5A **102**
Canberra Cres. *Lock* —2F **135**
Canberra Gro. *Bris* —5D **27**
Canberra Rd. *W Mare* —5D **133**
Canford La. *Bris* —5F **39**
Canford Rd. *Bris* —4B **40**
Cann La. *Bris* —4F **75**
Cannons Ga. *Clev* —5C **120**
Cannon St. *Bedm* —1E **79**
Cannon St. *Bris* —2F **69** (1C **4**)
Canons Clo. *Bath* —2C **108**
Canons Clo. *Wint* —2A **30**
Canons Ho. *Bris* —5E **69** (5A **4**)
Canons Rd. *Bris* —5E **69** (5A **4**)
Canon St. *Bris* —2E **71**
Canon's Wlk. *Bris* —5A **62**
Canon's Wlk. *W Mare* —3B **128**
Canons Way. *Bris* —4E **69** (4A **4**)
Canowie Rd. *Bris* —4D **57**
Cantell Gro. *Bris* —3B **90**
Canterbury Clo. *W Mare* —1E **129**
Canterbury Clo. *Yate* —3A **18**
Canterbury Rd. *Bath* —4E **105**
Canterbury St. *Bar H* —4D **71**
Canters Leaze. *Wickw* —3C **154**
Cantock's Clo. *Bris* —3E **69** (2A **4**)
Canton Pl. *Bath* —1B **106**
Canvey Clo. *Bris* —5A **42**
Canynge Ho. *Bris* —5A **70**
Canynge Rd. *Bris* —2B **68**
Canynge Sq. *Bris* —2B **68**
Canynge St. *Bris* —4A **70** (4D **5**)
Capel Clo. *Bris* —2D **75**
Capel Clo. *W Mare* —5F **127**
Capel Rd. *Bris* —3D **39**
Capenor Clo. *P'head* —4E **49**
Capgrave Clo. *Bris* —2C **82**
Capgrave Cres. *Bris* —2C **82**
Caraway Gdns. *Bris* —5E **59**

Carders Corner. *Trow* —3D **119**
Cardigan Cres. *W Mare* —5A **128**
Cardigan La. *Bris* —1D **57**
Cardigan Rd. *Bris* —1D **57**
Cardill Clo. *Bris* —5C **78**
Cardinal Clo. *Bath* —4E **109**
Carditch Drove. *Cong* —5B **144**
Carey's Clo. *Clev* —2F **121**
Carice Gdns. *Clev* —5D **121**
Carisbrooke Cres. *Trow* —2E **117**
Carisbrooke Rd. *Bris* —5F **79**
Carlingford Ter. *Rads* —2D **153**
Carlingford Ter. Rd. *Rads* —2D **153**
Carlow Rd. *Bris* —5A **80**
Carlton Ct. *Bris* —5C **40**
Carlton Mans. N. W Mare —1B **132**
(off Beach Rd.)
Carlton Mans. S. W Mare —1B **132**
(off Beach Rd.)
Carlton Pk. *Bris* —2E **71**
Carlton Row. *Trow* —4C **118**
Carlton St. *W Mare* —1B **132**
Carlyle Rd. *Bris* —1E **71**
Carmarthen Clo. *Yate* —2B **18**
Carmarthen Gro. *Will* —4D **85**
Carmarthen Rd. *Bris* —1C **56**
Carnarvon Rd. *Bris* —5E **57**
Caroline Bldgs. *Bath* —4C **106** (5E **97**)
Caroline Clo. *Key* —4E **91**
Caroline Pl. *Back* —3C **124**
Caroline Pl. *Bath* —1A **106** (1B **96**)
Carpenters La. *Key* —3A **92**
Carpenters Shop La. *Bris* —1A **62**
Carre Gdns. *W Mare* —1D **129**
Carr Ho. *Bath* —3B **104**
Carrick Ho. Bris —4B **68**
(off Hotwell Rd.)
Carrington Rd. *Bris* —1C **78**
Carsons Rd. *Mang* —4D **63**
Carter Rd. *Paul* —4A **146**
Carter Wlk. *Brad S* —1F **27**
Cart La. *Bris* —4A **70** (4E **5**)
Cartledge Rd. *Bris* —1E **71**
Cashmore Ho. *Bris* —3D **71**
Caslon Ct. *Bris* —5A **70** (5E **5**)
Cassell Rd. *Bris* —2E **61**
Cassey Bottom La. *Bris* —3C **72**
Castle Clo. *Bris* —2F **39**
Castle Ct. *T'bry* —3C **6**
Castle Farm Rd. *Bris* —3D **83**
Castle Gdns. *Bath* —1F **109**
Castle Hill. *Ban* —5F **137**
Castle Ho. *Wickw* —2C **154**
Castle M. *Wickw* —2C **154**
Castle Pl. *Trow* —2D **119**
Castle Rd. *Bris* —5F **61**
Castle Rd. *Clev* —1D **121**
Castle Rd. *Old C* —2E **85**
Castle Rd. *Puck* —1E **65**
Castle Rd. *W Mare* —2C **128**
Castle St. *Bris* —3A **70** (3E **5**)
Castle St. *T'bry* —2B **6**
Castle St. *Trow* —2D **119**
Castle Vw. Rd. *Clev* —1D **121**
Castlewood Clo. *Clev* —2D **121**
Caswell Hill. *P'bry* —5D **51**
Caswell La. *P'bry* —5E **51**
Catbrain Hill. *Bris* —3D **25**
Catbrain La. *Bris* —3D **25**
Catemead. *Clev* —5C **120**
Cater Rd. *Bris* —2C **86**
Catharine Pl. *Bath* —2A **106** (1A **96**)
Cathcart Ho. *Bath* —1B **106**
Cathedral Sq. *Bris* —4E **69** (4A **4**)
Catherine Mead St. *Bris* —1E **79**
Catherine St. *A'mth* —4E **37**
Catherine Way. *Bathe* —2B **102**
Catley Gro. *L Ash* —4D **77**
Cato St. *Bris* —5D **59**
Catsley Pl. *Bath* —3D **101**
Cattistock Dri. *Bris* —4C **72**
Cattle Mkt. Rd. *Bris* —5B **70** (5F **5**)

Cattybrook Rd. *Mang & E Grn* —2F **63**
(in two parts)
Cattybrook St. *Bris* —2D **71**
Caulfield Rd. *W Mare* —1E **129**
Causeway. *Tic & Nail* —2A **122**
Causeway, The. *Coal H* —2E **31**
Causeway, The. *Cong* —5B **144**
Causeway, The. *Yat* —4C **142**
Causeway Vw. *Nail* —3B **122**
Causley Dri. *Bar C* —5C **74**
Cautletts Clo. *Mid N* —4C **150**
Cavan Wlk. *Bris* —4F **79**
Cave Ct. *Bris* —2A **70**
Cave Dri. *Bris* —1F **61**
Cave Gro. *E Grn* —5D **47**
Cavell Ct. *Clev* —5C **120**
Cavendish Clo. *Salt* —5F **93**
Cavendish Cres. *Bath* —1F **105**
Cavendish Gdns. *Bris* —3E **55**
Cavendish Lodge. *Bath* —1F **105**
Cavendish Pl. *Bath* —1F **105**
Cavendish Rd. *Bath* —1F **105** (1A **96**)
Cavendish Rd. *Bris* —2C **56**
Cavendish Rd. *Pat* —1B **26**
Caverners Ct. *W Mare* —4F **127**
Caversham Dri. *Nail* —3F **123**
Cave St. *Bris* —2A **70**
Caxton Ct. *Bath* —2B **106** (2C **96**)
Caxton Ga. *Bris* —5A **70** (5E **5**)
Cecil Av. *Bris* —1B **72**
Cecil Rd. *Clif* —2B **68**
Cecil Rd. *K'wd* —2F **73**
Cecil Rd. *W Mare* —4C **126**
Cedar Av. *W Mare* —4A **128**
Cedar Clo. *L Ash* —4B **76**
Cedar Clo. *Old C* —1D **85**
Cedar Clo. *Pat* —2B **26**
Cedar Ct. *Brad A* —1E **115**
Cedar Ct. *Bris* —3E **55**
Cedar Dri. *Key* —4F **91**
Cedar Gro. *Bath* —1E **109**
Cedar Gro. *Bris* —2F **55**
Cedar Gro. *Trow* —4B **118**
Cedar Hall. *Bris* —4E **45**
Cedarhurst Rd. *P'head* —5A **48**
Cedarn Ct. *W Mare* —1F **127**
Cedar Pk. *Bris* —2F **55**
Cedar Row. *Bris* —1B **54**
Cedars, The. *Bris* —4F **55**
Cedars Way. *Wint* —4F **29**
Cedar Ter. *Rads* —3A **152**
Cedar Vs. *Bath* —4F **105**
Cedar Wlk. *Bath* —4F **105**
(in two parts)
Cedar Way. *Bath* —4F **105** (5A **96**)
Cedar Way. *Nail* —3F **123**
Cedar Way. *P'head* —4D **49**
Cedar Way. *Puck* —2D **65**
Cedric Clo. *Bath* —2D **105**
Cedric Rd. *Bath* —2D **105**
Celandine Clo. *T'bry* —2E **7**
Celestine Rd. *Yate* —3E **17**
Celia Ter. *St Ap* —4B **72**
Celtic Way. *B'don* —3F **139**
Cemetery La. *Brad A* —2F **115**
Cemetery Rd. *Bris* —2C **80**
Cennick Av. *Bris* —1A **74**
Centaurus Rd. *Pat* —2E **25**
Central Av. *Brad S* —5A **20**
Central Av. *Bris* —5E **73**
Central Trad. Est. *Bris* —1D **81**
Central Way. *Clev* —5D **121**
Centre Dri. *Ban* —4C **136**
Centre, The. *Bris* —3A **92**
Centre, The. *W Mare* —1C **132**
Ceres Clo. *L Grn* —3B **84**
Cerimon Ga. *Stok G* —4A **28**
Cerney Gdns. *Nail* —3F **123**
Cerney La. *Bris* —2A **54**
Cesson Clo. *Chip S* —1E **35**
Chadleigh Gro. *Bris* —1F **87**
Chaffinch Dri. *Mid N* —4E **151**

Chaffinch Dri. *Trow* —2A **118**
Chaffins, The. *Clev* —4E **121**
Chaingate La. *Iron A* —1B **16**
Chakeshill Clo. *Bris* —1E **41**
Chakeshill Dri. *Bris* —1E **41**
Chalcombe Clo. *Lit S* —1E **27**
Chalcroft Ho. *Bris* —1C **78**
Chalcroft Wlk. *Bris* —4A **86**
Chalet, The. *Bris* —1B **40**
Chalfont Clo. *Trow* —2A **118**
Chalfont Rd. *W Mare* —5A **128**
Chalford Clo. *Yate* —1F **33**
Chalks Rd. *Bris* —2F **71**
Challender Av. *Bris* —2B **40**
Challoner Ct. *Bris* —5F **69** (5B **4**)
Challow Dri. *W Mare* —3F **127**
Champion Rd. *Bris* —5B **62**
Champneys Av. *Bris* —1B **40**
Chancel Clo. *Bris* —4F **55**
Chancel Clo. *Nail* —4C **122**
Chancery St. *Bris* —3D **71**
Chandag Rd. *Key* —4B **92**
Chandler Clo. *Bath* —5C **98**
Chandos Bldgs. Bath —3A **106** (4B **96**)
   (off Westgate Bldgs.)
Chandos Rd. *Bris* —1D **69**
Chandos Rd. *Key* —1A **92**
Chandos Trad. Est. *Bris* —5C **70**
Channel Heights. *W Mare* —2D **139**
Channells Hill. *W Trym* —4C **40**
Channel Rd. *Clev* —1D **121**
Channel Vw. Cres. *P'head* —3D **49**
Channel Vw. Rd. *P'head* —3D **49**
Channon's Hill. *Bris* —3B **60**
Chantree Rd. *Bris* —4F **41**
Chantry Clo. *Nail* —4B **122**
Chantry Dri. *W Mare* —1D **129**
Chantry Gro. *Bris* —2E **39**
Chantry La. *Down* —3B **46**
Chantry Mead Rd. *Bath* —1F **109**
Chantry Rd. *Bris* —1D **69**
Chantry Rd. *T'bry* —2C **6**
Chapel Av. *Nail* —3D **123**
Chapel Barton. *Bedm* —3D **79**
Chapel Barton. *Nail* —3B **122**
Chapel Clo. *Bris* —2D **75**
Chapel Clo. *Nail* —3D **123**
Chapel Ct. Bath —3A **106** (4B **96**)
   (off Westgate Bldgs.)
Chapel Ct. *Rads* —5B **148**
Chapel Gdns. *Bris* —3C **40**
Chapel Grn. La. *Bris* —5D **57**
Chapel Hill. *Back* —1F **125**
Chapel Hill. *Clev* —3D **121**
Chapel Hill. *Wrin* —1B **156**
Chapel La. *Clav* —2F **143**
Chapel La. *Clay H* —5A **60**
Chapel La. *Fish* —3C **60**
Chapel La. *Fren* —5E **45**
Chapel La. *Law* —2D **39**
Chapel La. *War* —2D **75**
Chapel Lawns. *Clan* —5B **148**
Chapel Rd. *B'wth* —2C **86**
Chapel Rd. *Clan* —5B **148**
Chapel Rd. *E'tn* —1D **71**
Chapel Rd. *Han* —5E **73**
Chapel Row. *Bath* —3A **106** (3A **96**)
Chapel Row. *B'ptn* —5A **102**
Chapel Row. *Bathf* —4D **103**
Chapel Row. *Pill* —3E **53**
Chapel St. *Bris* —5C **70**
Chapel St. *T'bry* —4C **6**
Chapel Way. *St Ap & Avon V* —4A **72**
Chaplin Rd. *Bris* —1D **71**
Chapter St. *Bris* —2A **70**
Charbon Ga. *Stok G* —4B **28**
Charborough Ct. *Brad S* —2C **42**
Charborough Rd. *Bris* —2B **42**
Charbury Wlk. *Bris* —2A **54**
Chard Clo. *Nail* —5E **123**
Chard Ct. *Bris* —2D **89**
Chard Rd. *Clev* —5D **121**

Chardstock Av. *Bris* —4E **39**
Charfield. *Bris* —2C **74**
Charfield Rd. *Bris* —3E **41**
Chargrove. *Bris* —4F **75**
Chargrove. *Yate* —2F **33**
Charis Av. *Bris* —5E **41**
Charlcombe La. *Lark* —4A **100**
Charlcombe Ri. *Bath* —4A **100**
Charlcombe Vw. Rd. *Bath* —4B **100**
Charlcombe Way. *Bath* —4A **100**
Charlecombe Ct. *W Trym* —1B **56**
Charlecombe Rd. *Bris* —1B **56**
Charles Av. *Stok G* —5A **28**
Charles Clo. *T'bry* —1D **7**
Charles Pl. *Bris* —4C **68**
Charles Rd. *Bris* —1D **43**
Charles St. *Bath* —3A **106** (3A **96**)
Charles St. *Bris* —2F **69**
Charles St. *Trow* —1C **118**
Charlock Clo. *W Mare* —1B **134**
Charlock Rd. *W Mare* —1B **134**
Charlotte Sq. *Trow* —1D **119**
Charlotte Sq. *Trow* —1D **119**
Charlotte St. *Bath* —2A **106** (3A **96**)
Charlotte St. *Bris* —2B **70** (1F **5**)
   (Meadow St.)
Charlotte St. *Bris* —3E **69** (2A **4**)
   (Park St.)
Charlotte St. *Trow* —1D **119**
Charlotte St. S. *Bris* —4E **69**
Charlton Av. *Bris* —2C **42**
Charlton Av. *W Mare* —4B **132**
Charlton Comn. *Bris* —5F **25**
Charlton Ct. *Pat* —5B **10**
Charlton Gdns. *Bris* —5F **25**
Charlton La. *Bris* —1C **40**
Charlton La. *Mid N* —5F **151**
Charlton Mead Ct. *Bris* —5F **25**
Charlton Mead Dri. *Bris* —1F **41**
Charlton Pk. *Key* —3F **91**
Charlton Pk. *Mid N* —5E **151**
Charlton Pl. *Bris* —5F **25**
Charlton Rd. *Key* —5E **91**
Charlton Rd. *K'wd* —1D **73**
Charlton Rd. *Mid N* —4E **151**
Charlton Rd. *W Trym* —3C **40**
Charlton Rd. *W Mare* —4B **132**
Charlton St. *Bris* —3D **71**
Charlton Vw. *P'head* —3E **49**
Charminster Rd. *Bris* —4D **61**
Charmouth Rd. *Bath* —2C **104**
Charnell Rd. *Stap H* —3A **62**
Charnhill Brow. *Mang* —3C **62**
Charnhill Cres. *Mang* —3B **62**
Charnhill Dri. *Mang* —3B **62**
Charnhill Ridge. *Mang* —3C **62**
Charnhill Va. *Mang* —3B **62**
Charnwood. *Mang* —3C **62**
Charnwood Rd. *Bris* —4D **89**
Charnwood Rd. *Trow* —1A **118**
Charterhouse Clo. *Nail* —4E **123**
Charterhouse Rd. *Bris* —2F **71**
Charter Rd. *W Mare* —5F **127**
Charter Wlk. *Bris* —2C **88**
Chase La. *K'wd* —1C **154**
Chase Rd. *Bris* —5F **61**
Chase, The. *Bris* —4E **61**
Chatcombe. *Yate* —2A **34**
Chatham Pk. *Bath* —3D **107**
Chatham Row. *Bath* —2B **106** (1C **96**)
Chatsworth Pk. *T'bry* —1D **7**
Chatsworth Rd. *Arn V* —1E **81**
Chatsworth Rd. *Fish* —4D **61**
Chatterton Grn. *Bris* —4B **88**
Chatterton Ho. Bris —5A **70**
   (off Ship La.)
Chatterton Rd. *Yate* —5F **17**
Chatterton Sq. *Bris* —5B **70** (5F **5**)
Chatterton St. *Bris* —5B **70** (5F **5**)
Chaucer Rd. *Bath* —5A **106**
Chaucer Rd. *Rads* —4E **151**
Chaucer Rd. *W Mare* —4E **133**

Chaundey Gro. *Bris* —3D **87**
Chavenage. *Bris* —1C **74**
Cheapside. *Bris* —2B **70**
Cheapside St. *Bris* —1B **80**
Cheap St. *Bath* —3B **106** (3C **96**)
Cheddar Clo. *Nail* —5E **123**
Cheddar Gro. *Bris* —5C **78**
Chedworth. *Bris* —4A **62**
Chedworth. *War* —2D **33**
Chedworth Clo. *Clav D* —1F **111**
Chedworth Rd. *Bris* —1C **58**
Cheese La. *Bris* —4A **70** (3E **5**)
Chelford Gro. *Pat* —1D **27**
Chelmer Gro. *Key* —4B **92**
Chelmsford Wlk. *Bris* —5B **72**
Chelscombe. *Bath* —5C **98**
Chelsea Clo. *Key* —3C **92**
Chelsea Ho. Bath —1B **106**
   (off Snow Hill)
Chelsea Pk. *Bris* —2E **71**
Chelsea Rd. *Bath* —2D **105**
Chelsea Rd. *Bris* —1D **71**
Chelsfield. *Back* —1C **124**
Chelston Rd. *Bris* —1F **87**
Chelswood Av. *W Mare* —5A **128**
Chelswood Gdns. *W Mare* —5B **128**
Cheltenham La. *Bris* —5A **58**
Cheltenham Rd. *Bris* —5F **57**
   (BS6)
Cheltenham Rd. *Bris* —1A **74**
   (BS15)
Cheltenham St. *Bath* —4F **105** (5A **96**)
Chelvey Batch. *B'ley* —5B **124**
Chelvey La. *W Town* —5A **124**
Chelvey Ri. *Nail* —5F **123**
Chelvey Rd. *C'vey & W Town* —3A **124**
Chelvy Clo. *Bris* —5F **87**
Chelwood Dri. *Bath* —3E **109**
Chelwood Rd. *Bris* —5F **37**
Chelwood Rd. *Salt* —1A **94**
Chepston Pl. *Trow* —1A **118**
Chepstow Pk. *Bris* —3B **46**
Chepstow Rd. *Bris* —5F **79**
Chepstow Wlk. *Key* —3F **91**
Chequers Clo. *Old C* —2E **85**
Chequers Ct. *Brad S* —2C **28**
Cherington. *Bris* —5D **73**
Cherington. *Yate* —3F **33**
Cherington Rd. *Bris* —5E **41**
Cherington Rd. *Nail* —4F **123**
Cheriton Pl. *War* —4E **75**
Cheriton Pl. *W Trym* —5D **41**
Cherry Av. *Clev* —4E **121**
Cherry Clo. *Yat* —3B **142**
Cherry Garden La. *Old C* —2D **85**
Cherry Garden Rd. *Bit* —4E **85**
Cherry Gdns. *Bit* —4E **85**
Cherry Gdns. *Hil* —3D **119**
   (in two parts)
Cherry Gdns. Ct. *Trow* —3D **119**
Cherry Gro. *Mang* —1C **62**
Cherry Gro. *Yat* —3B **142**
Cherry Hay. *Clev* —5D **121**
Cherry La. *Bris* —2A **70**
Cherry Orchard La. *Bris* —2B **72**
Cherry Rd. *Chip S* —5C **18**
Cherry Rd. *L Ash* —3B **76**
Cherry Rd. *Nail* —4C **122**
Cherrytree Clo. *Bris* —5E **61**
Cherry Tree Clo. *Key* —4E **91**
Cherry Tree Clo. *Rads* —3B **152**
Cherrytree Ct. *Puck* —2E **65**
Cherrytree Cres. *Bris* —5E **61**
Cherrytree Rd. *Bris* —5E **61**
Cherry Wood. *Old C* —3D **85**
Cherrywood Ri. *W Mare* —3D **129**
Cherrywood Rd. *W Mare* —3D **129**
Chertsey Rd. *Bris* —1D **69**
Cherwell Clo. *T'bry* —5D **7**
Cherwell Rd. *Key* —4C **92**
Chescombe Rd. *Yat* —4B **142**
Chesham Rd. N. *W Mare* —5F **127**

Chesham Rd. S.—Circular Rd.

Chesham Rd. S. *W Mare* —5F **127**
Chesham Way. *Bris* —1F **73**
Cheshire Clo. *Yate* —3A **18**
Chesle Clo. *P'head* —5A **48**
Cheslefield. *P'head* —5A **48**
Chesle Way. *P'head* —5A **48**
Chessel Clo. *Brad S* —4E **11**
Chessel St. *Bris* —2D **79**
Chessington Av. *Bris* —3D **89**
Chesterfield Av. *Bris* —5A **58**
Chesterfield Clo. *Ban* —5D **137**
Chesterfield Ho. *Mid N* —3E **151**
Chesterfield Rd. *Down* —2A **62**
Chesterfield Rd. *St And* —5A **58**
Chestermaster Clo. *Alm* —1C **10**
Chester Pk. Rd. *Bris* —5D **61**
Chester Rd. *Bris* —1A **72**
Chesters. *Bris* —1C **84**
Chester St. *Bris* —5D **59**
Chesterton Dri. *Nail* —3F **123**
Chestertons, The. *B'ptn* —5A **102**
(in two parts)
Chestnut Av. *W Mare* —4E **129**
Chestnut Chase. *Nail* —2F **123**
Chestnut Clo. *Ban* —5E **137**
Chestnut Clo. *Bris* —3A **90**
Chestnut Clo. *Cong* —2D **145**
Chestnut Clo. *Paul* —3B **146**
Chestnut Clo. *Rads* —3B **152**
Chestnut Corner. *Trow* —2F **155**
Chestnut Ct. *Mang* —2C **62**
Chestnut Dri. *Chip S* —5C **18**
Chestnut Dri. *Clav* —2E **143**
Chestnut Dri. *T'bry* —3D **7**
Chestnut Gro. *Bath* —5D **105**
Chestnut Gro. *Clev* —2E **121**
Chestnut Gro. *Trow* —4B **118**
Chestnut Gro. *Up W* —5F **113**
Chestnut Ho. *Bris* —4F **87**
Chestnut La. *B'don* —4F **139**
Chestnut Rd. *Down* —1F **61**
Chestnut Rd. *K'wd* —4B **62**
Chestnut Rd. *L Ash* —3D **77**
Chestnuts, The. *Wins* —5B **156**
Chestnut Wlk. *Bris* —2C **86**
Chestnut Wlk. *Salt* —1A **94**
Chestnut Way. *Bris* —4B **62**
Cheston Coombe. *Back* —3E **125**
Chestwood Ho. *Bris* —4E **71**
Chetwode Clo. *Bris* —1F **41**
Chevening Clo. *Stok G* —5F **27**
Cheverell Clo. *Trow* —5D **119**
Cheviot Dri. *T'bry* —4F **7**
Cheviot Way. *Old C* —5E **75**
Chewton Clo. *Bris* —4D **61**
Chewton Rd. *Key* —5B **92**
Cheyne Rd. *Bris* —1F **55**
Chichester Ho. *Bris* —4B **72**
Chichester Pl. *Rads* —2D **153**
Chichester Way. *W Mare* —5E **129**
Chichester Way. *Yate* —3F **17**
Chilcompton Rd. *Mid N* —5B **150**
Chillington Ct. *Pat* —5A **10**
Chilmark Rd. *Trow* —1A **118**
Chiltern Clo. *Bris* —3D **89**
Chiltern Clo. *War* —5E **75**
Chiltern Pk. *T'bry* —4E **7**
Chiltern Pl. *Bris* —4E **75**
Chilton Rd. *Bath* —5C **100**
Chilton Rd. *Bris* —5C **80**
Chilwood Clo. *Iron A* —3A **16**
Chimes, The. *Nail* —5C **122**
Chine, The. *Bris* —2F **59**
Chine Vw. *Bris* —4B **46**
Chiphouse Rd. *Bris* —5A **62**
Chipperfield Dri. *Bris* —1B **74**
Chipping Cross. *Clev* —5C **120**
Chipping Edge Ind. Est. *Chip S* —5D **19**
Chippings, The. *Bris* —2F **59**
Chirton Pl. *Trow* —4D **119**
Chisbury St. *Bris* —4E **59**

Chittening Rd. *Chit* —2A **22**
Chock La. *Bris* —5C **40**
Christchurch Av. *Bris* —2F **61**
Christchurch La. *Bris* —1F **61**
Christ Chu. Clo. *Nail* —3D **123**
Christ Chu. Cotts. Bath
  (off Julian Rd.) —1A **106** *(1B **96**)*
Christchurch La. *Bris* —1F **61**
Christ Chu. Path. N. *W Mare* —5D **127**
Christ Chu. Path. S. *W Mare* —5C **126**
Christchurch Rd. *Brad A* —1E **115**
Christchurch Rd. *Bris* —3C **68**
Christian Clo. *W Mare* —2E **129**
Christina Ter. *Bris* —5C **68**
Christin Ct. *Trow* —2A **118**
Christmas Steps. *Bris* —3F **69** (2B **4**)
Christmas St. *Bris* —3F **69** (2B **4**)
Christon Ter. *W Mare* —1D **139**
Chubb Clo. *Bar C* —5B **74**
Church Acre. *Brad A* —2D **115**
Church Av. *E'tn* —1D **71**
Church Av. *Stok B* —3A **56**
Church Av. *War* —3E **75**
Church Clo. *B'ptn* —4A **102**
Church Clo. *Bathf* —4C **102**
Church Clo. *Bris* —2A **40**
Church Clo. *Clev* —4A **120**
Church Clo. *Fram C* —1D **31**
Church Clo. *P'head* —3F **49**
Church Clo. *Yat* —4C **142**
Church Ct. *Mid N* —3D **151**
Churchdown Wlk. *Bris* —2A **54**
Church Dri. *Bris* —2A **72**
Church Dri. *Cong* —2D **145**
Churches. *Brad A* —2C **114**
Churchfarm Clo. *Yate* —3B **18**
Church Farm Paddock. *Bit* —1F **93**
Church Farm Rd. *E Grn* —1D **63**
Church Fields. *Trow* —5A **118**
Church Hayes Clo. *Nail* —5D **123**
Church Hayes Dri. *Nail* —4D **123**
Church Hill. *Bris* —3F **81**
Church Hill. *F'frd* —4C **112**
Church Hill. *Tim* —1E **157**
Church Hill. *Writ* —2F **153**
Churchill Av. *Clev* —4C **120**
Churchill Clo. *Bar C* —4C **74**
Churchill Clo. *Clev* —4C **120**
Churchill Dri. *Bris* —5F **39**
Churchill Rd. *Bris* —1E **81**
Churchill Rd. *W Mare* —1E **133**
Churchlands. *N Brad* —5E **155**
Churchlands Rd. *Bris* —3D **79**
Church La. *Back* —3C **124**
Church La. *Bedm* —2F **79**
(in two parts)
Church La. *Bit* —1F **93**
Church La. *Bris* —4D **70** (4E **5**)
Church La. *Clif* —4D **69**
Church La. *Coal H* —3E **31**
Church La. *Down* —3B **46**
(in two parts)
Church La. *Ham* —2A **46**
Church La. *Hen* —2A **40**
Church La. *Hut* —1B **140**
Church La. *Lim S & F'frd* —3B **112**
Church La. *L Ash* —2E **77**
Church La. *Mid N* —3D **151**
Church La. *Nail* —4B **122**
(in two parts)
Church La. *N Brad* —5D **155**
Church La. *Nthnd* —2A **102**
Church La. Paul —3B **146**
(off Church St.)
Church La. *St G* —2F **71**
Church La. *Tic* —1A **122**
Church La. *Tim* —1E **157**
Church La. *Trow* —4A **118**
Church La. *W'chu* —5D **89**
Church La. *Wickw* —1B **154**
Church La. *Wid* —5D **107**
Church La. *Wint* —3E **29**
Church La. *Yat* —4B **142**

Church Leaze. *Bris* —1F **53**
Church Meadows. *W'chu* —4E **89**
Church Pde. *Bris* —3A **82**
Church Path. *Bris* —5B **58**
(Ashley Hill)
Church Path. *Bris* —5C **68**
(Hotwell Rd.)
Church Path. *Bris* —2E **79**
(New John St.)
Churchpath Rd. *Pill* —3E **53**
Church Pl. *Pill* —3E **53**
Church Rd. *Abb L* —2C **66**
Church Rd. *Alm* —1C **10**
Church Rd. *Bedm* —1E **79**
Church Rd. *B'wth* —3B **86**
Church Rd. *Bit* —5F **85**
Church Rd. *C Down* —3C **110**
Church Rd. *Dun* —5A **86**
Church Rd. *E Comp* —1C **24**
Church Rd. *E'ton G* —3C **52**
Church Rd. *Fil* —1C **42**
Church Rd. *Fram C* —5C **14**
Church Rd. *Fren* —5D **45**
Church Rd. *Han* —5D **73**
Church Rd. *Hor* —1A **58**
Church Rd. *K'wd* —2A **74**
Church Rd. *Law H & St G* —3D **71**
Church Rd. *L Wds* —4F **67**
Church Rd. *Pea J* —1E **149**
Church Rd. *P'bry* —4A **52**
Church Rd. *Sev B* —4B **20**
(in two parts)
Church Rd. *Soun* —4F **61**
Church Rd. *Stok B* —4F **55**
Church Rd. *Stok G* —5A **28**
Church Rd. *T'bry* —2C **6**
Church Rd. *W Trym* —5C **40**
Church Rd. *W'ton* —5D **99**
Church Rd. *W'chu* —4D **89**
Church Rd. *Wick* —5A **154**
Church Rd. *Wins* —5A **156**
Church Rd. *Wint* —5A **30**
Church Rd. *Wor* —3B **128**
Church Rd. *Yate* —4A **18**
(in two parts)
Church Rd. *Yat* —3C **142**
Church Rd. N. *P'head* —3F **49**
Church Rd. S. *P'head* —4F **49**
Church Sq. *Mid N* —3D **151**
Church St. *Ban* —5F **137**
Church St. Bath —3B **106** *(4C **96**)*
(off York St.)
Church St. *Bathf* —4C **102**
Church St. *Brad A* —3D **115**
Church St. *Bris* —4A **70** (4E **5**)
(Church La.)
Church St. *Bris* —4D **71**
(Queen Ann Rd.)
Church St. *E'tn* —1D **71**
Church St. *Hil* —4F **117**
Church St. *Paul* —3A **146**
Church St. *Rads* —2C **152**
Church St. *Trow* —1D **119**
Church St. *W'ton* —5C **98**
Church St. *Wid* —4C **106**
Church St. *W'ly* —1A **100**
Church Town. *Back* —3E **125**
Church Vw. *Fil* —1C **42**
Church Vw. *Fish* —2F **61**
Church Wlk. *Pill* —3E **53**
Church Wlk. *Trow* —1D **119**
Church Wlk. *Wrin* —1B **156**
(in two parts)
Churchward Clo. *Han* —5D **73**
Churchward Rd. *W Mare* —2F **129**
Churchward Rd. *Yate* —3D **17**
Churchways. *Bris* —4E **89**
Churchways Av. *Bris* —1A **58**
Churchways Cres. *Bris* —1A **58**
Churston Clo. *Bris* —5C **88**
Circle, The. *Bath* —1C **108**
Circular Rd. *Bris* —5A **56**

Circus M. *Bath* —2A **106** (1A **96**)
Circus Pl. *Bath* —2A **106** (1A **96**)
(in two parts)
Circus, The. *Bath* —2A **106** (1B **96**)
City Bus. Pk. *Bris* —3C **70**
City Rd. *Bris* —2A **70**
Clamp, The. *Old C* —2E **85**
Clanage Rd. *Bris* —1A **78**
Clandown Rd. *Paul* —5C **146**
Clapton La. *P'head* —5F **49**
Clapton Rd. *Mid N* —4A **150**
Clapton Rd. *P'bry* —5F **51**
Clapton Wlk. *Bris* —2E **55**
Clare Av. *Bris* —4E **57**
Clare Gdns. *Bath* —3E **109**
Claremont Av. *Bris* —4E **57**
Claremont Bldgs. *Bath* —5B **100**
Claremont Cres. *W Mare* —4A **126**
Claremont Gdns. *Clev* —5E **121**
Claremont Gdns. *Nail* —4C **122**
Claremont Pl. Bath —5B 100
(off Camden Rd.)
Claremont Rd. *Bath* —5C **100**
Claremont Rd. *Bris* —4F **57**
Claremont St. *Bris* —1C **70**
Claremont Ter. Bath —5C 100
(off Camden Rd.)
Claremont Ter. *Bris* —3F **71**
Claremont Wlk. *Bath* —5B **100**
Clarence Av. *Bris* —2A **62**
Clarence Gdns. *Bris* —2A **62**
Clarence Gro. Rd. *W Mare* —3C **132**
Clarence Pl. *Bath* —2C **104**
Clarence Pl. *Bris* —2E **69**
Clarence Rd. *Bris* —5A **70** (5F **5**)
Clarence Rd. *K'wd* —1D **73**
Clarence Rd. *Stap H* —2F **61**
Clarence Rd. *St Ph* —3C **70**
Clarence Rd. *Trow* —2F **119**
Clarence Rd. E. *W Mare* —3C **132**
Clarence Rd. N. *W Mare* —3B **132**
Clarence Rd. S. *W Mare* —3B **132**
Clarence St. *Bath* —1B **106**
Clarence Ter. *Bath* —4E **107**
Clarendon Av. *Trow* —2E **119**
Clarendon Rd. *Bath* —4C **106**
Clarendon Rd. *Bris* —5E **57**
Clarendon Rd. *Trow* —2E **119**
Clarendon Rd. *W Mare* —5D **127**
Clarendon Vs. *Bath* —4C **106** (5E **97**)
Clare Rd. *Cot* —1F **69**
Clare Rd. *Eastv* —5D **59**
Clare Rd. *K'wd* —5E **61**
Clare St. *Bris* —4F **69** (3B **4**)
Clare St. *Redf* —2E **71**
Clare Wlk. *T'bry* —2C **6**
Clark Clo. *Wrax* —3F **123**
Clarke Dri. *Bris* —5B **44**
Clarke St. *Bris* —1F **79**
(in two parts)
Clarkson Av. *W Mare* —4A **128**
Clark's Pl. *Trow* —2E **119**
Clark St. *Bris* —2C **70**
Clatworthy Dri. *Bris* —1C **88**
Claude Av. *Bath* —4D **105**
Claude Ter. *Bath* —4D **105**
Claude Va. *Bath* —4D **105**
Clavell Rd. *Bris* —2B **40**
Claverham Clo. *Yat* —3D **143**
Claverham Drove. *Clav* —1F **143**
Claverham Pk. *Clav* —2F **143**
Claverham Rd. *Bris* —2C **60**
Claverham Rd. *Yat* —4D **143**
Claverton Bldgs. *Bath* —5D **97**
Claverton Ct. *Bath* —4F **107**
Claverton Down Rd. *Bath* —4F **107**
Claverton Down Rd. *C Down*
—2E **111**
Claverton Dri. *Clav D* —1F **111**
Claverton Rd. *Salt* —5F **93**
Claverton Rd. W. *Salt* —5F **93**

Claverton St. *Bath* —4B **106** (5C **96**)
Clay Bottom. *Bris* —5F **59**
Claydon Grn. *Bris* —5B **88**
Clayfield. *Yate* —1A **18**
Clayfield Rd. *Bris* —2A **82**
Clay Hill. *Bris* —5A **60**
Clay La. *Bit* —5F **85**
Clay La. *Pat* —2D **27**
Clay La. *T'bry* —3F **7**
Claymore Cres. *Bris* —1D **73**
Claypiece Rd. *Bris* —4B **86**
Claypit Hill. *Chip S* —2D **35**
Clay Pit Rd. *Bris* —4C **56**
Claypool Rd. *Bris* —3F **73**
Clayton Clo. *P'head* —4A **50**
Clayton Rd. *Bris* —2C **68**
Clayton St. *A'mth* —3C **36**
Clayton St. *E'tn* —2D **71**
Cleave St. *Bris* —5C **58**
Cleeve Av. *Bris* —5A **46**
Cleeve Ct. *Bris* —5F **45**
Cleevedale. *Bris* —5F **45**
Cleevedale Rd. *Bath* —3B **110**
Cleeve Gdns. *Bris* —5F **45**
Cleeve Grn. *Bath* —3A **104**
Cleeve Gro. *Key* —3F **91**
Cleeve Hill. *Bris* —5F **45**
Cleeve Hill Extension. *Bris* —1A **62**
Cleeve Lawns. *Bris* —5F **45**
Cleeve Lodge Clo. *Bris* —1A **62**
Cleeve Lodge Rd. *Bris* —5A **46**
Cleeve Pk. Rd. *Bris* —5F **45**
Cleeve Pl. *Nail* —4F **123**
Cleeve Quarry. *Bris* —4F **45**
Cleeve Rd. *Down* —1A **62**
Cleeve Rd. *Fren* —4E **45**
Cleeve Rd. *Know* —2D **81**
Cleeve Rd. *Yate* —5A **18**
Cleeve Wood Pk. *Bris* —4E **45**
Cleeve Wood Rd. *Bris* —4E **45**
(in two parts)
Clement St. *Bris* —2B **70**
Clevedale Ct. Bris —5F 45
(off Cleeve Wood Rd.)
Clevedon Hall Est. *Clev* —3C **120**
Clevedon Rd. *Bris* —3F **57**
Clevedon Rd. *Fail & L Ash* —2A **76**
Clevedon Rd. *Mid N* —2D **151**
Clevedon Rd. *Nail* —2F **123**
Clevedon Rd. *P'head* —5E **49**
Clevedon Rd. *Tic & Nail* —1A **122**
Clevedon Rd. *W Mare* —2B **132**
Clevedon Ter. *Bris* —2F **69**
Clevedon Wlk. *Nail* —3D **123**
Cleveland Clo. *T'bry* —4F **7**
Cleveland Cotts. *Bath* —1B **106**
Cleveland Ct. *Bath* —3D **107**
Cleveland Gdns. *Trow* —5E **117**
Cleveland Pl. *Bath* —1B **106**
Cleveland Pl. E. Bath —1B 106
(off Cleveland Pl.)
Cleveland Pl. W. Bath —1B 106
(off Cleveland Pl.)
Cleveland Reach. *Bath* —1B **106**
Cleveland Row. *Bath* —1C **106**
Cleveland Ter. Bath —1B 106
(off London Rd.)
Cleveland Wlk. *Bath*
—3D **107** (4F **97**)
Cleve Rd. *Bris* —5C **26**
Cleweson Ri. *Bris* —5B **88**
Cliff Ct. Dri. *Bris* —5D **45**
Cliffe Dri. *Lim S* —3B **112**
Clifford Gdns. *Bris* —1A **54**
Clifford Rd. *Bris* —3E **61**
Cliff Rd. *W Mare* —2E **127**
Clift Ho. Rd. *Bris* —1B **78**
Clift Ho. Spur. *Bris* —1B **78**
Clifton Av. *W Mare* —3C **132**
Clifton Clo. *Bris* —2B **68**
Clifton Ct. *Bris* —4F **55**
Clifton Ct. *Clev* —4C **120**

Clifton Down. *Bris* —2B **68**
Clifton Down Rd. *Clif* —3B **68**
Clifton Down Shop. Cen. *Bris* —1D **69**
Clifton Heights. *Bris* —3D **69**
Clifton High Gro. *Stok B* —2A **56**
Clifton Hill. *Bris* —4C **68**
Clifton Pk. *Clif* —2C **68**
Clifton Pk. Rd. *Bris* —2B **68**
Clifton Pl. *Bris* —2C **70**
Clifton Rd. *Bris* —3C **68**
Clifton Rd. *W Mare* —2B **132**
Clifton St. *Bedm* —2E **79**
Clifton St. *Bris* —3F **71**
Clifton St. *P'head* —5E **49**
Clifton Ter. *Bris* —2E **79**
Clifton Va. *Bris* —4C **68**
Clifton Va. Clo. *Bris* —4C **68**
Clifton Vw. *Bris* —1B **80**
Clifton Wood Ct. *Bris* —4D **69**
Clifton Wood Cres. *Bris* —4D **69**
Clifton Wood Rd. *Bris* —4D **69**
Clifton Wood Ter. *Bris* —4C **68**
Clift Pl. *Bris* —5F **69** (5C **4**)
Clift Rd. *Bris* —1C **78**
Clinton Rd. *Bris* —3E **79**
Clipsham Ri. *Trow* —1A **118**
Clive Rd. *Bris* —5E **81**
Clockhouse M. *P'head* —2F **49**
Clocktower Rd. *Tem M* —5B **70** (5F **5**)
Cloford Clo. *Trow* —1A **118**
Cloisters Rd. *Wint* —3A **30**
Clonmel Rd. *Bris* —4F **79**
Closemead. *Clev* —5D **121**
Close, The. *Coal H* —3E **31**
Close, The. *Hen* —4B **24**
Close, The. *Lit S* —3E **27**
Close, The. *Pat* —5E **11**
Close, The. *Soun* —4F **61**
Close, The. *T'bry* —4C **6**
Clothier Leaze. *Trow* —3D **119**
Clothier Rd. *Brisl* —3B **82**
Clouds Hill Av. *Bris* —2A **72**
Clouds Hill Rd. *St G* —2B **72**
Clovelly Clo. *Bris* —2B **72**
Clovelly Rd. *Bris* —2B **72**
Clovelly Rd. *W Mare* —3E **129**
Clover Clo. *Clev* —3F **121**
Cloverdale Dri. *L Grn* —2C **84**
Clover Ground. *Bris* —4D **41**
Cloverlea Rd. *Old C* —1E **85**
Clover Leaze. *Lit S* —3F **27**
Clyde Av. *Key* —4B **92**
Clyde Gdns. *Bath* —3C **104**
Clyde Gdns. *Bris* —4D **73**
Clyde Gro. *Bris* —2B **42**
Clyde La. *Bris* —5E **57**
Clyde M. *Redl* —5E **57**
Clyde Pk. *Bris* —5D **57**
Clyde Rd. *Fram C* —1D **31**
Clyde Rd. *Know* —2C **80**
Clyde Rd. *Redl* —5D **57**
Clydesdale Clo. *Bris* —2C **88**
Clydesdale Clo. *Trow* —5C **118**
Clyde Ter. *Bedm* —2E **79**
Clyde Ter. *Know* —2C **80**
Clynder Gro. *Clev* —1E **121**
Coach Rd. *Brad A* —3D **115**
Coalbridge Clo. *W Mare* —3D **129**
Coaley Rd. *Bris* —2F **53**
Coalpit Rd. *Bathe* —2B **102**
Coalsack La. *Wint* —1D **47**
Coalville Rd. *Coal H* —2F **31**
Coape Rd. *Bris* —3B **90**
Coates Gro. *Nail* —3F **123**
Coates Wlk. *Bris* —2F **87**
Cobbe Ho. *Bris* —1B **70**
Cobblestone M. *Bris* —2C **68**
Cobden St. *Bris* —3D **71**
Coberley. *Bris* —4E **73**
Cobhorn Dri. *Bris* —4B **86**
Cobley Cft. *Clev* —5C **120**
Cobourg Rd. *Bris* —1B **70**

Cobthorn Way. *Cong* —1E **145**
Coburg Vs. *Bath* —5B **100**
Cock Hill. *Trow* —1A **118**
Cock Hill Ho. Ct. *Trow* —1A **118**
Cock Rd. *Bris* —4A **74**
Codrington Pl. *Bris* —3C **68**
Codrington Rd. *Bris* —4F **57**
Cody Ct. *Han* —5D **73**
Cogan Rd. *Bris* —4A **62**
Cogmill La. *Iron A* —2B **14**
Cogsall Rd. *Bris* —2B **90**
Coity Pl. *Clev* —2C **120**
Coker Rd. *W Mare* —2F **129**
Colbourne Rd. *Bath* —3E **109**
Colchester Cres. *Bris* —1F **87**
Coldharbour La. *Bris* —2A **44**
Coldharbour Rd. *Bris* —4D **57**
Coldpark Gdns. *Bris* —3A **86**
Coldpark Rd. *Bris* —3A **86**
Coldrick Clo. *Bris* —5B **88**
Colebrook Rd. *Bris* —2E **73**
Coleford Rd. *Bris* —4F **41**
Cole Mead. *Bris* —3D **87**
Coleridge Rd. *Bris* —4E **59**
Coleridge Rd. *Clev* —3C **120**
Coleridge Rd. *W Mare* —5D **133**
Coleridge Va. Rd. E. *Clev* —3D **121**
Coleridge Va. Rd. N. *Clev* —4C **120**
Coleridge Va. Rd. S. *Clev* —4C **120**
Coleridge Va. Rd. W. *Clev* —4C **120**
Cole Rd. *Bris* —4D **71**
Colesborne Clo. *Yate* —1F **33**
Coleshill Dri. *Bris* —3D **87**
Colin Clo. *T'bry* —3C **6**
College Av. *Bris* —2C **60**
College Ct. *Bris* —2C **60**
College Fields. *Bris* —2B **68**
College Gdns. *Trow* —4E **155**
College Grn. *Bris* —4E **69** (3A **4**)
(in three parts)
College Ho. Bris —4F **69** (3B **4**)
(off Orchard St.)
College La. *Bris* —4E **69** (3A **4**)
College Pk. Dri. *Bris* —3B **40**
College Rd. *Bath* —4F **99**
College Rd. *Clif* —2B **68**
College Rd. *Fish* —2C **60**
College Rd. *Trow* —4A **118**
College Rd. *W Trym* —5C **40**
College Sq. *Bris* —4E **69** (4A **4**)
College St. *Bris* —4E **69** (4A **4**)
College Vw. *Bath* —5B **100**
Collett Clo. *Bris* —5D **73**
Collett Clo. *W Mare* —1A **130**
Collett Way. *Yate* —3E **17**
Collier Clo. *C'ton* —1A **148**
Colliers Break. *E Grn* —2D **63**
Collier's La. *Charl* —2F **99**
Colliers Wlk. *Nail* —3D **123**
Collingbourne Clo. *Trow* —5D **119**
Collingwood Av. *Bris* —1A **74**
Collingwood Clo. *Salt* —2A **94**
Collingwood Clo. *W Mare* —1C **128**
Collingwood Rd. *Bris* —1D **69**
Collin Rd. *Bris* —1F **81**
Collins Av. *Lit S* —3E **27**
Collins Bldgs. *Salt* —1A **94**
Collins La. *Bris* —1A **60**
Collinson Rd. *Bris* —3D **87**
Collins St. *Bris* —4D **37**
Colliter Cres. *Bris* —3C **78**
Collum La. *Kew* —1C **128**
Colne Grn. *Key* —4C **92**
Coln Sq. *T'bry* —4D **7**
Colombo Cres. *W Mare* —5C **132**
Colonnades, The. Bath —4B **96**
Colston Av. *Bris* —4F **69** (3B **4**)
Colston Cen. *Bris* —3F **69** (2B **4**)
Colston Clo. *Key* —4F **61**
Colston Clo. *Wint D* —5A **30**
Colston Ct. *Bris* —4F **57**
Colston Dale. *Bris* —3A **60**

Colston Fort. Bris —2F **69**
(off Montague Pl.)
Colston Hill. *Bris* —3F **59**
Colston Pde. *Bris* —5A **70** (5D **5**)
Colston Pl. *Bris* —4A **70** (3E **5**)
Colston Rd. *Bris* —1E **71**
Colston St. *Bris* —4F **69** (2B **4**)
Colston St. *Soun* —4F **61**
Colthurst Dri. *Bris* —5A **74**
Colwyn Rd. *Bris* —1E **71**
Combe Av. *P'head* —2E **49**
Combe Fields. *P'head* —2E **49**
Combe Gro. *Bath* —1C **104**
Combe Hay La. *Eng* —5C **108**
Combe Pk. *Bath* —2D **105**
Combermere. *T'bry* —4E **7**
Combe Rd. *Bath* —3C **110**
Combe Rd. *P'head* —3F **49**
Combe Rd. Clo. *Bath* —3C **110**
Combeside. *Back* —1C **124**
Combeside. *Bath* —1B **110**
Combe, The. *Rads* —3F **153**
Combfactory La. *Bris* —2D **71**
Comb Paddock. *Bris* —5D **41**
Comfortable Pl. *Bath* —2F **105**
Comfrey Clo. *Trow* —4E **119**
Commercial Rd. *Bris* —5F **69**
Common E., The. *Brad S* —5E **11**
Commonfield Rd. *Bris* —3D **39**
Common La. *E'ton G* —4D **53**
(in two parts)
Common Mead La. *Ham* —3C **44**
Common Rd. *Bris* —2D **83**
Common Rd. *Wint* —2B **30**
Common, The. *Bris* —5D **45**
Common, The. *Holt* —1E **155**
Common W., The. *Pat* —5D **11**
Compton Dri. *Bris* —5E **39**
Compton Grn. *Key* —4A **92**
Compton St. *Bris* —3E **71**
Comyn Wlk. *Bris* —2C **60**
Concorde Dri. *Bris* —3D **41**
Concorde Dri. *Clev* —5B **120**
Concorde Ho. *Brad S* —2B **42**
Concorde Rd. *Pat* —2A **26**
Concourse, The. *Bris* —3A **82**
Condor Clo. *W Mare* —5B **128**
Condor Ho. *Bris* —5E **43**
Condover Rd. *Bris* —2B **82**
Conduit Pl. *Bris* —1C **70**
Conduit Rd. *Bris* —1C **70**
Coneygree. *Bris* —2B **86**
Conference Av. *P'head* —3A **50**
Congleton Rd. *Bris* —1F **71**
Conham Hill. *Bris* —5C **72**
Conham Rd. *Bris* —5B **72**
Conham Va. *Bris* —5B **72**
Conifer Clo. *Down* —1F **61**
Conifer Clo. *Fram C* —5C **14**
Conifer Way. *Lock* —3C **134**
Conigre. *Trow* —1C **118**
Conigre Hill. *Brad A* —2D **115**
Coniston Av. *Bris* —1A **56**
Coniston Clo. *Bris* —4F **75**
Coniston Cres. *W Mare* —4D **133**
Coniston Rd. *Pat* —1A **26**
Coniston Rd. *Trow* —5E **117**
Connaught Pl. *W Mare* —5B **126**
Connaught Rd. *Bris* —5A **80**
Connection Rd. *Bath* —3B **104**
Constable Clo. *Key* —2B **92**
Constable Dri. *W Mare* —2D **129**
Constable Rd. *Bris* —1D **59**
Constable St. *Bath* —2D **105**
Constantine Av. *Stok G* —4A **28**
Constitution Hill. *Bris* —4C **68**
Convent Clo. *Bris* —1E **39**
Convocation Av. *Bath* —4F **107**
Conway Grn. *Key* —4F **93**
Conway Rd. *Brisl* —1E **81**
Conygar Clo. *Clev* —1F **121**
Conygre Grn. *Tim* —1E **157**

Conygre Gro. *Bris* —5D **27**
Conygre Rd. *Bris* —1C **42**
Conygre Ter. *Bath* —3F **107**
Cook Clo. *Old C* —1E **85**
Cook Ct. *C Down* —2D **111**
Cooks Clo. *Brad S* —3E **11**
Cooks Folly Rd. *Bris* —4F **55**
Cooks Gdns. *Wrax* —3F **123**
Cook's La. *Ban* —4E **137**
Cooks La. *Coal H* —1F **47**
Cooksley Rd. *Bris* —2E **71**
Cook St. *Bris* —4D **37**
Cookworthy Clo. *Bris* —3D **71**
Coombe Av. *T'bry* —2C **6**
Coombe Bri. Av. *Bris* —1F **55**
Coombe Clo. *Bris* —1F **39**
Coombe Clo. *P'head* —3F **49**
Coombe Dale. *Bris* —1E **55**
Coombe Gdns. *Bris* —1A **56**
Coombe La. *Bris* —5F **39**
Coombe La. *E'ton G* —5C **52**
Coombend. *Rads* —5B **148**
Coombe Rd. *Bris* —5E **59**
Coombe Rd. *Nail* —4C **122**
Coombe Rd. *W Mare* —5C **126**
Coombes Way. *Bris* —1F **85**
Coombe Way. *Hen* —3B **40**
Coomb Rocke. *Bris* —5F **39**
Cooperage La. *Bris* —5D **69**
Cooperage Rd. *Bris* —3F **71**
Co-operation Rd. *Bris* —1E **71**
Cooper Rd. *Bris* —5B **40**
Cooper Rd. *T'bry* —5C **6**
Coopers Dri. *Yate* —1B **18**
Coots, The. *Bris* —2A **90**
Copeland Dri. *Bris* —3D **89**
Cope Pk. *Alm* —1E **11**
Copford La. *L Ash* —4D **77**
Copley Ct. *Bris* —5A **74**
Copley Gdns. *Bris* —1D **59**
Copley Gdns. *W Mare* —3D **129**
Copper Beeches. *Trow* —4F **117**
Copperfield Dri. *W Mare* —1D **129**
Coppice Hill. *Brad A* —2E **115**
Coppice, The. *Brad S* —2A **28**
Coppice, The. *Bris* —4A **86**
Coppice Wood. *Trow* —2F **119**
Copse Clo. *W Mare* —2E **139**
Copseland. *Bath* —4E **107**
Copse Rd. *Bris* —2D **81**
Copse Rd. *Clev* —2C **120**
Copse Rd. *Key* —4E **93**
Coralberry Dri. *W Mare* —4D **129**
Corbet Clo. *Bris* —2D **39**
Cordwell Wlk. *Bris* —5F **41**
Corey Clo. *Bris* —1B **70**
Corfe Clo. *Nail* —4C **122**
Corfe Cres. *Key* —4A **92**
Corfe Pl. *Will* —4D **85**
Corfe Rd. *Bris* —1F **87**
Coriander Dri. *Brad S* —3C **28**
Coriander Wlk. *Bris* —5E **59**
Corinthian Ct. *Bris* —5A **70** (5E **5**)
Corkers Hill. *St G* —4B **72**
Cork Pl. Bath —2E **105**
(off Cork St.)
Cork St. *Bath* —2E **105**
Cork Ter. *Bath* —2E **105**
Cormandel Heights. Bath —1B **106**
(off Camden Rd.)
Cormorant Clo. *W Mare* —4D **129**
Corner Cft. *Clev* —5D **121**
Cornfield Clo. *Pat* —5E **11**
Cornfields, The. *Wick L* —1D **129**
Cornhill Dri. *Bris* —1C **88**
Cornish Gro. *Bris* —2A **90**
Cornish Rd. *Bris* —3F **89**
Cornish Wlk. *Bris* —2A **90**
Cornleaze. *Bris* —3C **86**
Corn St. *Bath* —3A **106** (4B **96**)
Corn St. *Bris* —4F **69** (3C **4**)
Cornwall Cres. *Yate* —2B **18**

Cornwallis Av.—Cromer Rd.

Cornwallis Av. *Bris* —4C **68**
Cornwallis Av. *W Mare* —1C **128**
Cornwallis Cres. *Bris* —4B **68**
Cornwallis Gro. *Bris* —4B **68**
Cornwall Rd. *Bris* —3F **57**
Coronation Av. *Bath* —1D **109**
Coronation Av. *Brad A* —2F **115**
Coronation Av. *Bris* —3C **60**
Coronation Av. *Key* —4F **91**
Coronation Clo. *Bris* —5C **74**
Coronation Cotts. *Bathe* —3A **102**
Coronation Est. *W Mare* —5D **133**
Coronation Pl. *Bris* —4F **69** (3C **4**)
Coronation Rd. *Ban* —5E **137**
Coronation Rd. *Bath* —2E **105**
Coronation Rd. *B'don* —5A **140**
Coronation Rd. *Down* —2A **62**
Coronation Rd. *K'wd* —3B **74**
Coronation Rd. *S'vle* —1C **78**
Coronation Rd. *War* —5C **74**
Coronation Rd. *W Mare* —3C **128**
Coronation St. *Trow* —3D **119**
Coronation Vs. *Rads* —1D **153**
Corondale Rd. *W Mare* —5B **128**
Corridor, The. *Bath* —3B **106** (3C **96**)
Corsley Wlk. *Bris* —5B **80**
Corston. *W Mare* —1E **139**
Corston La. *Cor* —5C **94**
Corston Vw. *Bath* —2D **109**
Corston Wlk. *Bris* —5F **37**
Coryton. *W Mare* —3E **129**
Cossham Clo. *T'bry* —2D **7**
Cossham Rd. *Bris* —2F **71**
Cossham Rd. *Yate* —3E **65**
Cossham St. *Mang* —2C **62**
Cossham Wlk. *Bris* —1C **72**
Cossington Rd. *Bris* —4B **80**
Cossins Rd. *Bris* —4D **57**
Costers Clo. *Alv* —2B **8**
Costiland Dri. *Bris* —2B **86**
Cote Bank Ho. *Bris* —5D **41**
Cote Dri. *Bris* —3C **56**
Cote Ho. La. *Bris* —2C **56**
Cote La. *Bris* —2C **56**
Cote Lea Pk. *Bris* —5D **41**
Cote Paddock. *Bris* —3B **56**
Cote Pk. *Bris* —1A **56**
Cote Rd. *Bris* —2C **56**
Cotham Brow. *Bris* —1F **69**
Cotham Gdns. *Bris* —1D **69**
Cotham Gro. *Bris* —1F **69**
Cotham Hill. *Bris* —1D **69**
Cotham Lawn Rd. *Bris* —1E **69**
Cotham Pk. *Bris* —1E **69**
Cotham Pk. N. *Bris* —1E **69**
Cotham Pl. *Bris* —1E **69**
Cotham Rd. *Bris* —2E **69**
Cotham Rd. S. *Bris* —2F **69**
Cotham Side. *Bris* —1F **69**
Cotham Va. *Bris* —1E **69**
Cotman Wlk. *Bris* —1D **59**
Cotman Wlk. *W Mare* —3D **129**
Cotrith Gro. *Bris* —1A **40**
Cotswold Clo. *P'head* —4A **50**
Cotswold Ct. *Chip S* —5D **19**
Cotswold Rd. *Bath* —5E **105**
Cotswold Rd. *Bris* —2F **79**
Cotswold Rd. *Chip S* —1D **35**
Cotswold Ter. *Bath* —3F **107**
Cotswold Vw. *Bath* —4C **104**
Cotswold Vw. *Fil* —1C **42**
Cotswold Vw. *K'wd* —5F **61**
Cotswold Vw. *Wickw* —1C **154**
Cottage Pl. *Bath* —4D **101**
Cottage Pl. *Bris* —2F **69** (1B **4**)
Cottages, The. *Wrin* —1B **156**
Cottington Ct. *Bris* —5A **74**
Cottisford Rd. *Bris* —3D **59**
Cottle Gdns. *Bris* —2B **90**
Cottle Rd. *Bris* —2B **90**
Cottles La. *Tur* —3F **113**
Cotton Mead. *Cor* —5D **95**

Cottonwood Dri. *L Grn* —2C **84**
Cottrell Av. *Bris* —5D **61**
Cottrell Rd. *Bris* —4E **59**
Coulson Dri. *W Mare* —2F **129**
Coulsons Clo. *Bris* —5C **88**
Coulson's Rd. *Bris* —5B **88**
Coulson Wlk. *Bris* —5E **61**
Counterpool Rd. *Bris* —3E **73**
Counterslip. *Bris* —4A **70** (3D **5**)
Counterslip Gdns. *Bris* —2E **89**
Countess Wlk. *Bris* —1F **59**
County St. *Bris* —1C **80**
County Way. *Trow* —2D **119**
Court Av. *Stok G* —4B **28**
Court Av. *Yat* —4B **142**
Court Clo. *Back* —3E **125**
Court Clo. *Bris* —5A **42**
Court Clo. *P'head* —4F **49**
Courtenay Cres. *Bris* —1F **87**
Courtenay Rd. *Key* —5A **92**
Courtenay Wlk. *W Mare* —2E **129**
Court Farm Rd. *Bris* —5B **88**
Court Farm Rd. *L Grn* —4F **83**
Courtfield Gro. *Bris* —3C **60**
Court Gdns. *Bathe* —2B **102**
Court Hay. *E'ton G* —3C **52**
Courtlands. *Key* —3A **92**
Courtlands. *Pat* —5E **11**
Courtlands La. *Bris* —1A **78**
Court La. *Bathf* —4C **102**
Court La. *Clev* —3F **121**
Court La. *Wick* —5A **154**
Courtmead. *Bath* —5A **110**
Courtney Rd. *Bris* —3A **74**
Courtney Way. *Bris* —3B **74**
Court Pl. *W Mare* —3D **129**
Court Rd. *Fram C* —1B **30**
Court Rd. *Hor* —5B **42**
Court Rd. *Kew* —1E **127**
Court Rd. *K'wd* —3F **73**
Court Rd. *Old C* —2D **85**
Courtside. *Bris* —2B **74**
Courtside M. *Bris* —1E **69**
Court St. *Trow* —2D **119**
Court Vw. *Wick* —5B **154**
Court Vw. Clo. *Alm* —1C **10**
Courtyard, The. *Alm* —3F **11**
Courville Clo. *Alv* —3B **8**
Cousins Clo. *Bris* —1F **39**
Cousins La. *Bris* —3B **72**
Cousins M. *St Ap* —4B **72**
Cousins Way. *E Grn* —4D **47**
Couzens Clo. *Chip S* —4D **19**
Couzens Pl. *Stok G* —4B **28**
Coventry Wlk. *Bris* —4B **72**
Cowdray Rd. *Bris* —1F **87**
Cowhorn Hill. *Old C* —5E **75**
Cow La. *Bath* —2F **105**
Cowler Wlk. *Bris* —4B **86**
Cowling Dri. *Bris* —3E **89**
Cowling Rd. *Bris* —3F **89**
Cowmead Wlk. *Bris* —5C **58**
Cowper Rd. *Bris* —1E **69**
Cowper St. *Bris* —3E **71**
Cowship La. *Crom* —1A **154**
Cox Ct. *Bar C* —1B **84**
Coxgrove Hill. *Puck* —1B **64**
Coxley Dri. *Bath* —4C **100**
Cox's Grn. *Wrin* —2C **156**
Coxway. *Clev* —4E **121**
Crabtree Path. *Clev* —5C **120**
Crabtree Wlk. *Bris* —5F **59**
Craddock Clo. *Bris* —1C **84**
Cranberry Wlk. *Bris* —4E **39**
Cranbourne Chase. *W Mare* —4E **127**
Cranbourne Rd. *Pat* —2B **26**
Cranbrook Rd. *Bris* —3E **57**
Crandale Rd. *Bath* —4E **105**
Crandell Clo. *Bris* —5B **24**
Crandon Lea. *Holt* —1F **155**
Crane Clo. *Bris* —2D **75**
Cranford Clo. *W Mare* —4B **128**

Cranham. *Yate* —2E **33**
Cranham Clo. *Bris* —5B **62**
Cranham Dri. *Pat* —5B **11**
Cranham Rd. *Bris* —4E **41**
Cranhill Rd. *Bath* —1E **105**
Cranleigh. *Bath* —4A **110**
Cranleigh Ct. Rd. *Yate* —4F **17**
Cranleigh Gdns. *Bris* —3A **56**
Cranleigh Rd. *Bris* —3D **89**
Cranmore. *W Mare* —1E **139**
Cranmore Av. *Key* —2F **91**
Cranmore Clo. *Trow* —1A **118**
Cranmore Cres. *Bris* —3F **41**
Cranmore Pl. *Bath* —4E **109**
Cranside Av. *Bris* —3E **57**
Cransley Cres. *Bris* —5E **41**
Crantock Av. *Bris* —5D **79**
Crantock Dri. *Alm* —1D **11**
Crantock Rd. *Yate* —5F **17**
Cranwell Gro. *Bris* —3C **88**
Cranwell Rd. *Lock* —3A **136**
Cranwells Pk. *Bath* —1E **105**
Crates Clo. *K'wd* —2A **74**
Craven Clo. *L Grn* —5B **74**
Craven Way. *Bar C* —5B **74**
Crawford Clo. *Clev* —5B **120**
Crawley Cres. *Trow* —2A **118**
Crawl La. *Clan* —5E **147**
Craydon Gro. *Bris* —3F **89**
Craydon Rd. *Bris* —3F **89**
Craydon Wlk. *Bris* —3F **89**
Crediton. *W Mare* —3E **129**
Crediton Cres. *Bris* —4B **80**
Crescent Cen., The. *Bris* —4A **70** (3E **5**)
Crescent Gdns. *Bath* —2F **105** (2A **96**)
Crescent La. *Bath* —1F **105** (1A **96**)
Crescent Rd. *Bris* —1E **61**
Crescent, The. *Back* —2C **124**
Crescent, The. *Henl* —1E **57**
Crescent, The. *Mil* —4F **127**
Crescent, The. *Sea M* —1E **55**
Crescent, The. *Soun* —4F **61**
Crescent, The. *Wick* —4B **154**
Crescent, The. *Worl* —3F **127**
Crescent Vw. *Bath* —4A **106** (5A **96**)
Cresswell Clo. *W Mare* —3E **129**
Crest, The. *Bris* —3E **81**
Creswicke Av. *Bris* —5E **73**
Creswicke Rd. *Bris* —1F **87**
Crewkerne Clo. *Nail* —4F **123**
Crews Hole Rd. *Bris* —3F **71**
Cribbs Causeway. *Bris* —4B **24**
Cribbs Causeway Cen. (Ind. Est.) *Bris*
    —3C **24**
Cribbs Retail Pk. *Pat* —3E **25**
Cricket Fld. Grn. *Nail* —3C **122**
Cricklade Ct. *Nail* —4F **123**
Cricklade Rd. *Bris* —3A **58**
Cripps Rd. *Bris* —2E **79**
Crispin La. *T'bry* —3C **6**
Crispin Way. *Bris* —5B **62**
Crockerne Dri. *Pill* —4E **53**
Crockerne Ho. *Pill* —2F **53**
    (off Underbanks)
Crocombe La. *Tim* —1F **157**
Croft Av. *Bris* —3E **59**
Croft Clo. *Bit* —5F **85**
Crofters Wlk. *Brad S* —1F **27**
Crofton Av. *Bris* —1B **58**
Croft Rd. *Bath* —5C **100**
Croft Rd. *Mon C* —3F **111**
Crofts End Rd. *Bris* —1A **72**
Croft, The. *Back* —1C **124**
Croft, The. *Bris* —2B **62**
Croft, The. *Clev* —2F **121**
Croft, The. *Hut* —5C **134**
Croft, The. *Old C* —2E **85**
Croft, The. *Trow* —4C **118**
Croft Vw. *Bris* —1E **57**
Crokeswood Wlk. *Bris* —3C **38**
Crome Rd. *Bris* —5D **43**
Cromer Rd. *Bris* —5E **59**

Cromer Rd. *W Mare* —3C **132**
Cromwell Ct. *Bris* —5A **74**
Cromwell Dri. *W Mare* —1E **129**
Cromwell Rd. *St And* —5F **57**
Cromwell Rd. *St G* —2C **72**
Cromwells Hide. *Bris* —2A **60**
Cromwell St. *Bris* —2E **79**
Crooke's La. *Kew* —1E **127**
Crookwell Drove. *Cong* —5C **144**
Croomes Hill. *Bris* —1F **61**
Cropthorne Rd. *Bris* —3C **42**
Cropthorne Rd. S. *Bris* —4C **42**
Crosby Row. *Clif* —4C **68**
Crosscombe Dri. *Bris* —5D **87**
Crosscombe Wlk. *Bris* —5D **87**
Cross Elms La. *Bris* —2A **56**
Crossfield Rd. *Bris* —4A **62**
Cross Lanes. *Pill* —3D **53**
(in two parts)
Crossleaze Rd. *Bris* —2E **83**
Crossley Clo. *Wint* —2B **30**
Crossman Av. *Wint* —4A **30**
Crossman Wlk. *Clev* —3F **121**
Cross St. *Bris* —1E **73**
Cross St. *Key* —1B **92**
Cross St. *Trow* —1D **119**
Cross St. *W Mare* —1C **132**
Cross Wlk. *Bris* —2C **88**
Crossways Rd. *Bris* —4C **80**
Crossways Rd. *T'bry* —3E **7**
Crowe Hill. *Lim S & F'frd* —3C **112**
Crowe La. *F'frd* —4C **112**
Crow La. *Bris* —4F **69** (3C **4**)
Crow La. *Hen* —2B **40**
Crown Ct. *Brad A* —2F **115**
Crowndale Rd. *Bris* —2C **80**
Crown Gdns. *Bris* —3D **75**
Crown Glass Pl. *Nail* —3D **123**
Crown Hill. *Bath* —5D **99**
Crown Hill. *Bris* —2B **72**
Crown Hill Wlk. *Bris* —1B **72**
Crown Ho. *Nail* —4B **122**
Crown Ind. Est. *War* —3E **75**
Crown La. *Bris* —4F **61**
Crownleaze. *Bris* —4F **61**
Crown Rd. *Bath* —5C **98**
Crown Rd. *Bris* —5F **61**
Crown Rd. *War* —4E **75**
Crows Gro. *Brad S* —3F **11**
Crowther Pk. *Bris* —3C **58**
Crowther Rd. *Bris* —3C **58**
Crowthers Av. *Yate* —3A **18**
Crowther St. *Bris* —2D **79**
Croydon St. *Bris* —2D **71**
Crunnis, The. *Brad S* —3A **28**
Crusty La. *Pill* —2E **53**
Cuckoo La. *Wint D* —1B **46**
Cuffington Av. *Bris* —1F **81**
Culverhill Rd. *Chip S* —5C **18**
Culver Rd. *Brad A* —4F **115**
Culvers Rd. *Key* —2A **92**
Culver St. *Bris* —4E **69** (3A **4**)
Culvert, The. *Brad S* —1F **27**
Culverwell Rd. *Bris* —4C **86**
Cumberland Basin Rd. *Bris* —4B **68**
Cumberland Clo. *Bris* —5C **68**
Cumberland Gro. *Bris* —5B **58**
Cumberland Ho. Bath —3F **105** (3A **96**)
(off Norfolk Cres.)
Cumberland Pl. *Bris* —4B **68**
Cumberland Rd. *Bris* —5B **68**
Cumberland Row. *Bath*
—3A **106** (3A **96**)
Cumberland St. *Bris* —2A **70**
Cumbria Clo. *T'bry* —3F **7**
Cunningham Gdns. *Bris* —2D **61**
Cunnington Clo. *Will* —4D **85**
Curland Gro. *Bris* —3D **89**
Curlew Clo. *Bris* —1B **60**
Curlew Gdns. *W Mare* —4D **129**
Curtis La. *Stok G* —5C **28**

Custom Clo. *Bris* —1C **88**
Cutler Rd. *Bris* —2B **86**
Cygnet Cres. *W Mare* —4D **129**
Cynder Way. *E Grn* —3C **46**
Cynthia Rd. *Bath* —4D **105**
Cynthia Vs. *Bath* —4D **105**
Cypress Ct. *Bris* —4F **55**
Cypress Gdns. *Bris* —4A **68**
Cypress Gro. *Bris* —1E **57**
Cypress Ter. *Rads* —3A **152**
Cyrus Ct. *E Grn* —5D **47**

Dafford's Bldgs. *Bath* —4D **101**
Dafford's Pl. Bath —4D *101*
(off Dafford St.)
Dafford St. *Bath* —4D **101**
Daglands, The. *C'ton* —1A **148**
Dahlia Gdns. *Bath* —2C **106** (1F **97**)
Daisey Bank. *Bath* —5C **106**
Daisy Rd. *Bris* —5E **59**
Dakin Clo. *Bris* —4A **80**
Dakota Dri. *Bris* —4C **88**
Dalby Av. *Bris* —1F **79**
Dale St. *Bris* —2B **72**
(Hudd's Hill Rd.)
Dale St. *Bris* —2B **70** (1F **5**)
(Newfoundland St.)
Daley Clo. *W Mare* —2F **129**
Dalkeith Av. *Bris* —1E **73**
Dalrymple Rd. *Bris* —1A **70**
Dalston Rd. *Bris* —1D **79**
Dalton Sq. *Bris* —2A **70**
Dalwood. *W Mare* —3E **129**
Dame Ct. Clo. *W Mare* —1D **129**
Dampier Rd. *Bris* —2C **78**
Damson Rd. *W Mare* —5B **128**
Danbury Cres. *Bris* —3E **41**
Danbury Wlk. *Bris* —3E **41**
Dancey Mead. *Bris* —1B **86**
Dandy's Mdw. *P'head* —3A **50**
Daneacre Rd. *Rads* —1D **153**
Dane Clo. *W'ley* —2F **113**
Dane Ri. *W'ley* —2F **113**
Dangerfield Av. *Bris* —2B **86**
Daniel Clo. *Clev* —3F **121**
Daniel M. *Bath* —2C **106** (1E **97**)
Daniel St. *Bath* —2C **106** (2E **97**)
Dapp's Hill. *Key* —3B **92**
Dark La. *Back* —2D **125**
Dark La. *Ban* —5F **137**
Dark La. *Bris* —4C **40**
Dark La. *Mid N* —4C **112**
Darley Clo. *Bris* —1F **39**
Darlington M. *Bath* —2C **106** (2E **97**)
Darlington Pl. *Bath* —3C **106** (4F **97**)
Darlington Rd. *Bath* —2C **106** (1F **97**)
Darlington St. *Bath* —2C **106** (2E **97**)
Darmead. *W Mare* —4F **129**
Darnley Av. *Bris* —1B **58**
Dart Clo. *T'bry* —4C **6**
Dartmoor St. *Bris* —1D **79**
Dartmouth Av. *Bath* —4D **105**
Dartmouth Clo. *W Mare* —3E **129**
Dartmouth Wlk. *Key* —4F **91**
Dart Rd. *Clev* —5D **121**
Daubeny Clo. *Bris* —2D **61**
Davenport Clo. *L Grn* —3C **84**
Daventry Rd. *Bris* —4A **80**
Davey St. *Bris* —1B **70**
David's Clo. *Alv* —3B **8**
David's La. *Alv* —3B **8**
David's Rd. *Bris* —1E **89**
David St. *Bris* —3B **70** (2F **5**)
David Thomas Houses. *Bris* —5A **58**
Davies Dri. *St Ap* —5B **72**
Davin Cres. *Pill* —4E **53**
Davis Clo. *Bar C* —5B **74**
Davis Ct. *T'bry* —2D **7**
Davis La. *Clev* —5D **121**
Davis St. *Bris* —4D **37**
Dawes Clo. *Clev* —5D **121**

Dawley Clo. *Wint* —2A **30**
Dawlish Rd. *Bris* —3F **79**
Dawn Ri. *Bris* —1B **74**
Day Cres. *Bath* —3A **104**
Day's Rd. *St Ph* —4C **70**
Deacon Clo. *Wint* —4A **30**
Deacons Clo. *W Mare* —3C **128**
Deadmill La. *Swain* —3D **101**
Dean Av. *T'bry* —2D **7**
Dean Clo. *Bris* —5D **73**
Dean Clo. *W Mare* —2F **129**
Dean Ct. *Yate* —3D **17**
Dean Cres. *Bris* —1E **79**
(in two parts)
Deanery Clo. *K'wd* —2D **75**
Deanery Rd. *Bris* —4E **69** (4A **4**)
Deanery Rd. *War* —2C **74**
Deanhill La. *Bath* —4A **98**
Dean La. *Bris* —1E **79**
Deanna Ct. *Bris* —1A **62**
Dean Rd. *Bris* —4E **21**
Dean Rd. *Yate* —3E **17**
Deans Dri. *S'wll* —5C **60**
Deans Mead. *Bris* —4C **38**
Deans, The. *P'head* —4D **49**
Dean St. *Bris* —1E **79**
Dean St. *St Pa* —2A **70**
De Beccas La. *E'ton G* —3D **53**
De Clifford Rd. *Bris* —2E **39**
Deep Coombe Rd. *Bris* —3C **78**
Deep Pit Rd. *Bris* —1A **72**
Deerhurst. *Bris* —5A **62**
Deerhurst. *Yate* —1E **33**
Deering Clo. *Bris* —3D **39**
Deer Mead. *Clev* —5B **120**
Deerswood. *Bris* —5C **62**
Delabere Av. *Bris* —2D **61**
Delamere Rd. *Trow* —5D **117**
Delapre Rd. *W Mare* —5B **132**
De La Warre Ct. *St Ap* —4B **72**
Delius Gro. *Bris* —1F **87**
Dell, The. *Brad S* —2A **28**
Dell, The. *Bris* —5E **75**
Dell, The. *Nail* —3C **122**
Dell, The. *W Trym* —2B **56**
Dell, The. *W Mare* —1C **128**
Delvin Rd. *Bris* —4E **41**
De Montalt Pl. *C Down* —3C **110**
Denbigh St. *Bris* —1B **70**
Dene Clo. *Key* —5B **92**
Dene Rd. *Bris* —4E **89**
Denleigh Clo. *Bris* —4C **88**
Denmark Av. *Bris* —4E **69** (3A **4**)
Denmark Pl. *Bris* —4A **58**
Denmark Rd. *Bath* —3E **105**
Denmark St. *Bris* —4E **69** (3A **4**)
Denning Ct. *W Mare* —1F **129**
Dennisworth. *Puck* —2D **65**
Dennor Pk. *Bris* —1D **89**
Denny Clo. *P'head* —3C **48**
Denny Isle Dri. *Sev B* —4B **20**
Denny Vw. *P'head* —3B **48**
Denny Vw. Rd. *Abb L* —2B **66**
Denston Dri. *P'head* —4A **50**
Denston Wlk. *Bris* —1C **86**
Denton Patch. *E Grn* —5D **47**
Dentwood Gro. *Bris* —5D **39**
Derby Rd. *Bris* —4A **58**
Derby St. *Bris* —2F **71**
Derham Clo. *Yat* —3B **142**
Derham Pk. *Yat* —3B **142**
Derham Rd. *Bris* —3C **86**
Derhill Ter. *Bath* —3F **107**
Dermot St. *Bris* —1B **70**
Derricke Rd. *Bris* —2B **90**
Derrick Rd. *Bris* —2F **73**
Derry Rd. *Bris* —3D **79**
Derwent Clo. *Pat* —1D **27**
Derwent Ct. *T'bry* —4E **7**
Derwent Gro. *Key* —3C **92**
Derwent Rd. *Bris* —1B **72**
Derwent Rd. *W Mare* —3E **133**

Devaney Clo. *St Ap* —5B **72**
Deverell Clo. *Brad A* —5F **115**
Deveron Gro. *Key* —4C **92**
Deverose Ct. *Bris* —1A **84**
Devon Gro. *Bris* —2E **71**
Devon Rd. *Bris* —1E **71**
Devonshire Bldgs. *Bath* —5A **106**
Devonshire Dri. *P'head* —3B **48**
Devonshire Rd. *B'ptn* —5F **101**
Devonshire Rd. *Bris* —3D **57**
Devonshire Rd. *W Mare* —5C **132**
Devonshire Vs. *Bath* —1A **110**
Dewfalls Dri. *Brad S* —5F **11**
Dial Hill Rd. *Clev* —2D **121**
Dial La. *Bris* —1F **61**
Diamond Batch. *W Mare* —4F **129**
Diamond Rd. *Bris* —3B **72**
Diamond St. *Bris* —2E **79**
Diana Gdns. *Brad S* —1A **28**
Dibden Clo. *Bris* —4C **46**
Dibden La. *E Grn* —5C **46**
Dibden Rd. *Bris* —4C **46**
Dickens Clo. *Bris* —4C **42**
Dickenson Rd. *W Mare* —2C **132**
Dickensons Gro. *Cong* —3E **145**
Didsbury Clo. *Bris* —3B **40**
Dighton Ga. *Stok G* —4A **28**
Dighton St. *Bris* —2F **69**
Dillon Ct. *Bris* —3F **71**
Dinder Clo. *Nail* —4D **123**
Dingle Clo. *Bris* —1E **55**
Dingle Rd. *Bris* —5F **39**
Dingle, The. *Bris* —5F **39**
Dingle, The. *Wint* —1B **46**
Dingle, The. *Yate* —2B **18**
Dingle Vw. *Bris* —5E **39**
Dinglewood Clo. *Bris* —5F **39**
Dings Wlk. *Bris* —4C **70**
Dixon Gdns. *Bath* —5A **100**
Dixon Rd. *Bris* —3B **82**
Dock Ga. La. *Bris* —5C **68**
Docks Ind. Est. *Chit* —1F **21**
Doctor White's Clo. *Bris* —5A **70** (5D **5**)
Dodington La. *Dod* —3D **35**
Dodington Rd. *Chip S* —2D **35**
Dodisham Wlk. *Bris* —1D **61**
Dodmore Crossing. *W'lgh* —5D **33**
Dodsmoor La. *Alv* —3D **9**
Dolemoor La. *Cong* —2A **144**
(in two parts)
Dolman Clo. *Bris* —1A **40**
Dolphin Sq. *W Mare* —1B **132**
Dominion Rd. *Bath* —3B **104**
Dominion Rd. *Bris* —4B **60**
Donald Rd. *Bris* —1B **86**
Doncaster Rd. *Bris* —3D **41**
Donegal Rd. *Bris* —4F **79**
Dongola Av. *Bris* —3A **58**
Dongola Rd. *Bris* —3A **58**
Donnington Wlk. *Key* —4F **91**
Doone Rd. *Bris* —4B **42**
Dorcas Av. *Stok G* —4B **28**
Dorchester Clo. *Nail* —5C **122**
Dorchester Rd. *Bris* —5C **42**
Dorchester St. *Bath* —4B **106** (5C **96**)
Dorester Clo. *Bris* —5E **25**
Dorian Clo. *Bris* —5A **42**
Dorian Rd. *Bris* —4A **42**
Dormer Clo. *Coal H* —3F **31**
Dormer Rd. *Bris* —4D **59**
Dorset Clo. *Bath* —3E **105**
Dorset Cotts. *Bath* —3D **111**
Dorset Gro. *Bris* —5C **58**
Dorset Ho. *Bath* —1E **109**
Dorset Rd. *K'wd* —1F **73**
Dorset Rd. *W Trym* —1D **57**
Dorset St. *Bath* —3E **105**
Dorset St. *Bris* —2D **79**
Dorset Way. *Yate* —3C **18**
Douglas Rd. *Hor* —5B **42**
Douglas Rd. *K'wd* —3F **73**

Douglas Rd. *W Mare* —3D **133**
Doulton Way. *Bris* —3D **89**
Dovecote. *Yate* —1A **34**
Dovecote Clo. *Trow* —2B **118**
Dovedale. *T'bry* —5E **7**
Dove La. *Redf* —3E **71**
Dove La. *St Pa* —2B **70**
Dovercourt Rd. *Bris* —2C **58**
Dover Ho. *Bath* —1B **106**
Dover Pl. Bath —5B **100**
(off Seymour Rd.)
Dover Pl. *Bris* —3D **69**
Dover Pl. Cotts. *Bris* —3D **69**
Dovers La. *Bathf* —4D **103**
Dovers Pk. *Bathf* —4D **103**
Dove St. *Bris* —2F **69**
Dove St. S. *Bris* —2F **69**
Doveswell Gro. *Bris* —4C **86**
Doveton St. *Bris* —1F **79**
Dovey Ct. *Bris* —5E **75**
Dowdeswell Clo. *Bris* —1B **40**
Dowding Rd. *Bath* —5C **100**
Dowland. *W Mare* —3E **129**
Dowland Clo. *Bris* —2F **87**
Dowling Rd. *Bris* —5F **87**
Down Av. *Bath* —3B **110**
Downavon. *Brad A* —4E **115**
Down Clo. *P'head* —3B **48**
Downend Rd. *Bris* —2B **58**
Downend Pk. Rd. *Bris* —2F **61**
Downend Rd. *Fish & Down* —2D **61**
Downend Rd. *Hor* —2B **58**
Downend Rd. *K'wd* —1F **73**
Down Farm Ho. *Wint* —3F **29**
Downfield. *Key* —3F **91**
Downfield Clo. *Alv* —2A **8**
Downfield Dri. *Fram C* —1D **31**
Downfield Lodge. *Bris* —1C **68**
Downfield Rd. *Bris* —1C **68**
Downhayes Rd. *Trow* —5D **117**
Downland Clo. *Nail* —4C **122**
Down La. *B'ptn* —5A **102**
Down Leaze. *Alv* —2B **8**
Downleaze. *Down* —4F **45**
Downleaze. *P'head* —3C **48**
Downleaze. *Stok B* —4B **56**
Downleaze Dri. *Chip S* —1C **34**
Downman Rd. *Bris* —2C **58**
Down Rd. *Alv* —2A **8**
Down Rd. *P'head* —5A **48**
Down Rd. *Wint D* —5A **30**
Downs Clo. *Alv* —2B **8**
Downs Clo. *Brad A* —2C **114**
Downs Clo. *W Mare* —4D **129**
Downs Cote Av. *Bris* —1B **56**
Downs Cote Dri. *Bris* —1B **56**
Downs Cote Gdns. *Bris* —1C **56**
Downs Cote Pk. *Bris* —1C **56**
Downs Cote Vw. *Bris* —1C **56**
Downside. *P'head* —3E **49**
Downside Clo. *Bar C* —4B **74**
Downside Clo. *B'ptn* —5A **102**
Downside Pk. *Trow* —5E **117**
Downside Rd. *Bris* —1C **68**
Downside Rd. *W Mare* —4D **133**
Downside Vw. *Trow* —5E **117**
Downs Pk. E. *Bris* —2C **56**
Downs Pk. W. *Bris* —2C **56**
Downs Rd. *Bris* —1C **56**
Downs, The. *P'head* —4D **49**
Downs, The. *Wickw* —1A **154**
Downs Vw. *Brad A* —2C **114**
Downsway. *Paul* —3A **146**
Down, The. *Alv* —2A **8**
Down, The. *Trow* —5D **117**
Downton Rd. *Bris* —4F **79**
Down Vw. *Bris* —4B **58**
Down Vw. *Rads* —4C **152**
Dowry Pl. *Bris* —4B **68**
Dowry Rd. *Bris* —4C **68**
Dowry Sq. *Bris* —4C **68**
Dragon Ct. *Bris* —1A **72**

Dragon Rd. *Wint* —4F **29**
Dragons Hill Clo. *Key* —3B **92**
Dragons Hill Ct. *Key* —3B **92**
Dragons Hill Gdns. *Key* —3B **92**
Dragonswell Rd. *Bris* —2C **40**
Dragon Wlk. *Bris* —1B **72**
Drake Av. *Bath* —2A **110**
Drake Clo. *Salt* —5F **93**
Drake Clo. *W Mare* —1D **129**
Drake Rd. *Bris* —2C **78**
Drakes Way. *P'head* —3C **48**
Draycot Pl. *Bris* —5F **69** (5B **4**)
Draycott Ct. *Bath* —2B **106** (1D **97**)
Draycott Rd. *Bris* —2B **58**
Draydon Rd. *Bris* —5E **79**
Drayton. *W Mare* —1E **139**
Drayton Clo. *Bris* —5D **81**
Drayton Rd. *Bris* —4E **39**
Dring, The. *Rads* —2B **152**
Drive, The. *H'gro* —2E **89**
Drive, The. *Henl* —2D **57**
Drive, The. *W Mare* —5D **127**
Drove Ct. *Nail* —2D **123**
Drove Rd. *Cong* —3D **145**
Drove Rd. *W Mare* —3C **132**
Drove, The. *P'bry* —1E **51**
Druce's Hill. *Brad A* —2D **115**
Druett's Clo. *Bris* —5A **42**
Druid Clo. *Stok B* —2A **56**
Druid Hill. *Bris* —2A **56**
Druid Rd. *Bris* —3F **55**
Druid Stoke Av. *Bris* —2E **55**
Druid Woods. *Bris* —2E **55**
Druid Wood St. *Bris* —2F **55**
Drummond Ct. *L Grn* —1B **84**
Drummond Rd. *Fish* —4B **60**
Drummond Rd. *St Pa* —1A **70**
Drungway. *Bath* —3F **111**
Dryham Clo. *Bris* —2B **74**
Dryleaze. *Key* —1A **92**
Dryleaze. *Yate* —1A **18**
Dryleaze Rd. *Bris* —1B **60**
Drynham Drove. *Trow* —3E **155**
Drynham La. *Trow* —4D **119**
Drynham Pk. *Trow* —4D **119**
Drynham Rd. *Trow* —4D **119**
Drysdale Clo. *W Mare* —4B **128**
Dubber's La. *Bris* —5A **60**
Dublin Cres. *Bris* —1D **57**
Duchess Rd. *Bris* —1C **68**
Duchess Way. *Bris* —2F **59**
Duchy Clo. *Rads* —4B **148**
Duchy Rd. *Rads* —4B **148**
Ducie Rd. *Law H* —3D **71**
Ducie Rd. *Stap H* —2A **62**
Duckmoor Rd. *Bris* —1C **78**
Duckmoor Yd. *Bris* —1C **78**
Dudley Clo. *Key* —4A **92**
Dudley Ct. *Bar C* —1B **84**
Dudley Gro. *Bris* —4C **42**
Dugar Wlk. *Bris* —4E **57**
Duke St. *Bath* —3B **106** (4D **97**)
Duke St. *Trow* —1D **119**
Dulverton Rd. *Bris* —3F **57**
Dumaine Av. *Stok G* —4A **28**
Dumfries Pl. *W Mare* —3C **132**
Duncan Gdns. *Bath* —3B **98**
Duncombe La. *Bris* —5C **60**
Duncombe Rd. *Bris* —1D **73**
Dundas Clo. *Bris* —2A **40**
Dundonald Rd. *Bris* —4D **57**
Dundridge Gdns. *Bris* —4C **72**
Dundridge La. *Bris* —4C **72**
Dundry Clo. *Bris* —4A **74**
Dundry Vw. *Bris* —4C **80**
Dunedin Way. *St Geo* —1A **130**
Dunford Clo. *Trow* —4D **119**
Dunford Rd. *Bris* —2F **79**
Dunkeld Av. *Bris* —2B **42**
Dunkerry Rd. *Bris* —2F **79**
Dunkerton Hill. *Bath* —3D **157**
Dunkery Clo. *Nail* —4D **123**

Dunkery Rd.—Ellesmere

Dunkery Rd. *W Mare* —4D **127**
Dunkirk Rd. *Bris* —4B **60**
Dunkite La. *W Mare* —1D **129**
Dunmail Rd. *Bris* —2E **41**
Dunmore St. *Bris* —1B **80**
Dunsford Pl. *Bath* —3C **106** (3F **97**)
Dunster Cres. *W Mare* —1D **139**
Dunster Gdns. *Nail* —4D **123**
Dunster Gdns. *Will* —3D **85**
Dunster Ho. *Bath* —2B **110**
Dunster Rd. *Bris* —5B **80**
Dunster Rd. *Key* —4F **91**
Dunsters Rd. *Clav* —2F **143**
Durban Rd. *Pat* —1B **26**
Durban Way. *Yat* —2B **142**
Durbin Pk. Rd. *Clev* —1D **121**
Durbin Wlk. *Bris* —2C **70**
Durcott La. *Mid N* —1F **147**
Durdham Ct. *Bris* —4C **56**
Durdham Pk. *Bris* —4C **56**
Durham Gro. *Key* —4F **91**
Durham Rd. *Bris* —5C **58**
Durleigh Clo. *Bris* —1C **86**
Durley Hill. *Key* —5D **83**
Durley La. *Key* —1E **91**
Durley Pk. *Bath* —5F **105**
Durley Pk. *Key* —1E **91**
Durnford Av. *Bris* —1C **78**
Durnford St. *Bris* —1C **78**
Dursley Clo. *Yate* —5A **18**
Dursley Rd. *Bris* —2F **53**
Dursley Rd. *Trow* —3C **118**
Durston. *W Mare* —1E **139**
Durville Rd. *Bris* —2D **87**
Durweston Wlk. *Bris* —5E **81**
Dutton Clo. *Bris* —2F **89**
Dutton Rd. *Bris* —2F **89**
Dutton Wlk. *Bris* —2F **89**
Dyers Clo. *Bris* —4F **87**
Dyer's La. *Iron A* —1C **16**
Dylan Thomas Ct. *Bar C* —5C **74**
Dymboro Av. *Mid N* —3C **150**
Dymboro Clo. *Mid N* —3C **150**
Dymboro Gdns. *Mid N* —3C **150**
Dymboro, The. *Mid N* —3C **150**
Dymott Sq. *Hil* —4F **117**
Dyrham. Bris —3E 45
  (off Harford Dri.)
Dyrham Clo. *Henl* —1F **57**
Dyrham Clo. *K'wd* —2B **74**
Dyrham Clo. *T'bry* —1D **7**
Dyrham Pde. *Pat* —1E **27**
Dyrham Rd. *Bris* —2B **74**
Dyrham Vw. *Puck* —3E **65**
Dysons Clo. *Yat* —3B **142**

Eagle Clo. *W Mare* —5B **128**
Eagle Cotts. *Bath* —1A **102**
Eagle Cres. *Puck* —3E **65**
Eagle Dri. *Pat* —1A **26**
Eagle Pk. *Bathe* —1A **102**
Eagle Rd. *Bathe* —1A **102**
Eagle Rd. *Bris* —3F **81**
Eagles, The. *Yat* —3B **142**
Eagles Wood Bus. Pk. *Alm* —3E **11**
Earlesfield. *Nail* —4B **122**
Earlham Gro. *W Mare* —1D **133**
Earl Russell Way. *Bris* —3D **71**
Earls Mead. *Bris* —3A **60**
Earlstone Clo. *Bris* —1C **84**
Earlstone Cres. *Bris* —1C **84**
Earl St. *Bris* —2F **69** (1C **4**)
Earthcott Rd. *Brad S* —5F **9**
Easedale Clo. *Bris* —2F **41**
Eastbourne Av. *Bath* —5C **100**
Eastbourne Gdns. *Trow* —1E **119**
Eastbourne Rd. *Bris* —1D **71**
Eastbourne Rd. *Trow* —1E **119**
Eastbourne Vs. *Bath* —5C **100**
Eastbury Clo. *T'bry* —3D **7**
Eastbury Rd. *Bris* —3C **60**

Eastbury Rd. *T'bry* —3D **7**
E. Clevedon Triangle. *Clev* —2E **121**
East Clo. *Bath* —4B **104**
Eastcombe Gdns. *W Mare* —4D **127**
Eastcombe Rd. *W Mare* —4D **127**
Eastcote Pk. *Bris* —3D **89**
East Cft. *Bris* —5E **41**
Eastdown Rd. *Clan* —4B **148**
E. Dundry Rd. *Bris* —5B **88**
Eastfield. *Bris* —5D **41**
Eastfield Av. *Bath* —3C **98**
Eastfield Gdns. *W Mare* —4D **127**
Eastfield Pk. *W Mare* —4C **126**
Eastfield Rd. *Cot* —5F **57**
Eastfield Rd. *Hut* —1C **140**
Eastfield Rd. *W Trym* —5C **40**
Eastfield Ter. *Bris* —5D **41**
Eastgate Cen. *Bris* —4D **59**
Eastgate Rd. *Bris* —4D **59**
East Gro. *Bris* —1B **70**
Eastlake Clo. *Bris* —5D **43**
Eastland Av. *T'bry* —2D **7**
Eastland Rd. *T'bry* —2D **7**
Eastlea. *Clev* —5B **120**
E. Lea Rd. *Bath* —1B **104**
Eastleigh Clo. *Bris* —3A **62**
Eastleigh Rd. *Stap H* —4A **62**
Eastleigh Rd. *W Trym* —3F **41**
Eastlyn Rd. *Bris* —5D **79**
East Mead. *Mid N* —2E **151**
E. Mead Drove. *B'don* —5D **139**
Eastmead La. *Ban* —5F **137**
Eastmead La. *Bris* —3A **56**
Eastnor Rd. *Bris* —5C **88**
Easton Bus. Cen. *Bris* —2D **71**
Easton Hill Rd. *T'bry* —2E **7**
Easton Rd. *Bris* —3C **70**
Easton Rd. *Pill* —3E **53**
Easton Way. *Bris* —1C **70**
Eastover Clo. *Bris* —4C **40**
Eastover Gro. *Bath* —3D **109**
East Pde. *Bris* —1E **55**
East Pk. *Bris* —5E **59**
East Pk. Dri. ·*Bris* —5E **59**
East Pk. Trad. Est. *Bris* —1F **71**
E. Priory Clo. *Bris* —5C **40**
Eastridge Dri. *Bris* —3B **86**
E. Shrubbery. *Bris* —5D **57**
East St. *A'mth* —3C **36**
East St. *Ban* —5F **137**
East St. *Bedm* —2E **79**
East St. *St Pa* —2B **70** (1F **5**)
East Vw. *Mang* —1B **62**
Eastview Rd. *Trow* —3A **118**
Eastville. *Bath* —5C **100**
East Wlk. *Yate* —5A **18**
East Way. *Bath* —4B **104**
Eastway. *Nail* —2C **122**
Eastway Clo. *Nail* —3C **122**
Eastway Sq. *Nail* —2D **123**
Eastwood Cres. *Bris* —1B **82**
E. Wood Pl. *P'head* —1F **49**
Eastwood Rd. *Bris* —1B **82**
Eastwoods. *Bathf* —3C **102**
Eaton Clo. *Bris* —3A **90**
Eaton Clo. *Fish* —3D **61**
Eaton Cres. *Bris* —2C **68**
Eaton St. *Bris* —2E **79**
Ebdon Ct. *W Mare* —3E **129**
Ebdon Rd. *W Mare* —1D **129**
Ebenezer La. *Bris* —1F **55**
  (in two parts)
Ebenezer St. *Bris* —3F **71**
Ebenezer Ter. *Bath* —5E **97**
Eccleston Ho. *Bris* —4D **71**
Eckweek Gdns. *Pea J* —4D **157**
Eckweek La. *Pea J* —4E **157**
  (in two parts)
Eckweek Rd. *Pea J* —4D **157**
Eden Gro. *Bris* —3B **42**
Eden Pk. Cl. *Bathe* —2B **102**
Eden Pk. Dri. *Bathe* —2B **102**

Eden Ter. *Bath* —4D **101**
Eden Vs. Bath —4D 101
  (off Dafford's Bldgs.)
Edgar Bldgs. Bath —2A **106** (2B **96**)
  (off George St.)
Edgecombe Av. *W Mare* —3B **128**
Edgecombe Clo. *Bris* —1B **74**
Edgecumbe Rd. *Bris* —5F **57**
Edgefield Clo. *Bris* —5B **88**
Edgefield Rd. *Bris* —5B **88**
Edgehill Rd. *Clev* —1D **121**
Edgeware Rd. *S'vle* —1E **79**
Edgeware Rd. *Stap H* —3F **61**
Edgewood Clo. *Bris* —5D **81**
Edgewood Clo. *L Grn* —2C **84**
Edgeworth. *Yate* —3E **33**
Edgeworth Rd. *Bath* —2D **109**
Edinburgh Pl. *W Mare* —5B **126**
Edinburgh Rd. *Key* —4A **92**
Edington Gro. *Bris* —2C **40**
Edmund Clo. *Bris* —1F **61**
Edmund Ct. *Puck* —1D **65**
Edna Av. *Bris* —2A **82**
Edward Bird Ho. *Bris* —5E **43**
Edward Rd. *Arn V* —1D **81**
Edward Rd. *Clev* —1E **121**
Edward Rd. *K'wd* —2A **74**
Edward Rd. S. *Clev* —1E **121**
Edward Rd. W. *Clev* —1E **121**
Edward St. *Bathw* —2C **106** (2E **97**)
Edward St. *Eastv* —5F **59**
Edward St. *Lwr W* —2D **105**
Edward St. *Redf* —2E **71**
Effingham Rd. *Bris* —5A **58**
Egerton Brow. *Bris* —3F **57**
Egerton La. *Bris* —3F **57**
Egerton Rd. *Bath* —5F **105**
Egerton Rd. *Bris* —3F **57**
Eggshill La. *Yate* —5F **17**
Eighth Av. *Bris* —4D **43**
Eirene Ter. *Pill* —3F **53**
Elberton. *Bris* —2C **74**
Elberton Rd. *Bris* —5D **39**
Elborough Av. *Yat* —3B **142**
Elbury Av. *Bris* —5E **61**
Elcombe Clo. *Trow* —5C **118**
Elderberry Wlk. *Bris* —2E **41**
Elderberry Wlk. *W Mare* —4D **129**
Elderwood Dri. *L Grn* —2C **84**
Elderwood Rd. *Bris* —1D **89**
Eldon Pl. *Bath* —4C **100**
Eldon Ter. *Bris* —2F **79**
Eldonwall Trad. Est. *Bris* —5E **71**
Eldon Way. *Bris* —5E **71**
Eldred Clo. *Bris* —2F **55**
Eleanor Clo. *Bath* —4A **104**
Eleventh Av. *Bris* —3D **43**
Elfin Rd. *Bris* —2C **60**
Elgar Clo. *Bris* —2F **87**
Elgar Clo. *Clev* —5E **121**
Elgin Av. *Bris* —3B **42**
Elgin Cft. *Bris* —4D **87**
Elgin Pk. *Bris* —5D **57**
Elgin Rd. *Bris* —5D **61**
Eliot Clo. *W Mare* —5E **133**
Eliot Dri. *Bris* —3C **42**
Elizabeth Clo. *Hut* —5B **134**
Elizabeth Clo. *T'bry* —4E **7**
Elizabeth Cres. *Stok G* —5A **28**
Elizabeth's M. *St Ap* —4B **72**
Elkstone Wlk. *Bit* —3E **85**
Ellacombe Rd. *L Grn* —3A **84**
Ellan Hay Rd. *Brad S* —3C **28**
Ellbridge Clo. *Bris* —2F **55**
Ellenborough Cres. *W Mare* —2C **132**
Ellenborough La. *Bris* —1A **54**
Ellenborough Pk. N. *W Mare* —2B **132**
Ellenborough Pk. Rd. *W Mare*
—2C **132**
Ellenborough Pk. S. *W Mare* —2B **132**
Ellen Ho. *Bath* —4B **104**
Ellesmere. *T'bry* —4D **7**

Fairlyn Dri. *Bris* —4B **62**
Fairoaks. *L Grn* —2C **84**
Fairview. *W Mare* —1D **129**
Fair Vw. Dri. *Bris* —5E **57**
Fairview Rd. *Bris* —2B **74**
Fairway. *Bris* —4F **81**
Fairway Clo. *Old C* —1D **85**
Fairway Clo. *W Mare* —3F **127**
Fairway Ind. Cen. *Brad S* —1B **42**
Fairways. *Salt* —2A **94**
Falcon Clo. *Bris* —4B **40**
Falcon Clo. *Pat* —1A **26**
Falcon Clo. *P'head* —4F **49**
Falcon Ct. *W Trym* —1C **56**
Falcon Cres. *W Mare* —5B **128**
Falcondale Rd. *Bris* —5B **40**
Falcondale Wlk. *Bris* —4C **40**
Falcon Dri. *Pat* —1A **26**
Falconer Rd. *Bath* —3B **98**
Falcon Wlk. *Pat* —5A **10**
Falcon Way. *T'bry* —2E **7**
Falfield Rd. *Bris* —2E **81**
Falfield Wlk. *Bris* —4E **41**
Falkland Rd. *Bris* —5B **58**
Fallodon Ct. *Bris* —2D **57**
Fallodon Way. *Bris* —2D **57**
Fallowfield. *War* —5F **75**
Fallowfield. *W Mare* —2D **129**
Falmouth Clo. *Nail* —4F **123**
Falmouth Rd. *Bris* —3F **57**
Fane Clo. *Bris* —2C **40**
Fanshawe Rd. *Bris* —1C **88**
Faraday Rd. *Bris* —5B **68**
Farendell Rd. *E Grn* —3D **47**
Far Handstones. *Bris* —1C **84**
Farington Rd. *Bris* —5F **41**
Farleigh Av. *Trow* —3A **118**
Farleigh Ri. *Bathf & Mon F* —5E **103**
Farleigh Rd. *Back* —2D **125**
Farleigh Rd. *Key* —4F **91**
Farleigh Wlk. *Bris* —5C **78**
Farler's End. *Nail* —5E **123**
(in two parts)
Farley Clo. *Lit S* —2E **27**
Farm Clo. *E Grn* —1D **63**
Farm Ct. *Bris* —5A **46**
Farmer Rd. *Bris* —4A **86**
Farmhouse Clo. *Nail* —4D **123**
Farm La. *E Comp* —1C **24**
Farm Rd. *Bris* —5A **46**
Farm Rd. *Hut* —1C **140**
Farm Rd. *W Mare* —4F **127**
Farmwell Clo. *Bris* —3D **87**
Farnaby Clo. *Bris* —1E **87**
Farnborough Rd. *Lock* —4A **136**
Farndale Rd. *Bris* —4C **72**
Farndale Rd. *W Mare* —5B **128**
Farne Clo. *Bris* —2D **57**
Farrant Clo. *Bris* —2F **87**
Farringford Ho. *Bris* —5F **59**
Farrington Rd. *Paul* —4A **146**
Farr's La. *Bath* —2C **110**
Farrs La. *Bris* —4F **69** (4B **4**)
Farr St. *Bris* —4D **37**
Faulkland Rd. *Bath* —4E **105**
Faulkland La. *Pea J* —5E **157**
Faversham Dri. *W Mare* —2E **139**
Fawkes Clo. *Bris* —2D **75**
Fearnville Est. *Clev* —4C **120**
Featherstone Rd. *Bris* —3B **60**
Feeder Rd. *Bris* —5B **70**
Felix Rd. *Bris* —2C **70**
Felstead Rd. *Bris* —3A **42**
Feltham Rd. *Puck* —2E **65**
Felton Gro. *Bris* —5B **78**
Fenbrook Clo. *Ham* —3D **45**
Fenhurst Gdns. *L Ash* —5B **76**
Feniton. *W Mare* —3E **129**
Fennel Dri. *Brad S* —2C **28**
Fennell Gro. *Bris* —2C **40**
Fenners. *W Mare* —1F **129**
Fenswood Clo. *L Ash* —4A **76**

Fenswood Mead. *L Ash* —4A **76**
Fenswood Rd. *L Ash* —4A **76**
Fenton Clo. *Salt* —5F **93**
Fenton Rd. *Bris* —3F **57**
Fermaine Av. *Bris* —2B **82**
Fernbank Rd. *Bris* —5E **57**
Fern Clo. *Bren* —1D **41**
Fern Clo. *Mid N* —4E **151**
Ferndale Av. *L Grn* —2B **84**
Ferndale Rd. *Bath* —3D **101**
Ferndale Rd. *Bris* —2C **42**
Ferndale Rd. *P'head* —2F **49**
Ferndene. *Brad S* —4E **11**
Ferndown. *Yate* —5A **18**
Ferndown Clo. *Bris* —5C **38**
Fern Gro. *Lit S* —1F **27**
Fern Gro. *Nail* —5B **122**
Fernhill La. *Bris* —3D **39**
Fernhurst Rd. *Bris* —1B **72**
Fern Lea. *B'don* —5F **139**
Fernlea Gdns. *E'ton G* —3D **53**
Fernlea Rd. *W Mare* —1A **134**
Fernleaze. *Coal H* —3E **31**
Fernleigh Ct. *Bris* —4D **57**
Fern Rd. *Bris* —2F **61**
Fernside. *Back* —1C **124**
Fernsteed Rd. *Bris* —2B **86**
Fern St. *Bris* —1B **70**
Ferry La. *Bath* —3B **106** (4E **97**)
Ferry Rd. *Bris* —4F **83**
Ferry Steps Ind. Est. *Bris* —1C **80**
Ferry St. *Bris* —4A **70** (4D **5**)
Fersfield. *Bath* —1C **110**
Fiddes Rd. *Bris* —3E **57**
Fielders, The. *W Mare* —1F **129**
Field Farm Clo. *Stok G* —5B **28**
Fieldgrove La. *Bris* —5E **85**
Fieldings. *W'ley* —2F **113**
Fieldings Rd. *Bath* —3D **105**
Field La. *Bris* —2A **84**
Field La. *L Sev* —4F **9**
Field Marshall Slim Ct. *Bris*
—3B **70** (1F **5**)
Field Rd. *Bris* —1E **73**
Field Vw. *Bris* —2C **70**
Field Vw. Dri. *Bris* —1E **61**
Field Way. *Trow* —4A **118**
Fiennes Clo. *Bris* —3A **62**
Fifth Av. *Bris* —3C **42**
Fifth Way. *Bris* —2A **38**
Filby Dri. *Lit S* —1C **27**
Filer Clo. *Pea J* —4D **157**
Filton Av. *Hor & Fil* —1B **58**
Filton Gro. *Bris* —1B **58**
Filton Hill. *Brad S* —5C **26**
Filton La. *Brad S* —2F **43**
Filton Rd. *Fren & Ham* —2A **44**
Filton Rd. *Hor* —5B **42**
Filton Rd. *Stok G* —2F **43**
Filwood B'way. *Bris* —5A **80**
Filwood Ct. *Bris* —4D **61**
Filwood Dri. *Bris* —2B **74**
Filwood Rd. *Bris* —3C **60**
Finch Clo. *T'bry* —2D **7**
Finch Clo. *W Mare* —5C **128**
Finch Rd. *Chip S* —1B **34**
Finmere Gdns. *W Mare* —1E **129**
Fircliff Pk. *P'head* —1F **49**
Fireclay Rd. *Bris* —3F **71**
Fire Engine La. *Coal H* —2F **31**
Firework Clo. *Bris* —2D **75**
Firfield St. *Bris* —1C **80**
Firgrove Cres. *Yate* —4D **18**
Firgrove La. *Mid N* —1E **149**
Firleaze. *Nail* —4A **122**
Firs Ct. *Key* —4E **91**
Firs Hill. *Trow* —5A **118**
First Av. *Bath* —5E **105**
First Av. *Bris* —1B **70**
First Av. *P'bry* —2A **52**
First Av. *W'fld I* —4F **151**
Firs, The. *Bris* —1A **62**

Firs, The. *C Hay* —3C **110**
Firs, The. *Lim S* —4B **112**
First Way. *Bris* —3E **37**
Fir Tree Av. *Lock* —4C **134**
Fir Tree Av. *Paul* —5C **146**
Fir Tree Clo. *Pat* —2A **26**
Firtree La. *Bris* —4C **72**
Fisher Av. *Bris* —1C **74**
Fisher Rd. *Bris* —1C **74**
Fishponds Rd. *Eastv & Fish* —5E **59**
Fishponds Trad. Est. *Bris* —5A **60**
Fishpool Hill. *Bris* —5D **25**
Fitchett Wlk. *Bris* —1B **40**
Fitzgerald Rd. *Bris* —2B **80**
Fitzharding Rd. *Pill* —4A **54**
Fitzmaurice Clo. *Brad A* —5F **115**
Fitzmaurice Pl. *Brad A* —4E **115**
Fitzroy Rd. *Bris* —5D **61**
Fitzroy St. *Bris* —1C **80**
Fitzroy Ter. *Bris* —5D **57**
Five Acre Dri. *Bris* —5B **44**
Five Arches Clo. *Mid N* —2A **152**
Flamingo Cres. *W Mare* —5C **128**
Flatwoods Cres. *Clav D* —1F **111**
Flatwoods Rd. *Clav D* —1F **111**
Flaxman Clo. *Bris* —1D **59**
Flaxpits La. *Wint* —3D **29**
Fleece Cotts. *Trow* —3E **119**
Florence Gro. *W Mare* —5F **127**
Florence Pk. *Alm* —1E **11**
Florence Pk. *Bris* —3D **57**
Florence Rd. *Bris* —4A **62**
Florida Ter. *Mid N* —2F **151**
Flowerdown Bri. *W Mare* —1B **134**
Flowerdown Rd. *Lock* —4A **136**
Flowers Hill. *Bris* —5A **82**
Flowers Hill Clo. *Bris* —4A **82**
Flowers Hill Trad. Cen. *Bris* —4A **82**
Flowers Ind. Est. *Bris* —4B **82**
Flowerwell Rd. *Bris* —3D **87**
Folleigh Dri. *L Ash* —3D **77**
Folleigh La. *L Ash* —3D **77**
Folliot Clo. *Bris* —4C **44**
Folly Bri. Clo. *Yate* —4F **17**
Folly Brook Rd. *E Grn* —2C **46**
Follyfield. *Brad A* —5E **115**
Folly La. *Bris* —3C **70**
Folly La. *W Mare* —2C **138**
Folly Rd. *Iron A* —2B **14**
Folly, The. *Bris* —5B **46**
Folly, The. *Salt* —2B **94**
Fontana Clo. *L Grn* —2D **85**
Fonthill Rd. *Bath* —4F **99**
Fonthill Rd. *Bris* —2F **41**
Fonthill Way. *Bit* —3D **85**
Fontmell Ct. *Bris* —1F **89**
Fontwell Dri. *Bris* —3B **46**
Footes La. *Fram C* —2D **31**
Footshill Clo. *Bris* —4E **73**
Footshill Dri. *Bris* —3E **73**
Footshill Gdns. *Bris* —4E **73**
Footshill Rd. *Bris* —4E **73**
Forde Clo. *Bar C* —5B **74**
Fordell Pl. *Bris* —2C **80**
Ford La. *E Grn* —1D **63**
Ford Rd. *Pea J* —1F **149**
Ford St. *Bris* —4E **71**
Forefield Pl. *Bath* —4B **106**
Forefield Ri. *Bath* —5B **106**
Forefield Ter. *Bath* —4C **106**
Forest Av. *Bris* —4D **61**
Forest Dri. *Bren* —1E **41**
Forest Dri. *W Mare* —4E **127**
Forest Edge. *Bris* —1E **83**
Forester Av. *Bath* —1B **106**
Forester Ct. *Bath* —1B **106**
Forester La. *Bath* —1C **106** (1F **97**)
Forester Rd. *Bath* —2C **106** (1E **97**)
Forester Rd. *P'head* —4F **49**
Forest Hills. *Alm* —1D **11**
Fore St. *Trow* —1D **119**
Forest Rd. *Fish* —4D **61**

Forest Rd. *K'wd* —3F **73**
Forest Wlk. *Fish* —4D **61**
Forest Wlk. *K'wd* —3E **73**
Forge End. *P'bry* —4A **52**
Fortescue Rd. *Rads* —2C **152**
Fortfield Rd. *Bris* —4C **88**
Forty Acre La. *Alv* —4B **8**
Forum Bldgs. Bath —4B 106 (5C 96)
  (off St James's Pde.)
Fosse Barton. *Nail* —3C **122**
Fosse Clo. *Nail* —3B **122**
Fossedale Av. *Bris* —2E **89**
Fossefield Rd. *Mid N* —5E **151**
Fosse Gdns. *Bath* —4E **109**
Fosse Grn. *Rads* —5B **148**
Fosse La. *Bathe* —2B **102**
Fosse La. *Mid N* —1F **151**
Fosse La. *Nail* —3B **122**
  (in two parts)
Fosseway. *Clev* —5C **120**
Fosseway. *Mid N* —5E **151**
Fosse Way. *Nail* —3B **122**
Fosseway Ct. *Bris* —3C **68**
Fosseway Gdns. *Rads* —3A **152**
Fosseway S. *Mid N* —5E **151**
Fosseway, The. *Bris* —3C **68**
Fossway. *Clan* —5B **148**
Foss Way. *Mid N* —3A **152**
Foster's Almshouses. *Bris*
  —3F **69** (2B **4**)
Foster St. *Bris* —5D **59**
Foundry La. *Bris* —5B **60**
Fountain Bldgs. *Bath* —2B **106** (2C **96**)
Fountain Ct. *Brad S* —3E **11**
Fountain Ct. Yate —2F 33
  (off Abbotswood)
Fountaine Ct. *Bris* —5E **59**
Fountain Hill. *Bris* —1B **68**
Fountain La. *Wins* —5C **156**
Fountains Dri. *Bar C* —4B **74**
Four Acre Av. *Bris* —4A **46**
Fouracre Cres. *Bris* —3A **46**
Four Acre Rd. *Bris* —3A **46**
Four Acres. *Bris* —4A **86**
Four Acres Clo. *Bris* —4B **86**
Four Acres Clo. *Nail* —5D **123**
Fourth Av. *Bris* —3C **42**
Fourth Av. *W'fld I* —4A **152**
Fourth Way. *Bris* —3F **37**
Fowey Clo. *Nail* —4F **123**
Fowey Rd. *W Mare* —1E **129**
Fox & Hounds La. *Key* —3B **92**
Fox Av. *Yate* —4F **17**
Foxborough Gdns. *Brad S* —4F **11**
Fox Clo. *St Ap* —5B **72**
Foxcombe Rd. *Bath* —2C **104**
Foxcombe Rd. *Bris* —4D **89**
Foxcote. *Bris* —3B **74**
Foxcote Rd. *Bris* —2C **78**
Fox Ct. *L Grn* —2B **84**
Foxcroft Clo. *Brad S* —2B **28**
Foxcroft Rd. *Bris* —2F **71**
Foxden Rd. *Stok G* —1F **43**
Foxe Rd. *Fram C* —1C **30**
Foxfield Av. *Brad S* —4F **11**
Foxglove Clo. *Stap* —3A **60**
Foxglove Clo. *T'bry* —2E **7**
Fox Hill. *Bath* —3B **110**
Fox Hills Rd. *Rads* —3D **153**
Fox Ho. *Bris* —2A **82**
Fox Rd. *Bris* —1D **71**
Fraley Rd. *Bris* —5C **40**
Frampton Ct. *L Grn* —1B **84**
Frampton Ct. *Trow* —4A **118**
Frampton Cres. *Bris* —3E **61**
Frampton End Rd. *Fram C* —1E **31**
Frampton End Rd. *Yate* —4F **15**
Frances Greeves Ct. *Bris* —3B **40**
Francis Fox Rd. *W Mare* —1C **132**
Francis Pl. *L Grn* —1B **84**
Francis Rd. *Bedm* —3E **79**
Francis Rd. *W Trym* —4E **41**

Francis St. *Trow* —1C **118**
Francis Way. *B'yte* —4F **75**
Francombe Gro. *Bris* —1A **58**
Frankland Clo. *Bath* —5B **98**
Frankley Bldgs. *Bath* —5C **100**
Frankley Ter. Bath —5C 100
  (off Snow Hill)
Franklin Ct. *Bris* —5A **70** (5E **5**)
Franklins Way. *Clav* —2F **143**
Franklyn La. *Bris* —1B **70**
Franklyn St. *Bris* —1B **70**
Fraser Clo. *W Mare* —1C **128**
Fraser St. *Bris* —2F **79**
Frayne Rd. *Bris* —1C **78**
Frederick Av. *Pea J* —2F **149**
Frederick Pl. *Bris* —3D **69**
Frederick St. *Bris* —1C **80**
Freeland Bldgs. *Bris* —5E **59**
Freeland Pl. *Bris* —4B **68**
Freelands. *Clev* —5C **120**
Freeling Ho. *Bris* —5A **70** (5D **5**)
Freemantle Gdns. *Eastv* —4E **59**
Freemantle Rd. *Bris* —4E **59**
Freestone Rd. *Bris* —4C **70**
Free Tank. *Bris* —4B **70** (4F **5**)
Freeview Rd. *Bath* —3B **104**
Fremantle La. *Bris* —1F **69**
Fremantle Rd. *Bris* —1F **69**
Fremantle Sq. *Bris* —1F **69**
Frenchay Clo. *Bris* —5D **45**
Frenchay Comn. *Bris* —5D **45**
Frenchay Hill. *Bris* —5E **45**
Frenchay Pk. Rd. *Bris* —1A **60**
Frenchay Rd. *Bris* —5E **45**
Frenchay Rd. *W Mare* —4C **132**
French Clo. *Nail* —2E **123**
French Clo. *Pea J* —5D **157**
Frenchfield Rd. *Pea J* —5D **157**
Freshfield Way. *Bris* —2D **73**
Freshford Ho. *Bris* —5A **70** (5D **5**)
Freshford La. *F'frd* —5B **112**
Freshland Way. *Bris* —2D **73**
Freshmoor. *Clev* —3F **121**
Friar Av. *W Mare* —2C **128**
Friars. *Bris* —3A **70** (1E **5**)
Friars Ho. *Yate* —2F **33**
Friary Clo. *Clev* —1C **120**
Friary Clo. *Up W* —5F **113**
Friary Grange Pk. *Wint* —3A **30**
Friary Rd. *Bris* —3F **57**
Friary Rd. *P'head* —3D **49**
Friendly Row. *Pill* —2E **53**
Friendship Gro. *Nail* —3E **123**
Friendship Rd. *Bris* —3B **80**
Friendship Rd. *Nail* —2E **123**
Friezewood Rd. *Bris* —1C **78**
Fripp Clo. *Bris* —4D **71**
Frobisher Av. *P'head* —3C **48**
Frobisher Clo. *P'head* —3C **48**
Frobisher Clo. *W Mare* —1C **128**
Frobisher Rd. *Bris* —2C **78**
Frog La. *Bris* —4E **69** (3A **4**)
Frog La. *Coal H* —1A **32**
Frogmore St. *Bris* —4E **69** (3A **4**)
Frome Bank Gdns. *Wint D* —1A **46**
Frome Ct. *T'bry* —4D **7**
Frome Glen. *Wint D* —5A **30**
Frome Old Rd. *Rads* —2D **153**
Frome Pl. *Bris* —1A **60**
Frome Rd. *Bath* —2D **109**
Frome Rd. *Brad A* —5D **115**
Frome Rd. *Chip S* —5E **19**
Frome Rd. *Trow* —5A **118**
Frome Rd. *Writ* —2C **152**
Fromeside Ho. *Bris* —5D **45**
Frome St. *Bris* —2B **70** (1F **5**)
Frome Valley Rd. *Bris* —1B **60**
Frome Vw. *Fram C* —2D **31**
Frome Vs. *Bris* —5E **45**
Frome Way. *Wint* —4A **30**
Froomshaw Rd. *Bris* —5C **44**
Frost Hill. *Yat* —4D **143**

Fry Ct. *Bris* —1E **79**
Fry's Clo. *Bris* —3F **59**
Fry's Hill. *Brisl* —3F **81**
Fry's Hill. *Bris* —1A **74**
Frys Leaze. *Bath* —4C **100**
Fryth Way. *Nail* —3B **122**
Fulford Rd. *Bris* —3D **87**
Fulford Rd. *Trow* —5E **117**
Fulford Wlk. *Bris* —3D **87**
Fullens Clo. *W Mare* —1B **134**
Fuller Rd. *Bath* —4D **101**
Fullers La. *Wins* —5B **156**
Fullers Way. *Bath* —4E **109**
Fulmar Clo. *T'bry* —2E **7**
Fulmar Rd. *W Mare* —4D **129**
Fulney Clo. *Trow* —5F **117**
Funchal Vs. *Bris* —3C **68**
Furber Ct. *Bris* —4D **73**
Furber Ridge. *Bris* —4D **73**
Furber Rd. *Bris* —3D **73**
Furber Va. *Bris* —4D **73**
Furland Rd. *W Mare* —3A **128**
Furlong Clo. *Mid N* —5C **150**
Furlong Gdns. *Trow* —1E **119**
Furlong, The. *Bris* —2F **57**
Furnwood. *Bris* —4C **72**
Furze Clo. *W Mare* —3F **127**
Furze Rd. *Bris* —4E **61**
Furze Rd. *W Mare* —3E **127**
Furzewood Rd. *Bris* —2B **74**
Fussell Ct. *Bris* —2B **74**
Fylton Cft. *Bris* —5D **89**

Gable Rd. *Bris* —1C **70**
Gables Clo. *Ban* —5F **137**
Gadshill Dri. *Stok G* —4A **28**
Gadshill Rd. *Bris* —4E **59**
Gages Clo. *Bris* —3B **74**
Gages Rd. *Bris* —3A **74**
Gainsborough Dri. *W Mare* —2D **129**
Gainsborough Gdns. *Bath* —1D **105**
Gainsborough Ri. *Trow* —4A **118**
Gainsborough Rd. *Key* —3B **92**
Gainsborough Sq. *Bris* —5D **43**
Galingale Way. *P'head* —3B **50**
Galleries Shop. Cen. *Bris*
  —3A **70** (1D **5**)
Gallivan Clo. *Lit S* —1D **27**
Galway Rd. *Bris* —4A **80**
Gander Clo. *Bris* —3D **87**
Gannet Rd. *W Mare* —4D **129**
Garamond Ct. *Redc* —5A **70** (5E **5**)
Garden Clo. *Bris* —2E **55**
Garden Clo. *W Mare* —3C **128**
Garden Ct. *Bris* —2C **68**
Gardeners Wlk. *L Ash* —4D **77**
Gardens Rd. *Clev* —1C **120**
Garden Walls. *Wickw* —2C **154**
Gardner Av. *Bris* —1B **86**
Gardner Rd. *P'head* —2F **49**
Gardner Way. *P'bry* —2B **52**
Garfield Rd. *Bris* —2C **72**
Garfield Ter. *Bath* —4D **101**
Garner Ct. *W Mare* —1F **129**
Garnet St. *Bris* —2D **79**
Garnett Pl. *Bris* —5B **46**
Garre Ho. *Bath* —4A **104**
Garrett Dri. *Brad S* —2F **27**
Garrick Rd. *Bath* —4A **104**
Garsdale Rd. *W Mare* —5B **128**
Garside St. *Paul* —5C **146**
Garstons. *Bathf* —4E **103**
Garstons. *Clev* —5B **120**
Garstons. *Wrin* —2C **156**
Garstons Clo. *Wrin* —1C **156**
Garstons Orchard. *Wrin* —2B **156**
Garstons, The. *P'head* —4E **49**
Garth Rd. *Bris* —5C **78**
Gasferry Rd. *Bris* —5D **69**
  (in two parts)
Gaskins, The. *Bris* —2C **58**

Gas La. *Bris* —4C **70**
Gaston Av. *Key* —2B **92**
Gastons, The. *Bris* —4C **38**
Gatcombe Dri. *Stok G* —5A **28**
Gatcombe Rd. *Bris* —3D **87**
Gatehouse Av. *Bris* —3C **86**
Gatehouse Clo. *Bris* —3C **86**
Gatehouse Ct. *Bris* —3C **86**
Gatehouse Way. *Bris* —3C **86**
Gatesby Mead. *Stok G* —4A **28**
Gathorne Cres. *Yate* —4F **17**
Gathorne Rd. *Bris* —1D **79**
Gatton Rd. *Bris* —1C **70**
Gaunts Clo. *P'head* —4B **48**
Gaunt's Earthcott La. *Alm* —1D **13**
Gaunts La. *Bris* —4E **69** (3A **4**)
Gaunts Rd. *Chip S* —1D **35**
Gay Ct. *Bath* —3F **101**
Gay Elms Rd. *Bris* —4C **86**
Gayner Rd. *Bris* —3C **42**
Gay's Hill. *Bath* —1B **106**
Gay's Rd. *Bris* —1D **83**
Gay St. *Bath* —2A **106** (2A **96**)
Gaywood Ho. *Bris* —2D **79**
Gazelle Rd. *W Mare* —5F **133**
Gazzard Clo. *Wint* —2A **30**
Gazzard Rd. *Wint* —2A **30**
Gee Moors. *Bris* —3B **74**
Gefle Clo. *Bris* —5D **69**
Geldof Dri. *Mid N* —2D **151**
Geoffrey Clo. *Bris* —2A **86**
George & Dragon La. *Bris* —3F **71**
George Clo. *Back* —1F **125**
George's Bldgs. *Bath* —1B **106** (1C **96**)
George's Pl. *Bath* —3C **106** (3F **97**)
George's Rd. *Bath* —5B **100**
George St. *Bath* —2A **106** (2B **96**)
George St. *Bathw* —3C **106** (3F **97**)
George St. *Bris* —2E **71**
George St. *P'head* —5E **49**
George St. *Trow* —1D **119**
George St. *W Mare* —1C **132**
George Whitefield Ct. *Bris*
　　　　　—3A **70** (1E **5**)
Georgian Vw. *Bath* —1D **109**
Gerald Rd. *Bris* —2C **78**
Gerard Rd. *W Mare* —5C **126**
Gerrard Bldgs. *Bath* —2C **106** (2E **97**)
Gerrish Av. *Stap H* —2B **62**
Gerrish Av. *W'hall* —2E **71**
Gibbsfold Rd. *Bris* —5E **87**
Gibson Rd. *Bris* —1F **69**
Giffard Ho. *Lit S* —3F **27**
Gifford Cres. *Lit S* —3E **27**
Gifford Rd. *Bris* —5B **24**
Gilbeck Rd. *Nail* —3B **122**
Gilbert Rd. *K'wd* —1F **73**
Gilbert Rd. *Redf* —2E **71**
Gilberyn Dri. *W Mare* —2F **129**
Gilda Clo. *Bris* —3E **89**
Gilda Cres. *Bris* —2D **89**
Gilda Pde. *Bris* —3E **89**
Gilda Sq. E. *Bris* —3D **89**
Gilda Sq. W. *Bris* —3D **89**
Gillard Clo. *K'wd* —2D **73**
Gillard Rd. *Bris* —2D **73**
Gill Av. *Bris* —2D **61**
Gillebank Clo. *Bris* —3F **89**
Gillingham Hill. *Bris* —5D **73**
Gillingham Ter. *Bath* —5C **100**
Gillingstool. *T'bry* —4F **7**
Gillmews. *W Mare* —1E **129**
Gillmore Clo. *W Mare* —4B **128**
Gillmore Rd. *W Mare* —4B **128**
Gillson Clo. *Hut* —1B **140**
Gilpin Clo. *K'wd* —5B **62**
Gilray Clo. *Bris* —1D **59**
Gilroy Clo. *L Grn* —2D **85**
Gilslake Av. *Bris* —1D **41**
Gilton Ho. *Bris* —3A **82**
Gimblett Rd. *W Mare* —1F **129**
Gingell Clo. *Bris* —4B **74**

Gingell's Grn. *Bris* —2C **72**
Gipsies Plat. *Brad S* —4B **20**
Gipsy La. *Trow* —1F **155**
Gipsy Patch La. *Lit S* —3D **27**
Glades, The. *Bris* —5A **60**
Gladstone Dri. *Bris* —4F **61**
Gladstone La. *Fram C* —2E **31**
Gladstone Pl. *C Down* —2D **111**
Gladstone Rd. *Bath* —2D **111**
Gladstone Rd. *Bris* —2D **89**
Gladstone Rd. *K'wd* —1F **73**
Gladstone Rd. *Trow* —5D **119**
Gladstone St. *Bedm* —2D **79**
Gladstone St. *Mid N* —1E **151**
Gladstone St. *Redf* —3F **71**
Gladstone St. *Stap H* —4F **61**
Glaisdale Rd. *Bris* —2C **60**
Glanville Gdns. *Bris* —3A **74**
Glass Ho. La. *Bris* —5D **71**
Glastonbury Clo. *L Grn* —4B **74**
Glastonbury Clo. *Nail* —4F **123**
Glastonbury Way. *W Mare* —3E **129**
Glebe Av. *P'head* —4A **50**
Glebe Clo. *L Ash* —3E **77**
Glebe Fld. *Aim* —1C **10**
Glebelands. *Rads* —3A **152**
Glebelands Rd. *Bris* —1C **42**
Glebe Rd. *Bath* —5C **104**
Glebe Rd. *Bris* —2A **72**
Glebe Rd. *Clev* —4C **120**
Glebe Rd. *L Ash* —4E **77**
Glebe Rd. *P'head* —4A **50**
Glebe Rd. *Trow* —3A **118**
Glebe Rd. *W Mare* —5C **126**
Glebe, The. *F'frd* —5C **112**
Glebe, The. *Tim* —1E **157**
Glebe, The. *Wrin* —1B **156**
Glebe Wlk. *Key* —4E **91**
Gledemoor Dri. *Coal H* —2F **31**
Gleeson Ho. *Bris* —1D **61**
Glena Av. *Bris* —3D **81**
Glenarm Rd. *Bris* —3A **82**
Glenarm Wlk. *Bris* —3A **82**
Glen Av. *Abb L* —2B **66**
Glenavon Ct. *Bris* —3E **55**
Glenavon Pk. *Bris* —3E **55**
Glenburn Rd. *Bris* —1D **73**
Glencairn Ct. *Bath* —3C **106** (3E **97**)
Glencoyne Sq. *Bris* —2E **41**
Glendale. *Clif* —4B **68**
Glendale. *Down* —4A **46**
Glendale. *Fish* —4E **61**
Glendare St. *Bris* —4F **71**
Glendevon Rd. *Bris* —5C **88**
Glen Dri. *Bris* —2F **55**
Gleneagles. *Yate* —5A **18**
Gleneagles Clo. *Nail* —4F **123**
Gleneagles Clo. *W Mare* —2D **129**
Gleneagles Dri. *Bris* —1F **39**
Gleneagles Rd. *War* —4D **75**
Glenfall. *Yate* —2F **33**
Glenfrome Ho. *Eastv* —5D **59**
Glenfrome Rd. *St W & Eastv* —5C **58**
Glen La. *Bris* —3F **81**
Glen Pk. *Eastv* —5E **59**
Glen Pk. *St G* —2C **72**
Glen Pk. Gdns. *Bris* —2C **72**
Glenroy Av. *Bris* —1D **73**
Glenside Clo. *Bris* —5E **45**
Glenside Pk. *Bris* —2A **60**
Glen, The. *Han* —1D **83**
Glen, The. *Redl* —4D **57**
Glen, The. *Salt* —3B **94**
Glen, The. *W Mare* —3F **127**
Glen, The. *Yate* —4A **18**
Glentworth Rd. *Clif* —4D **69**
Glentworth Rd. *Redl* —5E **57**
Glenview Rd. *Bris* —3F **81**
Glenwood. *Bris* —4E **61**
Glenwood Dri. *Old C* —1D **85**
Glenwood Ri. *P'head* —3B **48**
Glenwood Rd. *Bris* —5E **41**

Glen Yeo Ter. *Cong* —2C **144**
Gloster Av. *Bris* —4F **59**
Gloucester Clo. *Stok G* —4F **27**
Gloucester La. *Bris* —3B **70**
Gloucester Mans. *Bris* —5F **57**
Gloucester Pl. *Bris* —3F **69** (1B **4**)
Gloucester Rd. *Alm* —1D **11**
Gloucester Rd. *A'mth* —3C **36**
Gloucester Rd. *Bishop & Hor* —5F **57**
Gloucester Rd. *Pat* —2C **26**
Gloucester Rd. *Rudg* —5A **8**
Gloucester Rd. *Stap H* —4A **62**
Gloucester Rd. *Swain* —1D **101**
Gloucester Rd. *T'bry* —3C **6**
Gloucester Rd. *Trow* —3B **118**
Gloucester Rd. *Wint* —2D **29**
Gloucester Rd. N. *Bris & Fil* —3B **42**
Gloucester Row. *Bris* —3B **68**
Gloucester St. *Bath* —2A **106** (1A **96**)
Gloucester St. *Clif* —3B **68**
Gloucester St. *Eastv* —4F **59**
Gloucester St. *St Pa* —2A **70** (1E **5**)
Gloucester St. *W Mare* —1B **132**
Gloucester Ter. *T'bry* —3C **6**
Glyn Va. *Bris* —4F **79**
Goddard Dri. *W Mare* —1F **129**
Godfrey Ct. *L Grn* —1B **84**
Goding La. *Ban* —5F **137**
Godwin Dri. *Nail* —2B **122**
Goffenton Dri. *Bris* —1D **61**
Goldcrest Rd. *Chip S* —2B **34**
Golden Hill. *Bris* —2F **57**
Goldfinch Way. *Puck* —3E **65**
Goldney Av. *Clif* —4C **68**
Goldney Av. *War* —3E **75**
Goldney La. *Bris* —4C **68**
Goldney Rd. *Bris* —4C **68**
Goldsbury Wlk. *Bris* —3C **38**
Goldsmiths Ho. *Bris* —4B **70** (3F **5**)
Golf Club La. *Salt* —2A **94**
Golf Course La. *Bris* —1B **42**
Golf Course Rd. *Bath* —3D **107**
Gooch Ct. *Old C* —2E **85**
Gooch Way. *W Mare* —2F **129**
Goodeve Pk. *Bris* —4F **55**
(in two parts)
Goodeve Rd. *Bris* —4F **55**
Goodhind St. *Bris* —2C **70**
Goodneston Rd. *Bris* —4C **60**
Goodring Hill. *Bris* —3C **38**
Good Shepherd Clo. *Bris* —3E **57**
Goodwin Dri. *Bris* —4B **88**
Goodwood Clo. *Whit B* —3F **155**
Goodwood Gdns. *Bris* —3B **46**
Goold Clo. *Cor* —4C **94**
Goolden St. *Bris* —1C **80**
Goosard La. *High L* —1A **146**
Goose Acre. *Stok G* —3B **28**
Gooseberry La. *Key* —3B **92**
Goose Grn. *Bris* —1E **75**
Goosegreen. *Fram C* —1E **31**
Goose Grn. *Yate* —2A **18**
Goose Grn. Way. *Yate* —3C **16**
Gooseland Clo. *Bris* —5B **88**
Goosey La. *St Geo* —3A **130**
Gordano Gdns. *E'ton G* —3D **53**
Gordano Rd. *P'bry* —1F **51**
Gordano Vw. *P'head* —3E **49**
Gordon Av. *Bris* —1F **71**
Gordon Clo. *Bris* —1A **72**
Gordon Rd. *Bath* —4C **106**
Gordon Rd. *Clif* —3D **69**
Gordon Rd. *Pea J* —4D **157**
Gordon Rd. *St Pa* —1B **70**
Gordon Rd. *W Mare* —1D **133**
Gordon Rd. *W'hall* —1F **71**
Gore Rd. *Bris* —2C **78**
Gore's Marsh Rd. *Bris* —3C **78**
Gorham Clo. *Bris* —2E **39**
Gorlands Rd. *Chip S* —5E **19**
Gorlangton Clo. *Bris* —1C **88**
Gorse Cover Rd. *Sev B* —3B **20**

Gorse Hill. *Bris* —4D **61**
Gorse La. *Bris* —4D **69**
Gosforth Rd. *Bris* —2D **41**
Goslet Rd. *Bris* —3A **90**
Goss Barton. *Nail* —4C **122**
Goss Clo. *Nail* —4B **122**
Goss La. *Nail* —4B **122**
Goss Vw. *Nail* —4B **122**
Gotley Rd. *Bris* —3F **81**
Gott Dri. *Bris* —4F **71**
Goulston Rd. *Bris* —3C **86**
Goulston Wlk. *Bris* —2C **86**
Goulter St. *Bris* —4D **71**
Gourney Clo. *Bris* —2D **39**
Gover Rd. *Han* —2E **83**
Goy Rd. *Pat* —2C **26**
Grace Clo. *Chip S* —5E **19**
Grace Clo. *Yat* —3B **142**
Grace Ct. *Bris* —1F **61**
Grace Dri. *Bris* —1C **74**
Grace Dri. *Mid N* —2D **151**
Grace Pk. Rd. *Bris* —4F **81**
Grace Rd. *Bris* —2E **61**
Grace Rd. *W Mare* —1F **129**
Gradwell Clo. *W Mare* —2F **129**
Graeme Clo. *Bris* —3C **60**
Graham Rd. *Bedm* —2E **79**
Graham Rd. *Down* —1B **62**
Graham Rd. *E'tn* —1D **71**
Graham Rd. *W Mare* —1C **132**
Grainger Ct. *Bris* —5A **38**
Grampian Clo. *Old C* —1E **85**
Granby Ct. *Bris* —4B **68**
Granby Hill. *Bris* —4B **68**
Grand Pde. *Bath* —3B **106** (3C **96**)
Grange Av. *Bris* —5E **73**
Grange Av. *Lit S* —3E **27**
Grange Clo. *Brad S* —4E **11**
Grange Clo. *Uph* —2C **138**
Grange Clo. N. *Bris* —1D **57**
Grange Ct. *Bris* —1D **57**
Grange Ct. *Han* —5F **73**
Grange Ct. Rd. *Bris* —1C **56**
Grange Dri. *Bris* —1E **61**
Grange End. *Mid N* —5E **151**
Grange Pk. *Fren* —4E **45**
Grange Pk. *W Trym* —1D **57**
Grange Rd. *B'wth* —3C **86**
Grange Rd. *Clif* —3C **68**
Grange Rd. *Salt* —5E **93**
Grange Rd. *Uph* —2C **138**
Grange Vw. *Brad A* —2F **115**
Grangeville Clo. *L Grn* —2D **85**
Grangewood Clo. *Bris* —1E **61**
Granny's La. *Bris* —4A **74**
Grantham La. *Bris* —2E **73**
Grantham Rd. *Bris* —2E **73**
Grantson Clo. *Bris* —3A **82**
Granville Clo. *Bris* —2D **83**
Granville Rd. *Bath* —3F **99**
Granville St. *Bris* —4E **71**
Grasmere. *Trow* —5E **117**
Grasmere Clo. *Bris* —4C **40**
Grasmere Dri. *W Mare* —4D **133**
Grasmere Gdns. *Bris* —4F **75**
Grassington Dri. *Chip S* —1C **34**
Grass Meers Dri. *Bris* —4C **88**
Grassmere Rd. *Yat* —3B **142**
Gratitude Rd. *Bris* —1E **71**
Gravel Hill Rd. *Yate* —2C **18**
(in two parts)
Gravel, The. *Holt* —1E **155**
Gravel Wlk. *Bath* —2F **105** (1A **96**)
Graveney Clo. *Bris* —4F **81**
Gray Clo. *Bris* —2A **40**
Grayle Rd. *Bris* —2C **40**
Gt. Ann St. *Bris* —3B **70** (1F **5**)
Gt. Bedford St. *Bath* —1A **106**
Great Brockeridge. *Bris* —1B **56**
Great Dowles. *Bris* —1C **84**
Gt. George St. *Bris* —4E **69** (3E **4**)
Gt. George St. *St Jud* —3B **70** (1F **5**)

Gt. Hayles Rd. *Bris* —1B **88**
Great Leaze. *Bris* —1C **84**
Gt. Mdw. Rd. *Brad S* —3B **28**
Great Orchard. *Brad A* —5F **113**
Gt. Park Rd. *Alm* —3E **11**
Gt. Pulteney St. *Bath* —2B **106** (2D **97**)
Gt. Stanhope St. *Bath* —3F **105** (3A **96**)
Gt. Stoke Way. *Brad S* —2F **43**
Gt. Western Bus. Pk. *Yate* —3D **17**
Gt. Western La. *Bris* —4E **71**
Gt. Western Rd. *Clev* —3D **121**
Gt. Western Way. *Bris* —4B **70** (4F **5**)
Greenacre. *W Mare* —2F **127**
Greenacre Rd. *Bris* —5C **88**
Greenacres. *Bath* —3C **98**
Greenacres. *Bris* —5A **40**
Greenacres. *E Grn* —5D **47**
Greenacres. *Mid N* —3B **150**
Greenacres Cvn. Pk. *Coal H* —4F **31**
Greenbank Av. E. *Bris* —1E **71**
Greenbank Av. W. *Bris* —1D **71**
Greenbank Gdns. *Bath* —5C **98**
Greenbank Rd. *G'bnk* —5E **59**
Greenbank Rd. *Han* —1F **83**
Greenbank Rd. *S'vle* —5D **69**
Greenbank Vw. *Bris* —5E **59**
Green Clo. *Bris* —4C **42**
Green Clo. *Holt* —2F **155**
Green Cotts. *Bath* —3D **111**
Green Cft. *Bris* —1C **72**
Greendale Rd. *Bedm* —2A **80**
Greendale Rd. *Redl* —3D **57**
Green Dell Clo. *Bris* —1F **39**
Greenditch Av. *Bris* —3E **87**
Greendown. *Bris* —3C **72**
Green Down Pl. *Bath* —3B **110**
Green Dragon Rd. *Wint* —4F **29**
Greenfield Av. *Bris* —4F **41**
Greenfield Cres. *Nail* —2D **123**
Greenfield Pk. *P'head* —5E **49**
Greenfield Pl. *W Mare* —5A **126**
Greenfield Rd. *Bris* —3F **41**
Greenfields Av. *Ban* —5E **137**
Greenfinch Lodge. *Bris* —1A **60**
Greengage Clo. *W Mare* —5C **128**
Green Hayes. *Chip S* —1E **35**
Greenhill Clo. *Bris* —1C **122**
Greenhill Clo. *W Mare* —2E **129**
Greenhill Down. *Alv* —3B **8**
Greenhill Gdns. *Alv* —3B **8**
Greenhill Gdns. *Hil* —3F **117**
Greenhill Gro. *Bris* —3C **78**
Greenhill La. *Alv* —4A **8**
Greenhill La. *Bris* —3E **39**
Greenhill Pde. *Alv* —2B **8**
Greenhill Pl. *Mid N* —1D **151**
Greenhill Rd. *Alv* —2B **8**
Greenhill Rd. *Mid N* —1D **151**
Greenland Mills. *Brad A* —3F **115**
Greenland Rd. *W Mare* —4B **128**
Greenlands Rd. *Bris* —5A **24**
Greenlands Rd. *Pea J* —1F **149**
Greenlands Way. *Bris* —5A **24**
Greenland Vw. *Brad A* —3E **115**
Green La. *Bris* —4D **37**
Green La. *Sev B* —3B **20**
Green La. *Trow* —2E **119**
Green La. *Wint* —3E **29**
Greenleaze. *Bris* —4D **81**
Greenleaze Av. *Bris* —3F **45**
Greenleaze Clo. *Bris* —3F **45**
Greenmore Rd. *Bris* —3D **81**
Greenore. *Bris* —3E **73**
Green Pk. Ho. *Bath* —3A **106** (4A **96**)
Green Pk. M. *Bath* —3F **105** (4A **96**)
Green Pk. Rd. *Bath* —3A **106** (4A **96**)
Greenpark Rd. *Bris* —3A **42**
Green Pk. Station. *Bath*
—3F **105** (3A **96**)
Green Parlour Rd. *Rads* —3F **153**
Grn. Pastures Rd. *Wrax* —2F **123**

Greenridge Clo. *Bris* —4A **86**
Greens Hill. *Bris* —4A **60**
Green Side. *Mang* —1C **62**
Greenside Clo. *Bris* —1F **39**
Greenslade Gdns. *Nail* —2C **122**
Greensplott Rd. *Brad S* —2A **22**
Greensplott Rd. *Chit* —2A **22**
Green St. *Bath* —2A **106** (3B **96**)
Green St. *Bris* —1B **80**
Green Ter. *Trow* —5C **116**
Green, The. *Back* —3B **124**
Green, The. *Lock* —4E **135**
Green, The. *New C* —5A **62**
Green, The. *Pill* —3F **53**
Green, The. *Shire* —1A **54**
Green, The. *Stok G* —5A **28**
Green, The. *Wick* —5A **154**
Green, The. *Wins* —4A **156**
Green Tree Rd. *Mid N* —1E **151**
Greenvale Clo. *Tim* —2E **157**
Greenvale Dri. *Tim* —2E **157**
Greenvale Rd. *Paul* —4A **146**
Greenview. *L Grn* —3C **84**
Green Wlk. *Bris* —4C **80**
Greenway Bush La. *Bris* —1C **78**
Greenway Ct. *Bath* —5A **106**
Greenway Dri. *Bris* —3F **41**
Greenway Gdns. *Trow* —4E **117**
Greenway La. *Bath* —1A **110**
Greenway Pk. *Bris* —4F **41**
Greenway Pk. *Clev* —3F **121**
Greenway Rd. *Bris* —5D **57**
Greenways. *Bris* —1C **74**
Greenways Rd. *Yate* —3F **17**
Greenway, The. *Bris* —4E **61**
Greenwood Clo. *Bris* —5A **42**
Greenwood Dri. *Alv* —3A **8**
Greenwood Rd. *Bris* —3C **80**
Greenwood Rd. *W Mare* —3C **128**
Gregory Ct. *Bris* —4C **74**
Gregory Mead. *Yat* —2A **142**
Gregorys Gro. *Bath* —4E **109**
Gregory's Tyning. *Paul* —3B **146**
Greinton. *W Mare* —1E **139**
Grenville Av. *Lock* —4E **135**
Grenville Clo. *Bris* —2B **72**
Grenville Rd. *Bris* —4A **58**
Greve Ct. *Bar C* —1B **84**
Greville Rd. *Bris* —1D **79**
Greville St. *Bris* —1E **79**
Greyfriars. *Bris* —3F **69** (1B **4**)
Greylands Rd. *Bris* —1B **86**
Greystoke. *Bris* —3C **40**
Greystoke Av. *Bris* —4C **40**
Greystoke Gdns. *Bris* —4C **40**
Greystones. *Bris* —3A **46**
Griffin Clo. *W Mare* —3E **129**
Griffin Rd. *Clev* —3D **121**
Griggfield Wlk. *Bris* —1B **88**
Grimsbury Rd. *Bris* —2C **74**
Grindell Rd. *Bris* —3F **71**
Grinfield Av. *Bris* —4E **87**
Grinfield Ct. *Bris* —4E **87**
Grittleton Rd. *Bris* —4A **42**
Grosvenor Bri. Rd. *Bath* —5D **101**
Grosvenor Pk. *Bath* —5D **101**
Grosvenor Pl. *Bath* —5D **101**
Grosvenor Rd. *Bris* —1B **70**
Grosvenor Ter. *Bath* —4D **101**
Grosvenor Vs. *Bath* —5C **100**
Ground Corner. *Holt* —2D **155**
Grove Av. *Bris* —5F **69** (5C **4**)
Grove Av. *Fish* —3B **60**
Grove Av. *W Trym* —5E **39**
Grove Bank. *Bris* —3E **45**
Grove Ct. *Trow* —4C **118**
Grove Dri. *Mil* —4A **128**
Grove La. *W Mare* —5B **126**
Grove Leaze. *Brad A* —3C **114**
Grove Leaze. *Shire* —1E **53**
Grove Pk. *Brisl* —3F **81**
Grove Pk. *Redl* —5E **57**

Hermitage Clo.—Hither Mead

Hermitage Clo. *Bris* —5A **38**
Hermitage Rd. *Bath* —5F **99**
Hermitage Rd. *Bris* —2F **61**
Heron Clo. *W Mare* —4C **128**
Heron Gdns. *P'head* —4A **50**
Heron Rd. *Bris* —1D **71**
Heron Way. *Chip S* —2B **34**
Herridge Clo. *Bris* —4D **87**
Herridge Rd. *Bris* —4D **87**
Hersey Gdns. *Bris* —5A **86**
Hesding Clo. *Bris* —2E **83**
Hestercombe Rd. *Bris* —2D **87**
Hetling Ct. *Bath* —3A **106** (4B **96**)
Heyford Av. *Bris* —3D **59**
Heyron Wlk. *Bris* —4D **87**
Heywood Rd. *Pill* —3E **53**
Heywood Ter. *Pill* —3E **53**
Hicking Ct. *K'wd* —4A **74**
Hicks Av. *E Grn* —4D **47**
Hick's Barton. *Bris* —2B **72**
Hicks Comn. Rd. *Wint* —4A **30**
Hicks Ct. *L Grn* —1B **84**
Hicks Ga. Ho. *Key* —5D **83**
High Acre. *Paul* —5C **146**
Higham St. *Bris* —1B **80**
High Bannerdown. *Bathe* —2C **102**
Highbury Pde. *W Mare* —4A **126**
Highbury Pl. *Bath* —5B **100**
Highbury Rd. *Bedm* —4E **79**
Highbury Rd. *Hor* —5B **42**
Highbury Rd. *W Mare* —4A **126**
Highbury Ter. *Bath* —5B **100**
Highbury Vs. *Bath* —5B **100**
(off Highbury Pl.)
Highbury Vs. *Bris* —2E **69**
(in three parts)
Highcroft. *Bris* —4E **75**
Highdale Av. *Clev* —3D **121**
Highdale Clo. *Bris* —4D **89**
Highdale Rd. *Clev* —3D **121**
High Elm. *Bris* —4A **74**
Highett Dri. *Bris* —1C **70**
Highfield Av. *Bris* —5F **73**
Highfield Clo. *Bath* —4C **104**
Highfield Clo. *Stok G* —1B **44**
Highfield Dri. *P'head* —5A **48**
Highfield Gdns. *Bit* —3E **85**
Highfield Gro. *Bris* —2F **57**
Highfield Rd. *Brad A* —2E **115**
Highfield Rd. *Chip S* —5C **18**
Highfield Rd. *Key* —5B **92**
Highfield Rd. *Pea J* —1F **149**
Highfield Rd. *W Mare* —2E **139**
Highfields. *Rads* —3A **152**
High Gro. *Bris* —1D **55**
Highgrove St. *Bris* —1C **80**
High Kingsdown. *Bris* —2E **69**
Highland Clo. *W Mare* —3F **127**
Highland Cres. *Bris* —5C **56**
Highland Pl. *Bris* —5C **56**
Highland Rd. *Bath* —4C **104**
Highland Sq. *Bris* —5C **56**
Highlands Rd. *L Ash* —3C **76**
Highlands Rd. *P'head* —3D **49**
Highland Ter. *Bath* —3E **105**
High La. *Yate* —1F **29**
Highleaze Rd. *Old C* —1E **85**
Highmead Gdns. *Bris* —4A **86**
High Meadows. *Mid N* —3C **150**
Highmore Gdns. *Bris* —5E **43**
Highnam Clo. *Pat* —5D **11**
High Pk. *Bris* —4D **81**
High Pk. *Paul* —3A **146**
Highridge Cres. *Bris* —3B **86**
Highridge Grn. *Bris* —1A **86**
Highridge Pk. *Bris* —2B **86**
Highridge Rd. *Bedm* —3D **79**
Highridge Rd. *B'wth* —4A **86**
Highridge Wlk. *Bris* —1A **86**
High St. *Ban* —5C **136**
High St. *Bath* —3B **106** (3C **96**)
High St. *B'ptn* —5A **102**

High St. *Bathe* —3A **102**
High St. *Bathf* —4D **103**
High St. *Bit* —5F **85**
High St. *Bris* —3F **69** (2C **4**)
High St. *Chip S* —5D **19**
High St. *Clav* —2F **143**
High St. *Clif* —5C **56**
High St. *Cong* —2D **145**
High St. *E'tn* —1D **71**
High St. *F'frd* —4C **112**
High St. *Han* —5E **73**
High St. *High L* —1A **146**
High St. *Iron A* —2F **15**
High St. *Key* —2A **92**
High St. *K'wd* —2A **74**
High St. *Mid N* —3D **151**
High St. *Nail* —3D **123**
High St. *Old C* —2E **85**
High St. *Paul* —4B **146**
High St. *P'bry* —4A **52**
High St. *P'head* —4F **49**
High St. *Salt* —1A **94**
High St. *Shire* —5F **37**
High St. *Stap H* —3E **61**
High St. *T'bry* —4C **6**
High St. *Tim* —1E **157**
High St. *Twer A* —3B **104**
High St. *War* —2D **75**
High St. *W Trym* —5C **40**
High St. *W'ton* —4B **98**
High St. *W Mare* —5B **126**
(in three parts)
High St. *Wick* —5B **154**
High St. *Wickw* —1B **154**
High St. *Wint* —3F **29**
High St. *W'ly* —1A **100**
High St. *Wor* —4C **128**
High St. *Wrin* —1B **156**
High St. *Yat* —2B **142**
High Vw. *Bath* —4F **105**
High Vw. *P'head* —4C **48**
Highview Rd. *Bris* —5A **62**
Highwall La. *Q Char* —5C **90**
Highway. *Yate* —4B **18**
Highwood La. *Bren & Pat* —2D **25**
Highwood Rd. *Pat* —3A **26**
Highworth Cres. *Yate* —1F **33**
Highworth Rd. *Bris* —4F **71**
Hilbury Ct. *Trow* —1E **119**
Hilcot Gro. *W Mare* —4F **127**
Hildesheim Clo. *W Mare* —1D **133**
Hill Av. *Bath* —3A **110**
Hill Av. *Bris* —2A **80**
Hillbrook Rd. *T'bry* —4E **7**
Hill Burn. *Bris* —1E **57**
Hillburn Rd. *Bris* —3C **72**
Hillcote Est. *W Mare* —3F **139**
Hill Ct. *Paul* —3B **146**
Hill Crest. *Bris* —4D **81**
Hill Crest. *Cong* —1E **145**
Hillcrest. *Pea J* —2F **149**
Hillcrest. *T'bry* —3C **6**
Hillcrest Clo. *Nail* —4D **123**
Hillcrest Dri. *Bath* —5C **104**
Hillcrest Flats. *Brad A* —2E **115**
Hillcrest Rd. *Nail* —4D **123**
Hillcrest Rd. *P'head* —4A **48**
Hillcroft Clo. *W Mare* —3E **127**
Hilldale Rd. *Back* —3D **125**
Hill End. *W Mare* —2C **128**
Hill End Dri. *Bris* —1F **39**
Hillfields Av. *Bris* —5E **61**
Hill Gay Clo. *P'head* —4B **48**
Hill Gro. *Bris* —1E **57**
Hillgrove St. *Bris* —2F **69**
Hillgrove St. N. *Bris* —1F **69**
Hillgrove Ter. *Uph* —1B **138**
Hillhouse. *Bris* —3B **62**
Hill Ho. Rd. *Bris* —1B **62**
Hill Lawn. *Bris* —2F **81**
Hillmer Ri. *Ban* —5D **137**
Hillmoor. *Clev* —4E **121**

Hill Pk. *Cong* —1E **145**
Hill Path. *Ban* —5F **137**
Hill Rd. *Clev* —2C **120**
Hill Rd. *Dun* —5A **86**
Hill Rd. *W Mare* —5D **127**
Hill Rd. *Wor* —3C **128**
Hill Rd. E. *W Mare* —3C **128**
Hills Barton. *Bris* —4C **78**
Hillsborough Flats. *Bris* —4C **68**
Hillsborough Ho. *W Mare* —4E **133**
Hillsborough Rd. *Bris* —1E **81**
Hills Clo. *Key* —3C **92**
Hillsdon Rd. *Bris* —4B **40**
Hillside. *Clif* —4D **69**
Hillside. *Cot* —2E **69**
Hillside. *Mang* —2B **62**
Hillside. *P'bry* —5F **51**
Hillside Av. *Bris* —2E **73**
Hillside Av. *Mid N* —4B **150**
Hillside Clo. *Fram C* —2E **31**
Hillside Clo. *Paul* —3C **146**
Hillside Cres. *Mid N* —4B **150**
Hillside Gdns. *W Mare* —4F **127**
Hillside La. *Fram C* —2E **31**
Hillside Rd. *Back* —3C **124**
Hillside Rd. *Bath* —5E **105**
Hillside Rd. *B'don* —3B **139**
Hillside Rd. *Bris* —3C **72**
Hillside Rd. *Clev* —3D **121**
Hillside Rd. *L Ash* —3D **77**
Hillside Rd. *Mid N* —4C **150**
Hillside Rd. *P'head* —5A **48**
Hillside St. *Bris* —1C **80**
Hillside Vw. *Mid N* —2D **151**
Hillside Vw. *Pea J* —1F **149**
Hillside W. *Hut* —5D **135**
Hill St. *Bris* —3E **69** (2A **4**)
Hill St. *Hil* —3F **117**
Hill St. *K'wd* —2B **74**
Hill St. *St G* —2B **72**
Hill St. *Tot* —1B **80**
Hill St. *Trow* —1C **118**
Hill, The. *Alm* —2D **11**
Hill, The. *F'frd* —4D **113**
Hilltop. *P'head* —4C **48**
Hilltop Gdns. *Soun* —5F **61**
(in two parts)
Hilltop Gdns. *St G* —3C **72**
Hilltop Rd. *Bris* —5F **61**
Hilltop Vw. *Bris* —3C **72**
Hill Vw. *Clif* —4D **69**
Hill Vw. *Fil* —1C **42**
Hill Vw. *Henl* —1E **57**
Hillview. *Mid N* —5B **150**
Hill Vw. *Soun* —5F **61**
Hillview. *Tim* —2E **157**
Hillview Av. *Clev* —4D **121**
Hill Vw. Clo. *Old C* —1E **85**
Hill Vw. Ct. *W Mare* —5B **128**
Hillview Pk. Homes. *W Mare* —5B **128**
Hill Vw. Rd. *Bath* —4C **100**
Hill Vw. Rd. *Bris* —5C **78**
Hill Vw. Rd. *Puck* —2E **65**
Hill Vw. Rd. *W Mare* —1E **133**
Hillyfield Rd. *Bris* —2C **86**
Hillyfields. *Wins* —4C **156**
Hillyfields Way. *Wins* —4B **156**
Hilperton Rd. *Trow* —1E **119**
Hilton Ct. *Bris* —2D **71**
Hinkley Clo. *St Geo* —2A **130**
Hinton. *W Mare* —1E **139**
Hinton Clo. *Bath* —3A **104**
Hinton Clo. *Salt* —1A **94**
Hinton Dri. *Bris* —4E **75**
Hinton La. *Bris* —4B **68**
Hinton Rd. *E'tn* —1E **71**
Hinton Rd. *Fish* —3C **60**
Hinton Rd. *Puck* —1F **65**
Hiscocks Dri. *Bath* —5F **105**
Hither Grn. *Clev* —4F **121**
Hither Grn. Ind. Est. *Clev* —4F **121**
Hither Mead. *Fram C* —3D **31**

Hi-Way Cvn. Site. *Bris* —5D **23**
Hobart Rd. *W Mare* —5D **133**
Hobbiton Rd. *W Mare* —1E **129**
Hobbs Ct. *Nail* —3E **123**
(off Link Rd.)
Hobbs La. *Bris* —4E **69** (3A **4**)
Hobbs La. *War* —1D **75**
Hobhouse Clo. *Brad A* —5F **115**
Hobhouse Clo. *Bris* —5E **41**
Hockey's La. *Fish* —3C **60**
Hockley Ct. *Bath* —5E **99**
Hodden La. *Puck* —2E **65**
Hodshill. *S'ske* —5A **110**
Hogarth M. *W Mare* —2E **129**
Hogarth Wlk. *Bris* —4D **43**
Hogarth Wlk. *W Mare* —2E **129**
Hogues Wlk. *Bris* —4D **87**
Holbeach Way. *Bris* —5C **88**
Holbrook Cres. *Bris* —4F **87**
Holbrook La. *Bris* —4A **154**
Holbrook La. *Trow* —4D **118**
Holcombe. *Bris* —3C **88**
Holcombe Clo. *B'ptn* —5A **102**
Holcombe Grn. *Bath* —4C **98**
(in two parts)
Holcombe Gro. *Key* —3F **91**
Holcombe La. *B'ptn* —5A **102**
Holcombe Va. *B'ptn* —5A **102**
Holdenhurst Rd. *Bris* —1E **73**
Holders Wlk. *L Ash* —5B **76**
Holford Clo. *Nail* —4D **123**
Holford Ct. *Yate* —3D **89**
Holland Rd. *Bath* —5C **100**
Holland Rd. *Clev* —5B **120**
Holland St. *W Mare* —5E **127**
Hollidge Gdns. *Bris* —1F **79**
Hollies La. *Nthnd* —1B **102**
Hollies Shop. Cen., The. *Mid N*
—3D **151**
Hollis Av. *P'head* —5E **49**
Hollis Clo. *L Ash* —4C **76**
Hollis Cres. *P'head* —5E **49**
Hollister's Dri. *Bris* —5F **87**
Holloway. *Bath* —4A **106** (5B **96**)
Hollow La. *W Mare* —2D **129**
Hollowmead. *Clav* —3E **143**
Hollowmead Clo. *Clav* —3F **143**
Hollow Rd. *Alm* —2C **10**
Hollow Rd. *Bris* —2A **74**
Hollows, The. *Coal H* —2E **47**
Hollow, The. *Bath* —4C **98**
Hollway Clo. *Bris* —3A **90**
Hollway Rd. *Bris* —3A **90**
Hollybush Clo. *W'ley* —2F **113**
Hollybush La. *Bris* —2A **56**
(in two parts)
Holly Clo. *Alv* —3A **8**
Holly Clo. *Nail* —2F **123**
Holly Clo. *Puck* —2E **65**
Holly Clo. *S'wll* —5C **60**
Holly Clo. *W Mare* —4E **129**
Holly Ct. *Mid N* —3E **151**
Holly Cres. *Bris* —1A **74**
Holly Dri. *Bath* —4E **109**
Holly Grn. *Bris* —1C **74**
Holly Gro. *Bris* —4E **61**
Hollyguest Rd. *Bris* —4F **73**
Holly Hill. *Iron A* —3A **16**
Holly Hill Rd. *Bris* —2A **74**
Holly La. *Clev* —1F **121**
Hollyleigh Av. *Bris* —2C **42**
Holly Lodge Rd. *Bris* —5B **60**
Hollyman Wlk. *Clev* —3F **121**
Hollymead La. *Bris* —3A **56**
Hollyridge. *Bris* —2E **89**
Holly Ridge. *P'head* —3C **48**
Holly Wlk. *Key* —5F **91**
Holly Wlk. *Rads* —3B **152**
Hollywood La. *E Comp* —1C **24**
Hollywood Rd. *Bris* —2F **81**
Holmdale Rd. *Bris* —1E **43**

Holmesdale Rd. *Bris* —2A **80**
Holmes Gro. *Bris* —2D **57**
Holmes Hill Rd. *Bris* —2B **72**
Holmlea Pk. E. *Bath* —2B **104**
Holmlea Pk. W. *Bath* —2B **104**
Holm-Mead La. *Bris* —1E **93**
Holmoak Rd. *Key* —4E **91**
Holm Rd. *Hut* —1C **140**
Holms Rd. *W Mare* —3E **133**
Holmwood. *Bris* —5E **73**
Holmwood Clo. *Wint* —3F **29**
Holmwood Gdns. *Bris* —4C **40**
Holroyd Ho. *Bris* —2F **79**
Holsom Clo. *Bris* —2A **90**
Holsom Rd. *Bris* —2B **90**
Holst Gdns. *Bris* —1F **87**
Holton Rd. *Bris* —1C **58**
Holt Rd. *Brad A* —3F **115** & 1A **116**
Holyrood Clo. *Stok G* —5F **27**
Holyrood Clo. *Trow* —5B **118**
Holy Well Clo. *St Ap* —4A **89**
Homeavon Ho. *Key* —3B **92**
Home Clo. *Bris* —2A **42**
Home Clo. *Trow* —3D **119**
Home Clo. *Wrin* —1C **156**
Home Farm Clo. *Pea J* —2E **149**
Home Farm Rd. *Abb L* —3D **67**
Homefield. *Cong* —3E **145**
Homefield. *Lock* —3D **135**
Homefield. *T'bry* —4E **7**
Homefield. *Tim* —1F **157**
Homefield. *Yate* —3A **18**
Homefield Clo. *E Grn* —1D **63**
Homefield Clo. *Lock* —3E **135**
Homefield Clo. *Salt* —1A **94**
Homefield Clo. *Wins* —3A **156**
Homefield Dri. *Bris* —2C **60**
Homefield Rd. *Puck* —2D **65**
Homefield Rd. *Salt* —1B **94**
Home Gdns. *Bris* —5C **56**
Home Ground. *Bris* —5D **41**
Homeground. *Clev* —4E **121**
Homeground. *E Grn* —1D **63**
Home Ground. *Shire* —5F **37**
Homelands. *Bath* —2A **102**
Homelea Pk. E. *Bath* —2B **104**
Homelea Pk. W. *Bath* —2B **104**
Homeleaze Rd. *Bris* —1F **41**
Home Mead. *Bris* —1A **88**
(Creswicke Rd.)
Home Mead. *Bris* —1C **84**
(Earlstone Cres.)
Homemead Dri. *Bris* —4F **81**
Home Mill Bldgs. *Trow* —2D **119**
Home Orchard. *Yate* —4F **17**
Homestead. *Bris* —5F **89**
Homestead. *P'head* —5A **48**
Homestead Gdns. *Bris* —3D **45**
Homestead Rd. *Brad S* —1B **42**
Homestead, The. *Clev* —3C **120**
Homestead, The. *Key* —5A **92**
Homestead, The. *Trow* —4C **118**
Homestead Way. *Wins* —4B **156**
Honeyborne Way. *Wickw* —2C **154**
Honey Garston Clo. *Bris* —4D **87**
Honey Garston Rd. *Bris* —4D **87**
Honey Hill Rd. *Bris* —2B **74**
Honeylands. *P'head* —5E **49**
Honeymans Clo. *Trow* —2F **119**
Honeymead. *Bris* —2E **89**
Honeysuckle Clo. *Brad S* —4A **12**
Honeysuckle Clo. *Trow* —2E **119**
Honeysuckle La. *Bris* —3A **60**
Honeysuckle Pl. *W Mare* —5E **129**
Honey Way. *Bris* —1F **59**
Honiton. *W Mare* —3E **129**
Honiton Rd. *Bris* —4C **60**
Honiton Rd. *Clev* —5E **121**
Hooper Rd. *Bris* —3F **89**
Hopechapel Hill. *Bris* —4B **68**
Hope Ct. *Bris* —5D **69**

Hope Ho. *Pill* —2F **53**
(off Underbanks)
Hope Rd. *Bris* —2E **79**
Hope Rd. *Yate* —4C **16**
Hope Sq. *Bris* —4B **68**
Hope Ter. *Mid N* —3E **151**
Hopetoun Rd. *Bris* —4B **58**
Hopewell Gdns. *Bris* —5B **38**
Hopkin Clo. *T'bry* —5E **7**
Hopkins St. *W Mare* —5C **126**
Hopland Clo. *L Grn* —2D **85**
Hopp's Rd. *Bris* —3F **73**
Horesham Gro. *Bris* —3E **87**
Horfield Rd. *Bris* —3F **69** (1B **4**)
Horley Rd. *Bris* —5C **58**
Hornbeams, The. *Bris* —3D **45**
Hornbeam Wlk. *Key* —5E **91**
Hornhill Clo. *Bris* —4D **87**
Horsecastle Clo. *Yat* —2A **142**
Horsecastle Farm Rd. *Yat* —2A **142**
Horsecombe Brow. *Bath* —3B **110**
Horsecombe Gro. *Bath* —3B **110**
Horsecombe Va. *Bath* —3B **110**
Horsecroft Gdns. *Bar C* —4C **74**
Horsefair, The. *Bris* —3A **70** (1D **5**)
Horsepool Rd. *Bris* —4A **86**
Horse Rd. *Hil M* —3E **117**
Horse Shoe Dri. *Bris* —3E **55**
Horseshoe La. *Chip S* —5D **19**
Horseshoe La. *T'bry* —4C **6**
(off Rock St.)
Horseshoe Rd. *Bath* —4D **107** (5F **97**)
Horseshoe Wlk. *Bath* —4C **106** (5F **97**)
Horse St. *Chip S* —5D **19**
(in two parts)
Hortham La. *G Ear* —1E **11**
Horton Clo. *Brad A* —5F **115**
Horton Ho. *Bath* —1B **106**
Horton Rd. *Chip S* —4E **19**
Horton St. *Bris* —3B **70**
Horwood Ct. *Bar C* —1C **84**
Horwood La. *Wickw* —3C **154**
Horwood Rd. *Nail* —4E **123**
Hosey Wlk. *Bris* —3C **86**
Hospital Rd. *Pill* —4F **53**
(in two parts)
Host St. *Bris* —3F **69** (2B **4**)
Hot Bath St. *Bath* —3A **106** (4B **96**)
Hottom Gdns. *Bris* —5C **42**
Hot Water La. *Bris* —4B **62**
Hotwell Rd. *Bris* —3A **68**
Houlton St. *Bris* —2B **70** (1F **5**)
Hounds Clo. *Chip S* —5D **19**
Hounds Rd. *Chip S* —5D **19**
Howard Av. *Bris* —2A **72**
Howard Clo. *Salt* —5F **93**
Howard Rd. *S'vle* —1D **79**
Howard Rd. *Stap H* —3F **61**
Howard Rd. *T'bry* —2D **7**
Howard Rd. *W'bry P* —3D **57**
Howard St. *Bris* —1A **72**
Howecroft Gdns. *Bris* —3A **56**
Howells Mead. *E Grn* —5D **47**
Howes Clo. *Bar C* —4C **74**
Howett Rd. *Bris* —3E **71**
How Hill. *Bath* —3B **104**
Howsmoor La. *E Grn* —4D **47**
Hoylake. *Yate* —1A **34**
Hoylake Dri. *War* —4D **75**
Huckford La. *Ken* —5C **30**
Huckford Rd. *Wint* —4A **30**
Huckley Way. *Brad S* —3B **28**
Huddox Hill. *Pea J* —4D **157**
Hudd's Hill Gdns. *Bris* —1B **72**
Hudd's Hill Rd. *Bris* —2B **72**
Hudd's Va. Rd. *Bris* —2A **72**
Hudson Clo. *Yate* —1B **34**
Hughenden Rd. *Clif* —5C **56**
Hughenden Rd. *Hor* —2A **58**
Hughenden Rd. *W Mare* —5E **127**
Huish Ct. *Rads* —3E **153**
Hulbert Clo. *Bris* —3C **82**

Hulse Rd. *Bris* —4F **81**
Humberstan Wlk. *Bris* —4A **38**
Humber Way. *Bris* —4F **21**
Humphrey Davy Way. *Bris* —5B **68**
Humphrys Barton. *St Ap* —5B **72**
Hungerford Av. *Trow* —3A **118**
Hungerford Clo. *Bris* —5A **82**
Hungerford Cres. *Bris* —4A **82**
Hungerford Gdns. *Bris* —5A **82**
Hungerford Rd. *Bath* —2D **105**
Hungerford Rd. *Bris* —4A **82**
Hungerford Wlk. *Bris* —4A **82**
Hung Rd. *Bris* —1A **54**
Hunters Clo. *Bris* —5E **73**
Hunters Dri. *Bris* —1B **74**
Hunters Rd. *Bris* —5E **73**
Hunter's Way. *Bris* —1E **43**
Huntingdon Pl. *Brad A* —2D **115**
Huntingdon Ri. *Brad A* —1D **115**
Huntingdon St. *Brad A* —2D **115**
Huntingham Rd. *Bris* —4A **86**
Huntley Gro. *Nail* —4F **123**
Hunts Ground Rd. *Stok G* —5C **28**
Hunts La. *Bris* —1A **58**
Hunt's La. *Clav* —3E **143**
Hurle Cres. *Bris* —1C **68**
Hurle Rd. *Bris* —1D **69**
Hurlingham Rd. *Bris* —5B **58**
Hurn La. *Key* —4B **92**
Hurn Rd. *Clev* —4E **121**
Hurst Ct. *Rads* —3E **153**
Hurston Rd. *Bris* —5F **79**
Hurst Rd. *Bris* —5B **80**
Hurst Rd. *W Mare* —2E **133**
Hurst Wlk. *Bris* —5A **80**
Hurstwood Rd. *Bris* —2F **61**
Hutton Clo. *Bris* —5F **39**
Hutton Hill. *Hut* —1C **140**
Hutton Moor La. *W Mare* —2A **134**
Hutton Moor Rd. *W Mare* —1F **133**
Hutton Pk. (Cvn. Site). *W Mare*
—2A **134**
Huyton Rd. *Bris* —4A **60**
Hyde Av. *T'bry* —1C **6**
Hyde Rd. *Trow* —5C **116**
Hyde, The. *Clev* —5C **120**
Hyland Gro. *Bris* —4B **40**
Hylton Row. *Rads* —2F **153**

Ida Rd. *Bris* —2E **71**
Iddesleigh Rd. *Bris* —4D **57**
Idstone Rd. *Bris* —3D **61**
Idwal Clo. *Mid N* —1F **149**
Iford Clo. *Salt* —1A **94**
Iford La. *F'frd* —5D **113**
Ilchester Cres. *Bris* —4D **79**
Ilchester Rd. *Bris* —4C **78**
Iles Clo. *Han* —1F **83**
Ilex Av. *Clev* —4E **121**
Ilex Clo. *Bris* —2B **86**
Ilminster. *W Mare* —1E **139**
Ilminster Av. *Bris* —4A **80**
Ilminster Clo. *Clev* —4E **121**
Ilminster Clo. *Nail* —5C **122**
Ilsyn Gro. *Bris* —1F **89**
Imber Ct. Clo. *Bris* —5D **81**
Imperial Rd. *Know* —5E **81**
Imperial Rd. *Redl* —1D **69**
Imperial Wlk. *Bris* —4D **81**
Inglesham Clo. *Trow* —5D **119**
Ingleside Rd. *Bris* —1D **73**
Inglestone Rd. *Wickw* —2C **154**
Ingleton Dri. *W Mare* —1E **129**
Ingmire Rd. *Bris* —4D **59**
Inkerman Clo. *Bris* —5A **42**
Inman Ho. *Bath* —5B **100**
Inner Elm Ter. *Rads* —3F **151**
Innox Footpath. *Trow* —1C **118**
Innox Gdns. *Bris* —3C **86**
Innox Gro. *Eng* —2A **108**
Innox La. *Up Swa* —1C **100**

Innox Mill Clo. *Trow* —1B **118**
Innox Rd. *Bath* —4C **104**
Innox Rd. *Trow* —1B **118**
Inn's Ct. Av. *Bris* —1F **87**
Inn's Ct. Dri. *Bris* —1F **87**
Inn's Ct. Grn. *Bris* —1F **87**
Instow. *W Mare* —3E **129**
Instow Rd. *Bris* —5A **80**
Instow Wlk. *Bris* —5A **80**
International Trad. Est. *Bris* —2D **37**
Interplex. *Brad S* —3E **11**
Inverness Rd. *Bath* —3D **105**
Ipswich Dri. *Bris* —4A **72**
Irby Rd. *Bris* —2C **78**
Irena Rd. *Bris* —4B **60**
Ireton Rd. *Bris* —2D **79**
Ironchurch Rd. *A'mth* —4D **21**
Ironmould La. *Bris* —3C **82**
Irving Clo. *Bris* —3A **62**
Irving Clo. *Clev* —3F **121**
Isabella Cotts. Bath —3C 110
(off Rock La.)
Isabella M. *Bath* —3C **110**
Island Gdns. *Bris* —3E **59**
Island, The. *Mid N* —3D **151**
Isleys Ct. *L Grn* —2B **84**
Islington. *Trow* —5D **117**
Islington Gdns. *Trow* —1D **119**
Islington Rd. *Bris* —1D **79**
Ison Hill. *Bris* —1F **39**
Ison Hill Rd. *Bris* —1F **39**
Itchington Rd. *Tyth* —1F **9**
Ivo Peters Rd. *Bath* —3F **105**
Ivor Rd. *Bris* —2E **71**
Ivy Av. *Bath* —5D **105**
Ivy Bank Pk. *Bath* —2A **110**
Ivybridge. *W Mare* —3E **129**
Ivy Clo. *Nail* —4C **122**
Ivy Cotts. *S'ske* —5A **110**
Ivy Ct. *P'head* —3B **48**
Ivy Gro. *Bath* —5D **105**
Ivy La. *Bris* —4C **60**
Ivy La. *W Mare* —5E **129**
Ivy Pl. *Bath* —5D **105**
Ivy Ter. *Brad A* —2E **115**
Ivy Ter. *Yate* —5D **33**
Ivy Vs. *Bath* —5D **105**
Ivy Vs. *Trow* —1A **118**
Ivy Wlk. *Ban* —4C **136**
Ivy Wlk. *Mid N* —4E **151**
Ivywell Rd. *Bris* —4A **56**
Iwood La. *Cong* —5F **145**

Jack Knight Ho. *Bris* —2C **58**
Jacobs Ct. Bris —4E 69
(off St George's Rd.)
Jacobs Ct. Bris —4E 69
(off Queen's Pde.)
Jacob St. *Bris* —3A **70** (2E **5**)
(in two parts)
Jacob's Wells Rd. *Bris* —4D **69**
Jamaica St. *Bris* —2A **70**
James Clo. *Bris* —3A **62**
James Rd. *Bris* —4A **62**
James St. *Bris* —2B **70**
James St. *St W* —5C **58**
James St. *Trow* —5D **117**
James St. W. *Bath* —3F **105** (3A **96**)
Jane St. *Bris* —3D **71**
Jarvis St. *Bris* —4D **71**
Jasmine Clo. *W Mare* —4E **129**
Jasmine Gro. *Bris* —2E **39**
Jasmine La. *Clav* —1F **143**
Jasmine Way. *Trow* —2E **119**
Jasmine Way. *W Mare* —4E **129**
Jasper St. *Bris* —2D **79**
Jean Rd. *Bris* —3A **82**
Jeffery Ct. *Bris* —4D **75**
Jeffries Hill Bottom. *Bris* —5D **73**
Jellicoe Ct. *W Mare* —1C **128**
Jena Ct. *Salt* —5F **93**

Jenkins St. *Trow* —5C **116**
Jenner Clo. *Chip S* —1F **35**
Jersey Av. *Bris* —1B **82**
Jesmond Rd. *Clev* —3C **120**
Jesmond Rd. *St Geo* —1A **130**
Jesse Hughes Ct. *Bath* —4D **101**
Jessop Underpass. *Bris* —1B **78**
Jew's La. *Bath* —3D **105**
Jim O'Neil Ho. *Bris* —5F **37**
Jocelin Dri. *W Mare* —1D **129**
Jocelyn Rd. *Bris* —5B **42**
Jockey La. *Bris* —3C **72**
John Cabot Ct. *Bris* —5C **68**
John Carr's Ter. *Bris* —4D **69**
Johnny Ball La. *Bris* —3F **69** (1B **4**)
John Rennie Clo. *Brad A* —5F **115**
John Slessor Ct. *Bath* —1A **106**
Johnson Dri. *Bar C* —5B **74**
Johnson Rd. *E Grn* —1E **63**
Johnsons La. *Bris* —1F **71**
Johnsons Rd. *Bris* —1E **71**
Johnstone St. *Bath* —3B **106** (3D **97**)
John St. *Bath* —2A **106** (2B **96**)
John St. *Bris* —3F **69** (2C **4**)
John St. *K'wd* —2E **73**
John St. *St W* —5C **58**
John Wesley Rd. *Bris* —4D **73**
Jones Clo. *Yat* —2A **142**
Jones Hill. *Brad A* —5C **114**
Jordan Wlk. *Brad S* —1F **27**
Joy Hill. *Bris* —4B **68**
Jubilee Cotts. *Bris* —5B **78**
Jubilee Cres. *Mang* —5C **46**
Jubilee Dri. *T'bry* —3E **7**
Jubilee Gdns. *Yate* —4C **18**
Jubilee Ho. *Pat* —1E **27**
Jubilee Path. *W Mare* —4A **128**
Jubilee Pl. *Clev* —5D **121**
Jubilee Pl. *Redc* —5F **69** (5C **4**)
Jubilee Rd. *Bap M* —1C **70**
Jubilee Rd. *K'wd* —4A **62**
Jubilee Rd. *Know* —3E **81**
Jubilee Rd. *Rads* —3A **152**
Jubilee Rd. *St G* —3B **72**
Jubilee Rd. *W Mare* —1C **132**
Jubilee St. *Bris* —4B **70** (3F **5**)
Jubilee Ter. *Paul* —3B **146**
Jubilee Way. *Bris* —2D **37**
Julian Clo. *Bris* —4A **56**
Julian Cotts. *Bath* —3F **111**
Julian Rd. *Bath* —1A **106** (1A **96**)
Julian Rd. *S Park* —4A **56**
Julius Rd. *Bris* —4F **57**
Junction Av. *Bath* —4F **105**
Junction Rd. *Bath* —4F **105**
Junction Rd. *Brad A* —3E **115**
Juniper Ct. *Bris* —5E **59**
Juniper Way. *Brad S* —2B **28**
Jupiter Rd. *Pat* —2F **25**
Justice Av. *Salt* —1A **94**
Justice Rd. *Bris* —4B **60**
Jutland Rd. *Bris* —3D **37**

Karen Clo. *Back* —4C **124**
Karen Dri. *Back* —3C **124**
Kathdene Gdns. *Bris* —4B **58**
Kaynton Mead. *Bath* —3C **104**
Keates Clo. *Trow* —1D **119**
Keats Rd. *Rads* —4F **151**
Keble Av. *Bris* —4B **86**
Keed's La. *L Ash* —3A **76**
Keedwell Hill. *L Ash* —4B **76**
Keel Clo. *St G* —4B **72**
Keel's Hill. *Pea J* —1F **149**
Keene's Way. *Clev* —4B **120**
Keep, The. *Bris* —5F **75**
Keep, The. *W Mare* —2E **129**
Keinton Wlk. *Bris* —2C **40**
Kelbra Cres. *Fram C* —3D **31**
Kellaway Av. *Bris* —2E **57**
Kellaway Cres. *Bris* —1F **57**

Marlborough Bldgs.—Merfield Rd.

Marlborough Bldgs. *Bath*
—2F **105** (1A **96**)
Marlborough Dri. *Bris* —3D **45**
Marlborough Dri. *W Mare* —3E **129**
Marlborough Hill. *Bris* —2F **69**
Marlborough Hill Pl. *Bris* —2F **69**
Marlborough La. *Bath* —2F **105**
Marlborough St. *Bath*
—1F **105** (1A **96**)
Marlborough St. *Bris* —2F **69** (1C **4**)
Marlborough St. *Eastv* —4A **60**
Marlepit Gro. *Bris* —2A **86**
Marley Pl. *Bris* —2B **68**
Marlfield Wlk. *Bris* —1A **86**
Marling Rd. *Bris* —2B **72**
Marlwood Dri. *Bris* —1C **40**
Marmaduke St. *Bris* —2B **80**
Marmion Cres. *Bris* —1A **40**
Marne Clo. *Bris* —3F **89**
Marsden Rd. *Bath* —1C **108**
Marshall Ho. *Bris* —3B **60**
Marsham Way. *Bris* —1B **84**
Marsh Clo. *Wint* —5A **30**
Marshfield Pk. *Bris* —4E **45**
Marshfield Rd. *Bris* —3D **61**
Marshfield Way. *Bath* —5B **100**
Marsh La. *Asht* —3C **78**
Marsh La. *E'ton G* —5A **36**
Marsh La. *Redf* —3E **71**
Marshmead. *Hil* —3F **117**
Marsh Rd. *Bris* —2B **78**
Marsh Rd. *Hil M* —2E **117**
Marsh Rd. *Yat* —3B **142**
Marsh St. *A'mth* —4E **37**
Marsh St. *Bris* —4F **69** (3B **4**)
Marshwall La. *Alm* —1A **10**
Marson Rd. *Clev* —3D **121**
Marston Rd. *Bris* —3D **81**
Marston Rd. *Trow* —3D **155**
Martcombe Rd. *E'ton G* —4C **52**
(in three parts)
Martin Clo. *Pat* —1A **26**
Martindale Rd. *W Mare* —5B **128**
Martingale Rd. *Bris* —1F **81**
Martin's Clo. *Bris* —5E **73**
Martins Gro. *W Mare* —3C **128**
Martin's Rd. *Han* —5E **73**
Martin St. *Bris* —2D **79**
Martock. *W Mare* —1D **139**
Martock Cres. *Bris* —4E **79**
Martock Rd. *Bris* —4E **79**
Martock Rd. *Key* —5C **92**
Marwood Rd. *Bris* —5A **80**
Marybush La. *Bris* —3A **70** (2E **5**)
Mary Carpenter Pl. *Bris* —1B **70**
Mary Ct. Bris —2F **71**
(off Alfred St.)
Marygold Leaze. *Bris* —1C **84**
Mary St. *Redf* —2F **71**
Mascot Rd. *Bris* —2F **79**
Masefield Way. *Bris* —1C **58**
Maskelyne Av. *Bris* —5F **41**
Masonpit Pool La. *Yate* —1E **29**
Masons La. *Brad A* —2E **115**
Masons Vw. *Wint* —2B **30**
Matchells Clo. *St Ap* —4A **72**
Materman Rd. *Stoc* —3A **90**
Matford Clo. *Bris* —5F **25**
Matford Clo. *Wint* —4A **30**
Matthews Clo. *Bris* —2B **90**
Matthews Rd. *Bris* —3E **71**
Maules La. *Ham* —2B **44**
Maulton Clo. *Holt* —2D **155**
Maunsell Rd. *Bris* —2D **39**
Maurice Rd. *Bris* —5A **58**
Mautravers Clo. *Brad S* —2F **27**
Maxcroft La. *Hil M* —2E **117**
Maxse Rd. *Bris* —2D **81**
Maybank Rd. *Yate* —5F **17**
Maybec Gdns. *Bris* —4C **72**
Maybourne. *Bris* —3C **82**
Maybrick Rd. *Bath* —4E **105**

Maycliffe Pk. *Bris* —5B **58**
Mayfair Av. *Nail* —4D **123**
Mayfield Av. *Bris* —5C **60**
Mayfield Av. *W Mare* —4C **128**
Mayfield Clo. *P'head* —5F **49**
Mayfield Pk. *Bris* —5C **60**
Mayfield Pk. N. *Bris* —5C **60**
Mayfield Pk. S. *Bris* —5C **60**
Mayfield Rd. *Bath* —4E **105**
Mayfields. *Key* —3A **92**
Mayflower Gdns. *Nail* —3F **123**
Maynard Clo. *Bris* —3E **87**
Maynard Clo. *Clev* —3F **121**
Maynard Rd. *Bris* —3E **87**
Mayors Bldgs. *Bris* —2D **61**
Mays Hill. *Fram C* —5A **16**
May's La. *W Mare* —2F **131**
May St. *Bris* —1E **73**
Maytree Av. *Bris* —1D **87**
Maytree Clo. *Bris* —1D **87**
May Tree Clo. *Nail* —4B **122**
May Tree Rd. *Rads* —3B **152**
May Tree Wlk. *Key* —5E **91**
Mayville Av. *Bris* —1D **43**
Maywood Av. *Bris* —3D **61**
Maywood Cres. *Bris* —3D **61**
Maywood Rd. *Bris* —3E **61**
Maze St. *Bris* —4D **71**
Mead Clo. *Bath* —1F **109**
Mead Clo. *Bris* —1A **54**
Mead Ct. *N Brad* —4E **155**
Mead Ct. *Wint* —3A **30**
Mead Ct. Bus. Pk. *T'bry* —4C **6**
Meade Ho. *Bath* —4B **104**
Meadgate. *E Grn* —5D **47**
Meadlands. *Cor* —5D **95**
Mead La. *Brad S* —3A **28**
Mead La. *Salt* —1B **94**
Meadowbank. *W Mare* —2D **129**
Meadow Clo. *Back* —2D **125**
Meadow Clo. *Bris* —5B **46**
Meadow Clo. *Nail* —2D **123**
Meadow Ct. *Bath* —2B **104**
Meadow Ct. Dri. *Old C* —2E **85**
Meadowcroft. *Down* —4C **46**
Meadow Cft. *W Mare* —1F **139**
Meadow Dri. *Bath* —4E **109**
Meadow Dri. *Lock* —4F **135**
Meadowfield. *Brad A* —3C **114**
Meadow Gdns. *Bath* —5B **98**
Meadow Gro. *Bris* —5F **37**
Meadowland. *Yat* —2A **142**
Meadowland Rd. *Bris* —5A **24**
Meadowlands. *St Geo* —3A **130**
Meadow La. *B'ptn* —5E **101**
Meadow Mead. *Fram C* —1D **31**
Meadow Mead. *Yate* —1A **18**
Meadow Pk. *Bathf* —3C **102**
Meadow Rd. *Chip S* —5C **18**
Meadow Rd. *Clev* —3E **121**
Meadow Rd. *Paul* —5C **146**
Meadows Clo. *P'head* —3B **48**
Meadow Side. *Iron A* —2F **15**
Meadowside. *T'bry* —4E **7**
Meadowside Dri. *Bris* —5C **88**
Meadows, The. *Bris* —1F **83**
Meadow St. *A'mth* —3C **36**
Meadow St. *St Pa* —3A **70** (1E **5**)
Meadow St. *W Mare* —1C **132**
Meadowsweet Av. *Bris* —1D **43**
Meadowsweet Ct. *Stap* —2A **60**
Meadow Va. *Bris* —1C **72**
Meadow Vw. *Fram C* —2E **31**
Meadow Vw. *Rads* —3D **153**
Meadow Vw. Clo. *Bath* —1B **104**
Meadow Way. *Brad S* —2A **28**
Mead Ri. *Bris* —5D **70**
Mead Rd. *Chip S* —1E **35**
Mead Rd. *P'head* —5E **49**
Mead Rd. *Stok G* —3A **28**
Meads, The. *Bris* —5B **46**
(in two parts)

Mead St. *Bris* —1B **80**
Mead, The. *Alv* —2B **8**
Mead, The. *Dun* —5A **86**
Mead, The. *Fil* —5D **27**
Mead, The. *Mid N* —1F **157**
Mead, The. *W'ley* —2F **113**
Mead Va. *W Mare* —4C **128**
Meadway. *Bris* —1E **55**
Mead Way. *T'bry* —5C **6**
Meadway. *Trow* —2A **118**
Meadway Av. *Nail* —3C **122**
Mearcombe La. *B'don* —5D **141**
Meardon Rd. *Bris* —2A **90**
Meare. *W Mare* —1D **139**
Meare Rd. *Bath* —2B **110**
Mede Clo. *Bris* —5A **70**
Medical Av. *Bris* —3E **69** (2A **4**)
Medina Clo. *T'bry* —5D **7**
Medway Clo. *Key* —5C **92**
Medway Ct. *T'bry* —4E **7**
Medway Dri. *Fram C* —2D **31**
Medway Dri. *Key* —5C **92**
Meere Bank. *Bris* —3D **39**
Meer Wall. *W Mare* —5A **144**
Meg Thatchers Gdns. *Bris* —3D **73**
Meg Thatcher's Grn. *Bris* —3D **73**
Melbourne Dri. *Chip S* —5D **19**
Melbourne Rd. *Bris* —3F **57**
Melbourne Ter. *Clev* —3D **121**
Melbury Rd. *Bris* —3B **80**
Melcombe Ct. *Bath* —5E **105**
Melcombe Rd. *Bath* —4E **105**
Melita Rd. *Bris* —4A **58**
Melksham Rd. *Holt* —1F **155**
Mellent Av. *Bris* —5E **87**
Mells Clo. *Key* —5A **92**
Mells La. *Rads* —2E **153**
Melrose Av. *Bris* —2D **69**
Melrose Av. *Yate* —4B **18**
Melrose Clo. *Yate* —4C **18**
Melrose Gro. *Bath* —1C **108**
Melrose Pl. *Bris* —2D **69**
Melrose Ter. *Bath* —4B **100**
Melton Cres. *Bris* —4C **42**
Melton Rd. *Trow* —5C **116**
Melville Rd. *Bris* —1D **69**
Melville Ter. *Bris* —2E **79**
Melvin Sq. *Bris* —4A **80**
Memorial Clo. *Bris* —1D **83**
Memorial Cotts. *Bath* —5D **99**
Memorial Rd. *Bris* —5D **73**
Memorial Rd. *Wrin* —1C **156**
Mendip Av. *W Mare* —3C **128**
Mendip Clo. *Key* —3F **91**
Mendip Clo. *Nail* —4D **123**
Mendip Clo. *Paul* —5B **146**
Mendip Clo. *Yat* —4B **142**
Mendip Cres. *Bris* —5C **46**
Mendip Edge. *W Mare* —3D **139**
Mendip Gdns. *Bath* —4E **109**
Mendip Gdns. *Yat* —4B **142**
Mendip Ri. *Lock* —4F **135**
Mendip Rd. *Bris* —2F **79**
Mendip Rd. *Lock* —4A **136**
Mendip Rd. *P'head* —3C **48**
Mendip Rd. *W Mare* —1E **133**
Mendip Rd. *Yat* —3A **142**
(in two parts)
Mendip Ter. *Bath* —3F **107**
Mendip Vw. *Wick* —4B **154**
Mendip Vw. Av. *Bris* —4C **60**
Mendip Way. *Rads* —1C **152**
Mercer Ct. *Bris* —5D **81**
Merchants Ct. *Bris* —5C **68**
Merchants Quay. *Bris* —5F **69** (5B **4**)
Merchants Rd. *Clif* —3C **68**
Merchant's Rd. *Hot* —5C **68**
Merchant St. *Bris* —3A **70** (1D **5**)
Mercia Dri. *Bris* —5C **58**
Mercier Clo. *Yate* —4B **18**
Meredith Ct. *Bris* —5C **68**
Merfield Rd. *Bris* —3D **81**

Moravian Rd. *Bris* —2F **73**
Morden Wlk. *Bris* —1F **89**
Moreton Clo. *Bris* —4C **88**
Moreton St. *Bris* —2B **70**
Morford St. *Bath* —1A **106** (1B **96**)
Morgan Clo. *Salt* —5F **93**
Morgans Hill Clo. *Nail* —5C **122**
Morgan St. *Bris* —1B **70**
Morley Av. *Mang* —3C **62**
Morley Clo. *Bris* —3F **61**
Morley Clo. *Lit S* —2E **27**
Morley Rd. *S'vle* —1E **79**
Morley Rd. *Stap H* —3F **61**
Morley Sq. *Bris* —3A **58**
Morley St. *Bar H* —3D **71**
Morley St. *Bris* —1B **70**
Morley Ter. *Bath* —3E **105**
Morley Ter. *K'wd* —1F **73**
Morley Ter. *Rads* —1D **153**
Mornington Rd. *Bris* —5C **56**
Morpeth Rd. *Bris* —5F **79**
Morris La. *Bathf* —3C **102**
Morris Rd. *Bris* —2C **58**
Morse Rd. *Bris* —3E **71**
Mortimer Clo. *Bath* —4C **98**
Mortimer Rd. *Clif* —3C **68**
Mortimer Rd. *Fil* —3D **43**
Mortimer St. *Trow* —3C **118**
Morton St. *Bris* —3D **71**
Morton St. *T'bry* —1D **7**
Morton Way. *T'bry* —1E **7**
Moseley Gro. *Uph* —1C **138**
Moulton Dri. *Brad A* —5E **115**
Mountain Ash. *Bath* —5E **99**
Mountain Wood. *Bathf* —4D **103**
Mountbatten Clo. *Kew* —1C **128**
Mountbatten Clo. *Yate* —3F **17**
Mount Beacon. *Bath* —5B **100**
Mount Beacon Pl. *Bath* —5A **100**
Mt. Beacon Row. *Bath* —5B **100**
Mount Clo. *Fram C* —1B **30**
Mount Cres. *Wint* —4A **30**
Mount Gdns. *Bris* —4F **73**
Mount Gro. *Bath* —1C **108**
Mount Hill Rd. *Bris* —4E **73**
Mount Pleasant. *Brad A* —2E **115**
Mount Pleasant. *H'len* —5E **23**
Mount Pleasant. *Pill* —3F **53**
Mount Pleasant. *Rads* —2E **153**
Mt. Pleasant Ter. *Bris* —1E **79**
Mount Rd. *L'dwn* —1A **106**
Mount Rd. *S'dwn* —5B **104**
Mount, The. *Trow* —5E **117**
Mount Vw. L'dwn —5B 100
(off Beacon Rd.)
Mount Vw. *S'dwn* —1C **108**
Mow Barton. *Bris* —2B **86**
Mow Barton. *Yate* —4F **17**
Mowbray Rd. *Bris* —1E **89**
Mowcroft Rd. *Bris* —4E **87**
Moxham Dri. *Bris* —4D **87**
Mud La. *Clav* —1D **143**
Muirfield. *War* —4C **74**
Muirfields. *Yate* —1A **34**
Mulberry Av. *P'head* —3A **50**
Mulberry Clo. *Back* —2C **124**
Mulberry Clo. *Bris* —2A **74**
Mulberry Clo. *W Mare* —4D **129**
Mulberry Dri. *Bris* —1B **74**
Mulberry La. *B'don* —5A **140**
Mulberry Rd. *Cong* —3E **145**
Mulberry Wlk. *Bris* —4E **39**
Muller Av. *Bris* —3B **58**
Muller Rd. *Hor & Eastv* —1B **58**
Mulready Clo. *Bris* —1E **59**
Murford Av. *Bris* —3D **87**
Murford Wlk. *Bris* —4D **87**
Murray Rd. *Trow* —5D **117**
Murray St. *Bris* —1E **79**
Murtlebury Mead. *W Mare* —1E **129**
Musgrove Clo. *Bris* —2E **39**
Myrtle Dri. *Bris* —2A **54**

Myrtle Gdns. *Yat* —3C **142**
Myrtle Rd. *Bris* —2E **69**
Myrtle St. *Bris* —1D **79**
Mythern Mdw. *Brad A* —4F **115**

Nags Head Hill. *Bris* —3C **72**
Nailsea Clo. *Bris* —1C **86**
Nailsea Pk. *Nail* —3E **123**
Nailsea Pk. Clo. *Nail* —3E **123**
Nailsworth Av. *Yate* —5A **18**
Naishcombe Hill. *Wick* —5B **154**
Naishes Av. *Pea J* —4D **157**
Naish Ho. *Bath* —3B **104**
Napier Ct. *Bris* —5D **69**
Napier Miles Rd. *Bris* —4C **38**
Napier Rd. *A'mth* —3D **37**
Napier Rd. *Bath* —3B **98**
Napier Rd. *Eastv* —5D **59**
Napier Rd. *Redl* —5D **57**
Napier Sq. *Bris* —3C **36**
Napier St. *Bris* —4D **71**
Narroways Rd. *Bris* —4C **58**
Narrow La. *Bris* —4A **62**
Narrow Lewins Mead. *Bris*
—3F **69** (2B **4**)
Narrow Plain. *Bris* —4A **70** (3E **5**)
Narrow Quay. *Bris* —5F **69** (5B **4**)
Narrow Wine S. Trow —2D 119
(off Fore St.)
Naseby Wlk. *Bris* —1B **72**
Nash Clo. *Key* —3C **92**
Nash Dri. *Bris* —5E **43**
Nasmilco. *Stav* —1D **117**
Naunton Way. *W Mare* —3F **127**
Navigator Clo. *Trow* —3E **117**
Neads Dri. *War* —5E **75**
Neate Ct. *Pat* —1E **27**
Neath Rd. *Bris* —2F **71**
Nelson Bldgs. *Bath* —1B **106** (1D **97**)
Nelson Ct. *W Mare* —1C **128**
Nelson Ho. *Bath* —2F **105**
Nelson Ho. *Bris* —2F **61**
Nelson Pde. *Bris* —1F **79**
Nelson Pl. *Bath* —1B **106**
Nelson Pl. E. Bath —1B 106
(off Nelson Ter.)
Nelson Pl. W. *Bath* —3F **105**
Nelson Rd. *Bris* —2F **61**
(in two parts)
Nelson St. *Bedm* —3C **78**
Nelson St. *Bris* —3F **69** (2C **4**)
Nelson Ter. *Bath* —1B **106**
Nelson Vs. *Bath* —3F **105**
Neston Wlk. *Bris* —5B **80**
Netham Pk. Ind. Est. *Bris* —4F **71**
Netham Rd. *Bris* —3F **71**
Netherways. *Clev* —5B **120**
Nettlestone Clo. *Bris* —5A **24**
Nevalan Dri. *Bris* —4C **72**
Neva Rd. *W Mare* —2C **132**
Neville Rd. *Bris* —5A **62**
Nevil Rd. *Bris* —3A **58**
Newark St. *Bath* —4B **106** (5C **96**)
Newbolt Clo. *W Mare* —4E **133**
New Bond St. *Bath* —3A **106** (3B **96**)
New Bond St. Pl. Bath
(off New Bond St.) —3B 106 (3C 96)
Newbourne Rd. *W Mare* —1A **134**
Newbrick Rd. *Stok G* —4C **28**
Newbridge Clo. *Bris* —4F **71**
Newbridge Ct. *Bath* —2C **104**
Newbridge Gdns. *Bath* —1B **104**
Newbridge Hill. *Bath* —1B **104**
Newbridge Rd. *Bath* —1A **104**
Newbridge Rd. *Bris* —4F **71**
Newbridge Trad. Est. *Bris* —5F **71**
New Bristol Rd. *W Mare* —4C **128**
New Brunswick Av. *Bris* —3D **73**
New Buildings. *Bris* —3B **60**
Newbury Rd. *Bris* —5C **42**
New Charlotte St. *Bris* —1F **79**

New Cheltenham Rd. *Bris* —1F **73**
New Church Rd. *Uph* —1B **138**
Newcombe Dri. *Bris* —3E **55**
Newcombe Rd. *Bris* —5B **40**
New Ear La. *W Mare* —1C **130**
New Engine Rank. *Coal H* —1F **47**
Newent Av. *Bris* —3D **73**
New Fosseway Rd. *Bris* —2D **89**
Newfoundland Rd. *Bris* —2B **70**
Newfoundland St. *Bris* —2A **70** (1E **5**)
Newfoundland Way. *Bris* —2B **70**
Newgate. *Bris* —3A **70** (2D **5**)
Newhaven Pl. *P'head* —4A **48**
Newhaven Rd. *P'head* —5A **48**
New John St. *Bris* —2E **79**
New Kingsley Rd. *Bris* —4B **70** (3F **5**)
New King St. *Bath* —3A **106** (3A **96**)
Newland Dri. *Bris* —4C **86**
Newland Rd. *Bris* —4C **86**
Newland Rd. *W Mare* —2D **133**
Newlands Av. *Coal H* —2E **31**
Newlands Clo. *P'head* —3E **49**
Newlands Grn. *Clev* —5E **121**
Newlands Hill. *P'head* —4E **49**
Newlands Rd. *Key* —4F **91**
Newlands, The. *Bris* —5D **45**
Newland Wlk. *Bris* —5C **86**
New La. *Alv* —2D **9**
New Leaze. *Alm* —3E **11**
Newleaze. *Hil* —3F **117**
Newleaze Ho. *Brad S* —2D **43**
Newlyn Av. *Bris* —2F **55**
Newlyn Wlk. *Bris* —4D **81**
Newlyn Way. *Yate* —4B **18**
Newman Clo. *W'lgh* —5D **33**
Newmans La. *Tim* —1E **157**
Newmarket Av. *Bris* —3F **69** (2C **4**)
Newmarket Av. *Whit B* —3F **155**
Newmarket Row. Bath —3B 106 (3C 96)
(off Grand Pde.)
Newnham Clo. *Bris* —1F **89**
Newnham Pl. *Pat* —5B **10**
New Orchard St. *Bath* —3B **106** (4C **96**)
Newport Clo. *Clev* —4C **120**
Newport Clo. *P'head* —4B **48**
Newport Rd. *Pill* —2E **53**
Newport St. *Bris* —2A **80**
Newquay Rd. *Bris* —4B **80**
New Queen St. *Bris* —1D **73**
New Queen St. *K'wd* —1A **80**
New Rd. *Ban* —4C **136**
New Rd. *Bathf* —4E **103**
New Rd. *Brad A* —2E **115**
New Rd. *Brad S* —1B **42**
New Rd. *Bris* —2E **43**
New Rd. *F'frd* —4C **112**
New Rd. *Mid N* —3D **151**
New Rd. *Pill* —3E **53**
New Rd. *Trow* —3C **118**
Newry Wlk. *Bris* —4A **80**
Newsome Av. *Pill* —3E **53**
New Stadium Rd. *Bris* —5D **59**
New Station Rd. *Bris* —3C **60**
New Station Way. *Fish* —3C **60**
New St. *Bath* —3A **106** (4B **96**)
New St. *Bris* —3B **70** (1F **5**)
New St. Flats. *Bris* —3B **70** (1F **5**)
New Ter. *Stav* —1D **117**
New Thomas St. *Bris* —3B **70** (2F **5**)
Newton Clo. *Bris* —1C **74**
Newton Dri. *Bris* —5C **74**
Newton Grn. *Nail* —5B **122**
Newton Rd. *Bath* —4A **104**
Newton Rd. *Bris* —5C **74**
Newton Rd. *W Mare* —2C **132**
Newtons Rd. *Kew* —1C **128**
(in two parts)
Newton St. *Bris* —2C **70**
Newtown. *Brad A* —3D **115**
Newtown. *Trow* —2C **118**
New Tyning Ter. Bath —5C 100
(off Fairfield Rd.)

New Vs. *Bath* —5C **106**
New Wlk. *Bris* —5D **73**
New Walls. *Tot* —1B **80**
Niblett Clo. *Bris* —4B **74**
Nibletts Hill. *Bris* —4B **72**
Nibley La. *Iron A* —3A **16**
Nibley La. *Yate* —5C **16**
Nibley Rd. *Bris* —2F **53**
Nicholas La. *Bris* —4C **72**
Nicholas Rd. *Bris* —1D **71**
Nicholas St. *Bris* —1A **80**
Nicholettes. *Bris* —5F **75**
Nicholls La. *Wint* —2A **30**
Nicholl's Pl. *Bath* —1A **106** (1B **96**)
  (off Lansdown Rd.)
Nichol's Rd. *P'head* —2B **48**
Nigel Pk. *Bris* —5A **38**
Nightingale Clo. *Fram C* —3C **30**
Nightingale Clo. *T'bry* —2E **7**
Nightingale Clo. *W Mare* —4C **128**
Nightingale Ct. *W Mare* —4C **128**
Nightingale Gdns. *Nail* —3B **122**
Nightingale La. *Wint* —2C **30**
Nightingale Ri. *P'head* —5B **48**
Nightingale Rd. *Trow* —2A **118**
Nightingale Valley. *Bris* —5A **72**
Nightingale Way. *Mid N* —4E **151**
Nile St. *Bath* —3F **105** (3A **96**)
Nine Tree Hill. *Bris* —1A **70**
Ninth Av. *Bris* —3D **43**
Nippors Way. *Wins* —4A **156**
Nithsdale Rd. *W Mare* —4C **132**
Noble Av. *Bris* —1E **85**
Nomis Pk. *Cong* —4E **145**
Nore Gdns. *P'head* —2E **49**
Nore Pk. Dri. *P'head* —2B **48**
Nore Rd. *P'head* —4A **48**
Norfolk Av. *Bris* —2A **70**
Norfolk Av. *St And* —5A **58**
Norfolk Bldgs. *Bath* —3F **105** (3A **96**)
Norfolk Cres. *Bath* —3F **105**
Norfolk Gro. *Key* —4E **91**
Norfolk Pl. *Bris* —2E **79**
Norfolk Rd. *P'head* —4A **50**
Norland Rd. *Bris* —2B **68**
Norley Rd. *Bris* —5B **42**
Normanby Rd. *Bris* —1D **71**
Norman Gro. *Bris* —5F **61**
Norman Rd. *Salt* —5F **93**
Norman Rd. *St W* —5C **58**
Norman Rd. *War* —2D **75**
Normans, The. *B'ptn* —5A **102**
Normanton Rd. *Bris* —5C **56**
Norrisville Rd. *Bris* —1A **70**
Northampton Bldgs.
    —1A **106** (1A **96**)
Northampton St. *Bath*
    —1A **106** (1A **96**)
Northanger Ct. *Bath* —2B **106** (2C **96**)
  (off Grove St.)
Northavon Bus. Cen. *Yate* —3E **17**
Northcote Rd. *Clif* —1B **68**
Northcote Rd. *Down & Mang* —1B **62**
Northcote Rd. *St G* —2A **72**
Northcote St. *Bris* —1D **71**
North Cft. *Old C* —1F **85**
N. Devon Rd. *Bris* —2C **60**
Northdown Rd. *Rads* —4B **148**
North Drove. *Nail* —3A **122**
North E. Rd. *T'bry* —2D **7**
North End. *Yat* —1A **142**
Northend Av. *Bris* —5F **61**
Northend Cotts. *Bath* —1A **102**
Northend Gdns. *Bris* —5F **61**
Northend Rd. *Bris* —1A **74**
N. End Rd. *Yat* —1A **142**
Northern Path. *Clev* —3F **121**
Northern Way. *Clev* —4E **121**
Northfield. *Rads* —1D **153**
Northfield. *W'ley* —2F **113**
Northfield. *Yate* —1F **33**
Northfield Av. *Bris* —5F **73**

Northfield Ho. *Bris* —1E **79**
Northfield Rd. *Bris* —3D **73**
Northfield Rd. *P'head* —5A **48**
Northfields. *Bath* —5A **100**
Northfields Clo. *Bath* —5A **100**
Northgate St. *Bath* —3B **106** (3C **96**)
North Grn. St. *Bris* —4B **68**
North Gro. *Pill* —3E **53**
N. Hills Clo. *W Mare* —1F **139**
North La. *Bath* —4E **107**
North La. *Nail* —4A **122**
Northleach Wlk. *Bris* —2B **54**
North Leaze. *L Ash* —3D **77**
Northleigh. *Brad A* —1F **115**
Northleigh Av. *W Mare* —4A **128**
Northmead Av. *Mid N* —2C **150**
Northmead Clo. *Mid N* —2C **150**
Northmead La. *Iron A* —1F **15**
N. Meadows. *Pea J* —4E **157**
Northmead Rd. *Mid N* —2C **150**
Northover Clo. *Bris* —3B **40**
Northover Rd. *Bris* —3B **40**
North Pde. *Bath* —3B **106** (4D **97**)
North Pde. *Yate* —4A **18**
North Pde. Bldgs. *Bath*
  (off Orchard St.)   —3B **106** (4C **96**)
North Pde. Pas. *Bath* —3B **106** (4C **96**)
North Pde. Rd. *Bath* —3B **106** (4D **97**)
North Pk. *Bris* —1A **74**
North Quay. *Bris* —4A **70** (3E **5**)
North Rd. *Ash G* —1C **78**
North Rd. *Ban* —5E **137**
North Rd. *Bath* —2D **107** (1F **97**)
North Rd. *C Down* —3C **110**
North Rd. *Iron A* —1D **17**
North Rd. *L Wds* —3F **67**
North Rd. *Mid N* —3C **150**
North Rd. *Stok G* —5A **28**
North Rd. *St And* —5F **57**
North Rd. *T'bry* —2D **7**
North Rd. *Tim* —1E **157**
North Rd. *Wint* —2B **30**
North St. *Bedm* —1C **78**
North St. *Bris* —2A **70**
North St. *Down* —2F **61**
North St. *Nail* —5A **122**
North St. *Old C* —1E **85**
North St. *W Mare* —5C **126**
North St. *Wickw* —1B **154**
Northumberland Bldgs. *Bath*
  (off Barton St.)   —3A **106** (3B **96**)
Northumberland Pl. *Bath*
    —3B **106** (3C **96**)
Northumberland Rd. *Bris* —5E **57**
Northumbria Dri. *Bris* —2D **57**
North Vw. *Rads* —2E **153**
North Vw. *Soun* —3F **61**
North Vw. *Stap H* —2A **62**
North Vw. *W'bry P* —3C **56**
North Vw. Clo. *Bath* —4C **104**
North Vw. Clo. *Ban* —5D **137**
Northville Rd. *Bris* —3B **42**
North Wlk. *Yate* —4A **18**
North Way. *Bath* —4B **104**
Northway. *Bris* —5D **27**
North Way. *Mid N* —3D **151**
North Way. *Trow* —3A **118**
Northwick Rd. *Bris* —4B **42**
Northwoods Wlk. *Bris* —1F **41**
N. Worle Shop. Cen. *W Mare* —3F **129**
Norton Clo. *Bris* —3B **74**
Norton La. *Kew* —1A **128**
Norton La. *W'chu* —5F **89**
Norton Rd. *Bris* —3C **80**
Nortons Wood La. *Clev* —1F **121**
Norwich Dri. *Bris* —4A **72**
Norwood Av. *Bath* —5F **107**
Norwood Gro. *P'head* —3B **48**
Notgrove Clo. *W Mare* —3F **127**
Nottingham Rd. *Bris* —4A **58**
Nottingham St. *Bris* —2A **80**
Nova Scotia Pl. *Bris* —5C **68**

Nover's Cres. *Bris* —5E **79**
Nover's Hill. *Bedm & Know* —4E **79**
Novers Hill Trad. Est. *Bedm* —4E **79**
Nover's La. *Bris* —5E **79**
Nover's Pk. Clo. *Bris* —2D **87**
Nover's Pk. Dri. *Bris* —5E **79**
Nover's Pk. Rd. *Bris* —5F **79**
Nover's Rd. *Bris* —5E **79**
Nowhere La. *Nail* —4F **123**
  (in two parts)
Nugent Hill. *Bris* —1F **69**
Nursery Clo. *Hil* —4F **117**
Nursery Gdns. *Bris* —1C **40**
Nursery, The. *Bris* —2D **79**
Nutfield Gro. *Bris* —2D **43**
Nutgrove Av. *Bris* —2A **80**
Nuthatch Dri. *Bris* —1C **60**
Nuthatch Gdns. *Bris* —1C **60**
Nutwell Rd. *W Mare* —3C **128**
Nutwell Sq. *W Mare* —3C **128**
Nye Drove. *W Mare* —2F **137**
Nympsfield. *Bris* —5A **62**

Oak Av. *Bath* —1D **109**
Oak Clo. *Lit S* —2F **27**
Oak Clo. *Yate* —2F **17**
Oak Ct. *Bris* —3C **88**
Oakdale Av. *Bris* —4F **45**
Oakdale Clo. *Bris* —4A **46**
Oakdale Ct. *Bris* —4F **45**
Oakdale Gdns. *W Mare* —3D **129**
Oakdale Rd. *Bris* —5C **80**
Oakdale Rd. *Down* —4A **46**
Oakdene Av. *Bris* —4F **59**
Oak Dri. *N Brad* —4D **155**
Oak Dri. *P'head* —4D **49**
Oakenhill Rd. *Bris* —3A **82**
Oakenhill Wlk. *Bris* —3A **82**
Oakfield Clo. *Bath* —1E **105**
Oakfield Gro. *Bris* —2D **69**
Oakfield Pl. *Bris* —2D **69**
Oakfield Rd. *Clif* —2C **68**
Oakfield Rd. *Key* —5B **92**
Oakfield Rd. *K'wd* —3F **73**
Oakford Av. *W Mare* —5D **127**
Oakford La. *Bath* —1B **102**
Oak Gro. *E'ton G* —3E **53**
Oakhanger Dri. *Bris* —3C **38**
Oakhill. *W Mare* —1E **139**
Oakhill Av. *Bit* —3E **85**
Oakhill Clo. *Nail* —4F **123**
Oakhill La. *H'len* —5E **23**
Oakhill Rd. *Bath* —2A **110**
Oak Ho. *Bris* —4F **87**
Oakhurst Rd. *Bris* —2B **56**
Oakland Dri. *Hut* —5C **134**
Oakland Rd. *Redl* —1D **69**
Oakland Rd. *St G* —2A **72**
Oaklands. *Clev* —2C **120**
Oaklands. *Paul* —5B **146**
Oaklands Clo. *Mang* —2D **63**
Oaklands Dri. *Alm* —2C **10**
Oaklands Dri. *Bris* —4C **44**
Oaklands Dri. *Old C* —3E **85**
Oaklands Rd. *Mang* —2C **62**
Oak La. *Bris* —5B **60**
Oakleaze. *Coal H* —2F **31**
Oakleaze Rd. *T'bry* —3D **7**
Oakleigh Av. *Bris* —1F **71**
Oakleigh Clo. *Back* —3D **125**
Oakleigh Gdns. *Old C* —3E **85**
Oakley. *Bath* —4F **107**
Oakley. *Clev* —5B **120**
Oakley Rd. *Bris* —5B **42**
Oakmeade Pk. *Bris* —3D **81**
Oakridge Clo. *Wins* —5C **156**
Oakridge La. *Wins* —5C **156**
Oak Rd. *Bris* —2A **58**
Oak Rd. *Wins* —3B **156**
Oaksey Gro. *Nail* —3F **123**

Oaks, The—Oxleaze

Oaks, The. *Wrax* —3F **123**
Oak St. *Bath* —4A **106** (5A **96**)
Oak Ter. *Rads* —3A **152**
Oak Tree Av. *Puck* —2D **65**
Oaktree Clo. *Bris* —2E **83**
Oak Tree Clo. *Trow* —1B **118**
Oaktree Ct. *Shire* —5A **38**
Oaktree Cres. *Brad S* —4D **11**
Oaktree Gdns. *Bris* —3A **86**
Oaktree Pk. (Cvn. Site). *Lock*
—4C **134**
Oak Tree Wlk. *Key* —5F **91**
Oakwood Av. *Bris* —1D **57**
Oakwood Rd. *Bris* —1D **57**
Oatlands Av. *Bris* —2C **88**
Oatvale Rd. *Bris* —3C **88**
Oberon Av. *Bris* —5A **60**
Odeon Bldgs. W Mare —1C **132**
(off Station Rd.)
Odins Rd. *Bath* —3E **109**
Okebourne Clo. *Bris* —5D **25**
Okebourne Rd. *Bris* —1D **41**
Oldacre Rd. *Bris* —5C **88**
Old Ashley Hill. *Bris* —5B **58**
Old Aust Rd. *Alm* —1E **11**
Old Banwell Rd. *Lock* —4F **135**
Old Barrow Hill. *Bris* —5F **37**
Old Batch, The. *Brad A* —1C **114**
Old Bond St. *Bath* —3A **106** (3B **96**)
Old Bread St. *Bris* —4B **70** (3F **5**)
Oldbridge Rd. *Bris* —5E **89**
Old Bristol Rd. *Key* —1E **91**
Old Bristol Rd. *W Mare* —3E **129**
Oldbury Chase. *Bris* —3C **84**
Oldbury Ct. Dri. *Bris* —1D **61**
Oldbury Ct. Rd. *Bris* —2C **60**
Oldbury La. *T'bry* —1D **7**
Oldbury La. *Wick* —5C **154**
Old Church Rd. *Clev* —4A **120**
Old Church Rd. *Nail* —5C **122**
Old Church Rd. *Rudg* —5A **8**
Old Church Rd. *Uph* —1B **138**
Old Cider Mills Est. *Wickw* —1B **154**
Old England Way. *Pea J* —4E **157**
Old Farm La. *Bris* —4D **73**
Old Ferry Rd. *Bath* —3D **105**
Oldfield. *Clev* —5E **121**
Oldfield La. *Bath* —5E **105**
Oldfield Pl. *Bath* —4F **105**
Oldfield Pl. *Bris* —5B **68**
Oldfield Rd. *Bath* —4F **105**
Oldfield Rd. *Bris* —5C **68**
Oldfields La. *Alm* —1D **13**
Old Fire Sta. Ct. *Nail* —3B **122**
Old Forge Way. *Bath* —4E **157**
Old Fosse Rd. *Bath* —2D **109**
Old Fosse Rd. *Mid N* —5B **148**
Old Frome Rd. *Bath* —4F **109**
Old Gloucester Rd. *Alv* —2C **8**
Old Gloucester Rd. *Fren & Ham*
(in two parts) —4D **29**
Old Gloucester Rd. *Wint* —5D **13**
Old Junction Rd. *W Mare* —3F **133**
Old King St. *Bath* —2A **106** (2B **96**)
Oldlands Av. *Coal H* —3E **31**
Old La. *E Grn* —1E **63**
Old La. *Tic* —1B **122**
Old Mkt. St. *Bris* —3A **70** (2E **5**)
Oldmead Wlk. *Bris* —1A **86**
Old Midford Rd. *S'ske* —5B **110**
Old Millard's Hill. *Mid N* —1E **151**
Old Mill Clo. *W'lgh* —5D **33**
Old Mill Rd. *P'head* —2F **49**
Old Mills Ind. Est. *Mid N* —2B **150**
Old Mills La. *Paul* —1A **150**
Old Mill Way. *W Mare* —5E **129**
Oldmixon Cres. *W Mare* —5E **133**
Oldmixon Rd. *W Mare* —2E **139**
Old Newbridge Hill. *Bath* —1B **104**
Old Orchard. *Bath* —2B **106** (1C **96**)
Old Orchard St. *Bath*
—3B **106** (4C **96**)

Old Park. *Bris* —3E **69** (1A **4**)
Old Pk. Hill. *Bris* —3E **69** (2A **4**)
Old Park Rd. *Bris* —5F **37**
Old Park Rd. *Clev* —1D **121**
Old Pit Rd. *Mid N* —4E **151**
Old Pit Ter. *Clan* —5B **148**
Old Post Office La. *W Mare* —5B **126**
Old Priory Rd. *E'ton G* —3D **53**
Old Quarry. *Bath* —2E **109**
Old Quarry Rd. *Bris* —5A **38**
Old Quarry Rd. *Bris* —5F **37**
Old Rd. *Writ* —3F **153**
Old School La. *B'don* —5A **140**
Old Sneed Av. *Bris* —3F **55**
Old Sneed Cotts. *Bris* —3F **55**
Old Sneed Pk. *Bris* —3F **55**
Old Sneed Rd. *Bris* —3F **55**
Old Sta. Clo. *Wrin* —2B **156**
Old St. *Clev* —3D **121**
Old Track. *Lim S* —2A **112**
Old Vicarage Ct. *Bris* —4E **89**
Old Vicarage Grn. *Key* —2A **92**
Old Vicarage Pl. *Bris* —5C **56**
Old Vicarage, The. *Bris* —1A **70**
Oldville Av. *Clev* —4D **121**
Old Wells Rd. *Bath* —1A **110**
Old Weston Rd. *Cong* —1A **144**
Olive Gdns. *Alv* —3A **8**
Olveston Rd. *Bris* —2A **58**
Olympus Clo. *Lit S* —3F **27**
Olympus Rd. *Pat* —1F **25**
Onega Ter. *Bath* —2F **105**
Oolite Gro. *Bath* —3E **109**
Oolite Rd. *Bath* —3E **109**
Oram Ct. *Bar C* —1B **84**
Orange Gro. *Bath* —3B **106** (3C **96**)
Orange St. *Bris* —2B **70**
Orchard Av. *Bris* —4E **69** (3A **4**)
Orchard Av. *Mid N* —3C **150**
Orchard Av. *T'bry* —3D **7**
Orchard Boulevd. *Old C* —1D **85**
Orchard Cvn. Site, The. *Bris* —4F **89**
Orchard Clo. *Ban* —5F **137**
Orchard Clo. *Cong* —2D **145**
Orchard Clo. *Key* —2E **91**
Orchard Clo. *K'wd* —2A **74**
Orchard Clo. *P'head* —3F **49**
Orchard Clo. *W Trym* —2B **56**
Orchard Clo. *Wor* —3D **129**
Orchard Clo. *Wrin* —1C **156**
Orchard Clo. *Yate* —4B **18**
Orchard Clo., The. *Lock* —4D **135**
Orchard Ct. *Bris* —4F **69** (3B **4**)
Orchard Ct. Fil —2C **42**
(off Gloucester Rd. N.)
Orchard Ct. *Redf* —3F **71**
Orchard Ct. *S Park* —4E **55**
Orchard Ct. Trow —3D **119**
(off Orchard Rd.)
Orchard Cres. *Bris* —5F **37**
Orchard Dri. *Bris* —3C **86**
Orchard Gdns. *Bris* —2B **74**
Orchard Gdns. *Paul* —3B **146**
Orchard Grange. *T'bry* —2C **6**
Orchard La. *Bris* —4E **69** (3A **4**)
Orchard La. *S Park* —3F **55**
Orchard Lea. *Alv* —2C **8**
Orchard Lea. *Pill* —3F **53**
Orchard Pl. *W Mare* —1C **132**
Orchard Rd. *Back* —2C **124**
Orchard Rd. *Bishop* —3A **58**
Orchard Rd. *Clev* —4D **121**
Orchard Rd. *Coal H* —2F **31**
Orchard Rd. *Hut* —1B **140**
Orchard Rd. *K'wd* —2A **74**
Orchard Rd. *L Ash* —4B **76**
Orchard Rd. *Nail* —4B **122**
Orchard Rd. *Paul* —3B **146**
Orchard Rd. *Puck* —2D **65**
Orchard Rd. *St G* —2B **72**
Orchard Rd. *Trow* —3D **119**
Orchard Sq. *Bris* —3F **71**

Orchards, The. *Bris* —3B **74**
Orchards, The. *Pill* —3E **53**
Orchard St. *Bris* —4E **69** (3A **4**)
Orchard St. *W Mare* —1C **132**
Orchard Ter. *Bath* —3C **104**
Orchard, The. *Ban* —5E **137**
Orchard, The. *Fram C* —1E **31**
Orchard, The. *F'frd* —4D **113**
Orchard, The. *Lock* —3D **135**
Orchard, The. *Stok G* —4B **28**
Orchard, The. *W Trym* —5C **40**
Orchard Va. *Bris* —2B **74**
Orchard Va. *Mid N* —3B **150**
Orchard Way. *Bath* —5D **157**
Orchard Way. *N Brad* —4D **155**
Oriel Clo. *Hil* —4F **117**
Oriel Gdns. *Bath* —4D **101**
Oriel Gro. *Bath* —5C **104**
Orion Dri. *Lit S* —3F **27**
Orland Way. *L Grn* —2C **84**
Orlebar Gdns. *Bris* —2D **39**
Orme Dri. *Clev* —1D **121**
Ormerod Rd. *Bris* —3A **56**
Ormonds Clo. *Brad S* —4A **12**
Ormsley Clo. *Lit S* —1E **27**
Ormstone Ho. *Bris* —4C **86**
Orpen Gdns. *Bris* —2D **59**
Orpen Pk. *Alm* —3D **11**
Orpheus Av. *Lit S* —3F **27**
Orwell Dri. *Key* —4B **92**
Orwell St. *Bris* —2A **80**
Osborne Av. *Bris* —4B **58**
Osborne Av. *W Mare* —1D **133**
Osborne Clo. *Stok G* —4F **27**
Osborne Rd. *Bath* —3C **104**
Osborne Rd. *Clif* —1C **68**
Osborne Rd. *Sev B* —3A **20**
Osborne Rd. *S'vle* —1E **79**
Osborne Rd. *Trow* —4E **117**
Osborne Rd. *W Mare* —1D **133**
Osborne Ter. *Bris* —3D **79**
Osborne Vs. *Bris* —2E **69** (1A **4**)
Osprey Ct. *Bris* —3F **87**
Osprey Gdns. *W Mare* —4D **129**
Osprey Pk. *T'bry* —1E **7**
Osprey Rd. *Bris* —3E **71**
Ostlings La. *Bathf* —4C **102**
Otago Ter. *Bath* —4D **101**
Ottawa Rd. *W Mare* —5D **133**
Otterford Clo. *Bris* —3D **89**
Otter Rd. *Clev* —5D **121**
Ottery Clo. *Bris* —3C **38**
Ottrells Mead. *Brad S* —3E **11**
Oval, The. *Bath* —5D **105**
Overdale. *Clan* —4B **148**
Overhill. *Pill* —3F **53**
Over La. *E Comp* —1D **25** & 4A **10**
Overndale Rd. *Bris* —2E **61**
Overnhill Ct. *Bris* —2F **61**
Overnhill Rd. *Bris* —2E **61**
Overnhurst Ct. *Bris* —2F **61**
Overton Rd. *Bris* —5A **58**
Owen Gro. *Bris* —2D **57**
Owen Sq. *Bris* —2E **71**
Owen St. *Bris* —2E **71**
Owls Head Rd. *Bris* —4A **74**
Ox Barton. *Stok G* —3B **28**
Oxen Leaze. *Brad S* —4A **12**
Oxford Pl. *Bris* —4B **68**
Oxford Pl. *C Down* —2D **111**
Oxford Pl. *E'tn* —1D **71**
Oxford Pl. *W Mare* —1B **132**
Oxford Row. *Bath* —2A **106** (1B **96**)
Oxford Sq. *Lock* —2F **135**
Oxford St. *Bar H* —3E **71**
Oxford St. *Bris* —1B **70**
Oxford St. *K'dwn* —2E **69**
Oxford St. *St Ph* —4B **70**
Oxford St. *Tot* —1B **80**
Oxford St. *W Mare* —1B **132**
Oxford Ter. *C Down* —2D **111**
Oxleaze. *Bris* —4F **87**

Pembroke Va.—Poplars, The

Pembroke Va. *Bris* —2C **68**
Penard Way. *Bris* —3B **74**
Penarth Dri. *W Mare* —2E **139**
Pendennis Av. *Bris* —2F **61**
Pendennis Ho. *Bris* —2F **61**
Pendennis Pk. *Bris* —3F **81**
Pendennis Rd. *Bris* —2F **61**
Pendlesham Gdns. *W Mare* —4E **127**
Pendock Clo. *Bit* —4E **85**
Pendock Ct. *E Grn* —5D **47**
Pendock Rd. *Bris* —1D **61**
Pendock Rd. *Wint* —4A **30**
Penfield Rd. *Bris* —5C **58**
Penlea Ct. *Bris* —5F **37**
Pennard. *W Mare* —1E **139**
Pennard Ct. *Bris* —3D **89**
Pennard Grn. *Bath* —3B **104**
Penn Dri. *Bris* —3E **45**
Penn Gdns. *Bath* —1B **104**
Penngrove. *L Grn* —2C **84**
Penn Hill Rd. *Bath* —1B **104**
Pennine Gdns. *W Mare* —4E **127**
Pennine Rd. *Old C* —1E **85**
Pennlea. *Bris* —1E **87**
Penn Lea Ct. *Bath* —1C **104**
Penn Lea Rd. *Bath* —5B **98**
Penns, The. *Clev* —4E **121**
Penn St. *Bris* —3A **70** (1E **5**)
Pennycress. *W Mare* —1B **134**
Pennyquick. *Bath* —5E **95**
Pennyquick Vw. *Bath* —3A **104**
Pennyroyal Gro. *Bris* —2A **60**
Pennywell Rd. *Bris* —2B **70**
Pen Pk. Rd. *Bris* —1E **41**
Penpole Av. *Bris* —1A **54**
Penpole Clo. *Bris* —5F **37**
Penpole La. *Bris* —5F **37**
Penpole Pk. *Shire* —5A **38**
Penpole Pl. *Bris* —1A **54**
Penrice Clo. *W Mare* —3A **128**
Penrith Gdns. *Bris* —3F **41**
Penrose. *Bris* —1B **88**
Penrose Dri. *Brad S* —2F **27**
Pensfield Pk. *Bris* —5F **25**
Pensford Ct. *Bris* —3F **89**
Pentagon, The. *Bris* —1D **55**
Penthouse Hill. *Bathe* —3A **102**
Pentire Av. *Bris* —2C **86**
Pentland Av. *T'bry* —4F **7**
Pepperacre La. *Trow* —1F **119**
Pepys Clo. *Salt* —5F **93**
Pera Pl. *Bath* —1B **106**
Pera Rd. *Bath* —1B **106**
Percival Rd. *Bris* —2B **68**
Percy Pl. *Bath* —5C **100**
Percy Walker Ct. *Bris* —1E **61**
Peregrine Clo. *W Mare* —4D **129**
Perfect Vw. *Bath* —5B **100**
Perrings, The. *Nail* —4D **123**
Perrinpit Rd. *Fram C* —2F **13**
Perrott Rd. *Bris* —1C **74**
Perry Clo. *Wint* —4F **29**
Perrycroft Av. *Bris* —2C **86**
Perrycroft Rd. *Bris* —2C **86**
Perrymans Clo. *Bris* —1C **60**
Perrymead. *Bath* —5C **106**
Perrymead. *W Mare* —1F **129**
Perry Rd. *Bris* —3E **69** (2A **4**)
Perrys Lea. *Brad S* —4F **11**
Perry St. *Bris* —2C **70**
Pesley Clo. *Bris* —4C **86**
Petercole Dri. *Bris* —2C **86**
Peterson Sq. *Bris* —5E **87**
Peter's Ter. *Bris* —3D **71**
Petersway Gdns. *Bris* —4C **72**
Petherton Clo. *Bris* —3A **74**
Petherton Gdns. *Bris* —1D **89**
Petherton Rd. *Bris* —5D **81**
Petticoat La. *Bris* —4A **70** (3E **5**)
Pettigrove Gdns. *Bris* —3A **74**
Pettigrove Rd. *Bris* —4A **74**
Pevensey Wlk. *Bris* —1F **87**

Peverell Clo. *Bris* —1B **40**
Peverell Dri. *Bris* —1B **40**
Philadelphia Ct. *Bris* —3A **70** (1E **5**)
Philippa Clo. *Bris* —1C **88**
Philip St. *Bath* —3B **106** (4C **96**)
Philip St. *Bedm* —1F **79**
Philip St. *St Pm* —5D **71**
Phillips Rd. *W Mare* —2E **133**
Phillis Ct. *Trow* —2E **155**
Phillis Hill. *Paul & Mid N* —5C **146**
Phippen St. *Bris* —5A **70** (5D **5**)
Phipps St. *Bris* —1D **79**
Phipp St. *Clev* —3C **120**
Phoenix Bus. Pk. *Bris* —3C **78**
Phoenix Gro. *Bris* —2E **57**
Phoenix Ho. *Bris* —4D **71**
Phoenix St. *Bris* —4D **71**
Piccadilly Pl. *Bath* —5C **100**
Pickwick Rd. *Bath* —4B **100**
Picton La. *Bris* —1A **70**
Picton St. *Bris* —1A **70**
Pierrepont Pl. *Bath* —3B **106** (4C **96**)
Pierrepont St. *Bath* —3B **106** (4C **96**)
Pier Rd. *P'head* —1F **49**
Pigeon Ho. Dri. *Bris* —4F **87**
Pigott Av. *Bris* —4C **86**
Pile Marsh. *Bris* —3F **71**
Pilgrims Way. *Down* —4F **45**
Pilgrims Way. *Shire* —5E **37**
Pilgrims Way. *W Mare* —3C **128**
Pilgrims Wharf. *St Ap* —3A **72**
Pilkington Clo. *Bris* —2E **43**
Pillingers Rd. *Bris* —3E **73**
Pill Rd. *Pill & Abb L* —4F **53**
Pill St. *Pill* —3E **53**
Pill Way. *Clev* —4B **120**
Pimm's La. *W Mare* —3F **127**
Pimpernel Mead. *Brad S* —2A **28**
Pine Clo. *T'bry* —3D **7**
Pine Clo. *W Mare* —3B **128**
Pine Ct. *Key* —4E **91**
Pine Ct. *Rads* —2D **153**
Pinecroft. *Bris* —1B **88**
Pinecroft. *P'head* —2B **48**
Pine Gro. *Bris* —3C **42**
Pine Gro. Pl. *Bris* —4F **57**
Pine Hill. *W Mare* —3B **128**
Pine Lea. *B'don* —4F **139**
Pine Ridge Clo. *Bris* —3E **55**
Pine Rd. *Bren* —1D **41**
Pines Rd. *Bit* —4E **85**
Pines, The. *Bris* —4F **55**
Pines Way. *Bath* —3F **105**
Pines Way. *Rads* —2D **153**
Pines Way Ind. Est. *Bath* —3F **105**
Pinetree Rd. *Lock* —4B **136**
Pine Wlk. *N Brad* —4D **155**
Pine Wlk. *Rads* —3B **152**
Pinewood. *Bris* —1D **55**
Pinewood Av. *Mid N* —3C **150**
Pinewood Clo. *Bris* —5D **41**
Pinewood Gro. *Mid N* —3C **150**
Pinewood Rd. *Mid N* —3C **150**
Pinhay Rd. *Bris* —2D **87**
Pinkers Mead. *E Grn* —1E **63**
Pinkhams Twist. *Bris* —3C **88**
Pinknash Ct. *Yate* —2F **33**
Pinnell Gro. *Bris* —1E **63**
Pioneer Av. *Bath* —3A **110**
Pipe Ct. *Bris* —4E **69** (3A **4**)
Pipehouse La. *F'frd* —5A **112**
Pipe La. *Bris* —4E **69** (3A **4**)
Pipe La. *St Aug* —5A **70** (5F **5**)
Piper Rd. *Yate* —3A **18**
Piplar Ground. *Brad A* —5E **115**
Pippin Clo. *Pea J* —5D **157**
Pippin Ct. *Bar C* —1B **84**
Pitch & Pay La. *Bris* —4A **56**
Pitch & Pay Pk. *Bris* —4A **56**
Pitchcombe. *Yate* —2E **33**
Pitchcombe Gdns. *Bris* —5F **39**
Pitch La. *Bris* —1F **69**

Pithay Ct. *Bris* —3F **69** (2C **4**)
Pithay, The. *Bris* —3F **69** (2C **4**)
Pithay, The. *Paul* —3B **146**
Pit La. *Back* —4C **124**
Pitman Av. *Trow* —3B **118**
Pitman Ct. *Bath* —4D **101**
Pitman Ct. *Trow* —3B **118**
Pitman Ho. *Bath* —5E **105**
Pitman Rd. *W Mare* —2C **132**
Pit Rd. *Mid N* —3E **151**
Pitt Rd. *Bris* —2A **58**
Pittville Clo. *T'bry* —1D **7**
Pitville Pl. *Bris* —1D **69**
Pixash Bus. Cen. *Key* —3D **93**
Pixash La. *Key* —3D **93**
Pizey Av. *Clev* —4B **120**
Pizey Clo. *Clev* —4B **120**
Plain, The. *T'bry* —3C **6**
Players Clo. *Ham* —5D **29**
Playford Gdns. *Bris* —4A **38**
Pleasant Ho. *Bris* —2F **61**
Pleasant Rd. *Bris* —2F **61**
Pleshey Clo. *W Mare* —3B **128**
Plimsoll Ho. *Bris* —5A **70**
(off Burton Clo.)
Ploughed Paddock. *Nail* —4C **122**
Plover Clo. *W Mare* —4D **129**
Plover Clo. *Yate* —4E **17**
Plovers Ri. *Rads* —1D **153**
Plowright Ho. *Bris* —5D **73**
Plumers Clo. *Clev* —5E **121**
Plumley Cres. *Lock* —4E **135**
Plummer's Hill. *Bris* —2A **72**
Plumpton Ct. *Bris* —3B **46**
Plumptre Clo. *Paul* —4B **146**
Plumptre Rd. *Paul* —4A **146**
Plum Tree Clo. *Wins* —3B **156**
Plum Tree Rd. *W Mare* —1C **134**
Podgers Dri. *Bath* —4C **98**
Podium, The. *Bath* —2B **106** (2C **96**)
(off Northgate St.)
Poet's Clo. *Bris* —2F **71**
Poets Corner. *Rads* —4F **151**
Poet's Wlk. *Clev* —4A **120**
Polden Clo. *Nail* —4D **123**
Polden Ho. *Bris* —2F **79**
Polden Rd. *P'head* —3D **49**
Polden Rd. *W Mare* —5D **127**
Polebarn Cir. *Trow* —2D **119**
Polebarn Gdns. *Trow* —1D **119**
Polebarn Rd. *Trow* —2D **119**
Pollard Rd. *W Mare* —5D **129**
Polly Barnes Clo. *Han* —5D **73**
Polly Barnes Hill. *Bris* —5D **73**
Polygon Rd. *Bris* —4B **68**
Polygon, The. *Bris* —4B **68**
Pomfrett Gdns. *Bris* —3A **90**
Pomphrey Hill. *Mang* —2D **63**
Ponsford Rd. *Bris* —5D **81**
Ponting Clo. *Bris* —1C **72**
Poolbarton. *Key* —2A **92**
Poole Ct. *Yate* —4A **18**
Poole Ct. Dri. *Yate* —4A **18**
Poole Ho. *Bath* —4A **104**
Poolemead Rd. *Bath* —4A **104**
Poole St. *Bris* —4D **37**
Pool Ho. *Pat* —1C **26**
Pool Rd. *Bris* —4A **62**
Popes Wlk. *Bath* —2C **110**
Poplar Av. *Bris* —1F **55**
Poplar Clo. *Bath* —5E **105**
Poplar Clo. *Bris* —4E **75**
Poplar Dri. *Puck* —2D **65**
Poplar La. *Wickw* —3C **154**
Poplar Pl. *Bris* —4C **60**
Poplar Pl. *W Mare* —5C **126**
Poplar Rd. *Bath* —4E **109**
Poplar Rd. *Bed D* —1B **86**
Poplar Rd. *Han* —5C **72**
Poplar Rd. *S'wll* —1B **72**
Poplar Rd. *War* —5E **75**
Poplars, The. *E'ton G* —3D **53**

Quarry Rd. *Fren* —5D **45**
Quarry Rd. *K'wd* —4F **73**
Quarry Rd. *P'head* —4E **49**
Quarry Rock Gdns. Cvn. Pk. *Bath*
   —5E **107**
Quarry Steps. *Bris* —5C **56**
Quarry Way. *E Grn* —3C **46**
Quarry Way. *Nail* —3C **122**
Quarry Way. *Stap* —2A **60**
Quaterway La. *Trow* —1E **119**
Quays Av. *P'head* —3A **50**
Quayside. *Bris* —4A **70** (3E **5**)
Quayside. *St G* —4B **72**
Quayside Ho. *Bris* —4D **69**
Quay St. *Bris* —3F **69** (2B **4**)
Quebec. *Bath* —3B **104**
Quedgeley. *Yate* —1E **33**
Queen Ann Rd. *Bris* —4D **71**
Queen Charlotte St. *Bris* —4F **69** (3C **4**)
Queen Charlton La. *Bris* —5F **89**
Queen Quay. *Bris* —4F **69** (4C **4**)
Queen's Av. *Bris* —3D **69**
Queens Av. *P'head* —3E **49**
Queens Club Gdns. *Trow* —2A **118**
Queenscote. *P'head* —3B **50**
Queen's Ct. Bris —3D 69
(off Queen's Rd.)
Queensdale Cres. *Bris* —4C **80**
Queensdown Gdns. *Bris* —2E **81**
Queen's Dri. *Bath* —2B **110**
Queen's Dri. *Bishop* —3E **57**
Queens Dri. *Han* —1D **83**
Queens Gdns. *Trow* —3E **117**
Queenshill Rd. *Bris* —3C **80**
Queensholm Av. *Bris* —3A **46**
Queensholm Cres. *Bris* —3F **45**
Queensholm Dri. *Bris* —3A **46**
Queensholme Clo. *Bris* —3A **46**
Queens Pde. *Bath* —2A **106** (2A **96**)
Queen's Pde. *Bris* —4D **69**
Queens Pde. Pl. *Bath* —2A **106** (2B **96**)
Queens Pl. *Bath* —4C **106** (5E **97**)
Queen Sq. *Bath* —2A **106** (2B **96**)
Queen Sq. *Bris* —4F **69** (4B **4**)
Queen Sq. *Salt* —1B **94**
Queen Sq. Av. *Bris* —4F **69** (4C **4**)
Queen Sq. Pl. *Bath* —2A **106** (2A **96**)
Queens Rd. *Ash D* —3B **58**
Queens Rd. *Ban* —5E **137**
Queen's Rd. *B'wth* —5B **86**
Queen's Rd. *Clev* —3D **121**
Queen's Rd. *Clif* —3C **68**
Queens Rd. *Key* —4F **91**
Queens Rd. *Know* —3E **81**
Queen's Rd. *Nail* —4B **122**
Queen's Rd. *P'head* —4A **48**
Queen's Rd. *Puck* —2D **65**
Queen's Rd. *Rads* —2E **153**
Queen's Rd. *St G* —2B **72**
Queens Rd. *Trow* —5C **116**
Queens Rd. *War* —1C **84**
Queen's Rd. *W Mare* —4B **126**
Queen St. *A'mth* —3C **36**
Queen St. *Bath* —3A **106** (3B **96**)
Queen St. *Eastv* —4F **59**
Queen St. *K'wd* —3D **73**
Queen St. *St Ph* —3A **70** (2E **5**)
Queens Wlk. *T'bry* —1C **6**
Queensway. *Lit S* —3E **27**
Queen's Way. *P'head* —4A **48**
Queen's Way. *W Mare* —1C **128**
Queen Victoria Rd. *Bris* —3C **68**
Queen Victoria St. *Bris* —4C **70**
Queenwood Av. *Bath* —5B **100**
Quickthorn Clo. *Bris* —2C **88**
Quiet St. *Bath* —3A **106** (3B **96**)
Quilling Clo. *Trow* —3E **119**
Quilter Gro. *Bris* —1F **87**

Raby M. *Bathw* —2C **106** (2E **97**)
Raby Pl. *Bathw* —2C **106** (2E **97**)

Raby Vs. *Bath* —2C **106** (2F **97**)
Rackfield Pl. *Bath* —3C **104**
Rackham Clo. *Bris* —1D **59**
Rackhay. *Bris* —4F **69** (3C **4**)
Rackvernal Rd. *Mid N* —3E **151**
Radford Hill. *Tim* —1E **157**
Radley Rd. *Bris* —3D **61**
Radnor Rd. *Hor* —2F **57**
Radnor Rd. *W Trym* —2D **57**
Radstock Rd. *Mid N* —2E **151**
Raeburn Rd. *Bris* —3D **73**
Raglan Clo. Bath —4B 100
(off Raglan La.)
Rag La. *Wickw* —2A **154**
Raglan La. *Bath* —4B **100**
Raglan La. *Bris* —3C **72**
Raglan Pl. *Bris* —4F **57**
Raglan Pl. *T'bry* —4C **6**
Raglan Pl. *W Mare* —5A **126**
Raglan Rd. *Bris* —4F **57**
Raglan St. *Bath* —4B **100**
Raglan Ter. *Bath* —4B **100**
Raglan Vs. *Bath* —4B **100**
Raglan Wlk. *Key* —4F **91**
Ragleth Gro. *Trow* —5E **117**
Railton Jones Clo. *Stok G* —1A **44**
Railway Bldgs. *Bath* —3D **105**
Railway Pl. *Bath* —4B **106** (5D **97**)
Railway Rd. *Bath* —4B **106** (5C **96**)
Railway St. *Bath* —4B **106** (5C **96**)
Railway Ter. *Bris* —3E **61**
Railway Vw. *Ham* —1F **45**
Railway Vw. Pl. *Mid N* —2E **151**
Railway Wlk. *Wins* —3A **156**
Raleigh Clo. *Salt* —5D **93**
Raleigh Ct. *Trow* —2D **119**
Raleigh Ri. *P'head* —2D **49**
Raleigh Rd. *Bedm* —2C **78**
Ralph Allen Dri. *Bath* —5C **106**
Ralph Rd. *Bris* —3B **58**
Rambler Clo. *Trow* —1A **118**
Ram Hill. *Coal H* —4E **31**
Ramsbury Wlk. *Trow* —4D **119**
Ramsey Clo. *W Mare* —1C **128**
Ramsey Rd. *Bris* —5B **42**
Ranchway. *P'head* —4B **48**
Randall Clo. *Bris* —5B **62**
Randall Rd. *Bris* —4C **68**
Randolph Av. *Bris* —3D **87**
Randolph Av. *Yate* —1F **17**
Randolph Clo. *Bris* —3D **87**
Rangers Wlk. *Bris* —1E **83**
Rank, The. *N Brad* —4D **155**
Rannoch Rd. *Bris* —2B **42**
Ranscombe Av. *W Mare* —3B **128**
Ransford. *Clev* —5B **120**
Raphael Ct. *Redc* —5A **70** (5E **5**)
Ratcliffe Dri. *Stok G* —4A **28**
Rathbone Clo. *Coal H* —4E **31**
Raven Clo. *W Mare* —4C **128**
Ravendale Dri. *L Grn* —3C **84**
Ravenglass Cres. *Bris* —2E **41**
Ravenhead Dri. *Bris* —5D **81**
Ravenhill Av. *Bris* —2B **80**
Ravenhill Rd. *Bris* —2B **80**
Ravenscourt Rd. *Pat* —2D **27**
Ravenscroft Gdns. *Trow* —1F **119**
Ravenswood. *L Grn* —2C **84**
Ravenswood Rd. *Bris* —1E **69**
Rawlins Av. *W Mare* —1E **129**
Rayens Clo. *L Ash* —4B **76**
Rayens Cross Rd. *L Ash* —4B **76**
Rayleigh Rd. *Bris* —5F **39**
Raymend Rd. *Bris* —2A **80**
Raymend Wlk. *Bris* —3A **80**
Raymill. *Bris* —3C **82**
Raymore Ri. *L Ash* —5B **76**
Raynes Rd. *Bris* —2C **78**
Rectors Way. *W Mare* —2D **133**
Rectory Clo. *Wrax* —3F **123**
Rectory Clo. *Yate* —3B **18**
Rectory Dri. *Yat* —4C **142**

Rectory Gdns. *Bris* —2A **40**
Rectory La. *B'don* —5A **140**
Rectory La. *Brad S* —1C **42**
Rectory La. *Tim* —1E **157**
Rectory Rd. *E'ton G* —4D **53**
Rectory Rd. *Fram C* —1C **30**
Rectory Way. *Yat* —4C **142**
Redcar Ct. *Down* —3C **46**
Redcatch Rd. *Bris & Know* —2B **80**
Redcliff Backs. *Bris* —4A **70** (4D **5**)
Redcliffe Clo. *P'head* —5A **48**
Redcliffe Pde. E. *Bris* —5F **69** (5C **4**)
Redcliffe Pde. W. *Bris* —5F **69** (5C **4**)
Redcliffe Way. *Bris* —4F **69** (4B **4**)
(in two parts)
Redcliff Hill. *Bris* —5A **70** (5D **5**)
Redcliff Mead La. *Bris* —5A **70** (5E **5**)
Redcliff Pde. *Bris* —5F **69** (5C **4**)
Redcliff St. *Bris* —4A **70** (3D **5**)
Redcross La. *Bris* —3B **70** (1F **5**)
Redcross St. *Bris* —3B **70** (2F **5**)
Redding Rd. *Bris* —5D **59**
Reddings, The. *Bris* —5B **62**
Redfield Gro. *Mid N* —3D **151**
Redfield Hill. *Old C* —1F **85**
Redfield Rd. *Mid N* —4C **150**
Redfield Rd. *Pat* —2D **27**
Redford Cres. *Bris* —5A **86**
Redford La. *Yate* —3E **65**
Redford Wlk. *Bris* —5B **86**
Red Hill. *C'ton* —1B **148**
Redhill Clo. *Bris* —4A **60**
Redhill Dri. *Bris* —4A **60**
Red Ho. La. *Alm* —2D **11**
Red Ho. La. *Bris* —1A **56**
Redland Ct. Rd. *Bris* —4E **57**
Redland Grn. Rd. *Bris* —4D **57**
Redland Gro. *Bris* —5E **57**
Redland Hill. *Redl* —5C **56**
Redland Pk. *Bath* —3A **104**
(in two parts)
Redland Pk. *Bris* —5D **57**
Redland Rd. *Bris* —4C **56**
Redland Rd. *P'bry* —1B **52**
Redlands Ter. *Mid N* —4C **150**
Redland Ter. *Bris* —5D **57**
Red Post Ct. *Bath* —2E **149**
Redshelf Wlk. *Bris* —1E **41**
Redwick Clo. *Bris* —2E **39**
Redwick Rd. *Piln* —1B **20**
Redwing Dri. *W Mare* —4D **129**
Redwing Gdns. *Bris* —1A **60**
Redwood Clo. *L Grn* —2C **84**
Redwood Clo. *Nail* —3F **123**
Redwood Clo. *Rads* —4B **152**
Redwood Ho. *Bris* —5F **87**
Redwoods, The. *Key* —2F **91**
Reed Ct. *L Grn* —1B **84**
Reedley Rd. *Bris* —2A **56**
Reedling Clo. *Bris* —1A **60**
Regency Dri. *Bris* —3C **82**
Regent Rd. *Bris* —1F **79**
Regents Clo. *T'bry* —1C **6**
Regents Fld. *Bath* —1E **107**
Regent's Pl. *Brad A* —3E **115**
Regent St. *Clif* —4C **68**
Regent St. *K'wd* —2F **73**
Regent St. *W Mare* —1B **132**
Regina, The. Bath —1B **96**
Remenham Dri. *Bris* —2D **57**
Rendcomb Clo. *W Mare* —3F **127**
Rene Rd. *Bris* —1D **71**
Repton Rd. *Bris* —2E **81**
Retreat, The. *W Mare* —4A **126**
Reynold's Clo. *Key* —3C **92**
Reynolds Wlk. *Bris* —5C **42**
Rhode Clo. *Key* —5C **92**
Rhododendron Wlk. *Bris* —3A **40**
Rhodyate Hill. *Clav* —5E **143**
Rhodyate La. *C've* —4F **143**
Rhyne Ter. *Uph* —1B **138**
Rhyne Vw. *Nail* —4A **122**

St Clement's Ct. *Key* —4A **92**
St Clements Ct. *W Mare* —3E **129**
St Clement's Rd. *Key* —4A **92**
(in two parts)
St David's Av. *Bris* —5D **75**
St David's Clo. *W Mare* —3F **127**
St David's Cres. *Bris* —4B **72**
St David's Rd. *T'bry* —3D **7**
St Dunstan's Rd. *Bris* —3E **79**
St Edward's Rd. *Bris* —4D **69**
St Edyths Rd. *Bris* —1D **55**
St Fagans Ct. *Will* —3D **85**
St Francis Dri. *Wick* —4A **154**
St Francis Dri. *Wint* —3B **30**
St Francis Rd. *Bris* —1C **78**
St Francis Rd. *Key* —2E **91**
St Gabriel's Rd. *Bris* —2D **71**
St Georges Av. *St G* —4B **72**
St Georges Bldgs. Bath —2F **105**
(off Up. Bristol Rd.)
St George's Hill. *B'ptn* —1E **107**
St Georges Hill. *E'ton G* —4C **52**
St George's Ho. Bris —4D **69**
(off St George's Rd.)
St Georges Pl. Bath —2F **105**
(off Up. Bristol Rd.)
St George's Rd. *Bris* —4D **69** (4A **4**)
St Georges Rd. *Key* —2F **91**
St George's Rd. *P'bry* —5A **36**
St Georges Ter. *Trow* —2C **118**
St Gregory's Rd. *Bris* —4B **42**
St Gregory's Wlk. *Bris* —4B **42**
St Helena Rd. *Bris* —3D **57**
St Helens Dri. *Old C* —3E **85**
St Helens Dri. *Wick* —4B **154**
St Helen's Wlk. *Bris* —1C **72**
St Helier Av. *Bris* —1B **82**
St Hilary Clo. *Bris* —2F **55**
St Ivel Way. *Bris* —4E **75**
St Ives Clo. *Nail* —4F **123**
St Ives Rd. *W Mare* —4E **133**
St James Barton. *Bris* —2A **70** (1D **5**)
St James Clo. *T'bry* —1D **7**
St James Pde. *Bris* —3F **69** (1C **4**)
St James Pl. *Mang* —2C **62**
St James's Pde. *Bath*
—3A **106** (4B **96**)
St James's Pk. *Bath* —1A **106**
St James's Pl. *Bath* —1A **106** (1A **96**)
St James's Sq. *Bath* —1F **105** (1A **96**)
St James's St. *Bath* —1A **106** (1A **96**)
St James St. *Mang* —2C **62**
St James St. *W Mare* —1B **132**
St John's Av. *Clev* —3D **121**
St John's Bldgs. *Bedm* —1F **79**
St John's Clo. *Pea J* —2E **149**
St John's Clo. *W Mare* —4B **126**
St John's Ct. *Key* —2A **92**
St John's Cres. *Bris* —3A **80**
St John's Cres. *Mid N* —2D **151**
St John's Cres. *Trow* —4A **118**
St John's La. *Bris* —2E **79**
St John's Pl. *Bath* —3A **106** (3B **96**)
St John's Rd. *Back* —3D **125**
St John's Rd. *Bathw* —2B **106** (2C **96**)
St John's Rd. *Bedm* —2E **79**
St John's Rd. *Clev* —3D **121**
St John's Rd. *Clif* —1C **68**
St John's Rd. *Lwr W* —2D **105**
St John's Rd. *S'vle* —1F **79**
St Johns Rd. *Tim* —2E **157**
St John's St. *Bris* —2E **79**
St John St. *T'bry* —3C **6**
St John's Way. *Chip S* —4D **19**
St Joseph's Rd. *Bris* —1D **41**
St Joseph's Rd. *W Mare* —4C **126**
St Judes Ter. *W Mare* —4A **128**
St Katherine's Quay. *Brad A* —4E **115**
St Kenya Ct. *Key* —3B **92**
St Keyna Rd. *Key* —3A **92**
St Kilda's Rd. *Bath* —4E **105**
St Ladoc Rd. *Key* —2F **91**

St Laud Clo. *Bris* —2F **55**
St Laurence Rd. *Brad A* —4F **115**
St Leonard's Rd. *G'bnk* —5E **59**
St Leonard's Rd. *Hor* —1A **58**
St Loe Clo. *Bris* —5B **88**
St Lucia Clo. *Bris* —4A **42**
St Lucia Cres. *Bris* —5A **42**
St Lukes Ct. *Bris* —1A **80**
St Luke's Cres. *Bris* —1B **80**
St Luke's Gdns. *Bris* —3A **82**
St Luke's Rd. *Bath* —1A **110**
St Luke's Rd. *Bris* —1A **80**
St Lukes Rd. *Mid N* —2C **150**
St Luke's Steps. *Bris* —1B **80**
St Luke St. *Bris* —3D **71**
St Margaret's Clo. *Back* —3C **124**
St Margaret's Clo. *Key* —2F **91**
St Margarets Clo. *Trow* —4A **118**
St Margaret's Ct. *Brad A* —3E **115**
St Margaret's Dri. *Bris* —2F **57**
St Margaret's Hill. *Brad A* —3E **115**
St Margarets La. *Back* —3C **124**
St Margaret's Pl. *Brad A* —3E **115**
St Margaret's St. *Brad A* —3E **115**
St Margaret's Ter. *W Mare* —5B **126**
St Margaret's Vs. *Brad A* —3E **115**
St Mark's Av. *Bris* —5E **59**
St Marks Clo. *Key* —2A **92**
St Marks Gdns. *Bath* —4B **106** (5C **96**)
St Mark's Grn. *Tim* —1E **157**
St Mark's Gro. *Bris* —1D **71**
St Mark's Rd. *Bath* —4B **106** (5C **96**)
St Mark's Rd. *Bris* —1D **71**
St Mark's Rd. *Mid N* —2D **151**
St Mark's Rd. *W Mare* —1D **129**
St Mark's Ter. *Bris* —1D **71**
St Martins. *L Ash* —4C **76**
St Martin's Clo. *Bris* —3D **81**
St Martin's Ct. *Bath* —3F **109**
St Martins Ct. *W Mare* —2C **128**
St Martin's Gdns. *Bris* —4D **81**
St Martin's Rd. *Bris* —3D **81**
St Martin's Wlk. *Bris* —4D **81**
St Mary's Bldgs. *Bath* —4A **106** (5A **96**)
St Mary's Clo. *Bath* —3C **106** (3F **97**)
St Mary's Clo. *Hil M* —3F **117**
St Mary's Clo. *Hut* —1B **140**
St Mary's Clo. *Tim* —1E **157**
St Mary's Ct. *W Mare* —1E **139**
St Mary's Gdns. *Hil M* —3E **117**
St Mary's Gro. *Nail* —5B **122**
St Mary's Pk. *Nail* —5B **122**
St Mary's Pk. Rd. *P'head* —4E **49**
St Marys Ri. *Writ* —2F **153**
St Mary's Rd. *Hut* —1B **140**
St Mary's Rd. *L Wds* —4F **67**
St Mary's Rd. *P'head* —4E **49**
St Mary's Rd. *Shire* —5E **37**
St Mary St. *T'bry* —4C **6**
St Mary's Wlk. *Bris* —1F **53**
St Marys Way. *T'bry* —3C **6**
St Mary's Way. *Yate* —4B **18**
St Matthew's Av. *Bris* —1F **69**
St Matthew's Clo. *W Mare* —4B **126**
St Matthew's Pl. *Bath* —4C **106** (5E **97**)
St Matthew's Rd. *Bris* —1F **69**
St Matthias Pk. *Bris* —3B **70** (1F **5**)
St Michael's Av. *Clev* —5D **121**
St Michael's Av. *W Mare* —2E **129**
St Michaels Clo. *Bris* —3A **58**
St Michael's Clo. *Hil* —4F **117**
St Michael's Clo. *Wint* —2A **30**
St Michael's Ct. *Bris* —2D **73**
St Michaels Ct. *Mon C* —3F **111**
St Michael's Hill. *Bris* —2E **69** (1A **4**)
St Michael's Pk. *Bris* —2E **69** (1A **4**)
St Michael's Rd. *Bath* —4B **106** (4B **96**)
St Michael's Rd. *Lwr W* —2E **105**
St Michael's Rd. *W'way* —4B **104**
St Nicholas Clo. *N Brad* —4E **155**
St Nicholas Clo. *W'ley* —2E **113**
St Nicholas Ct. *B'ptn* —5A **102**

St Nicholas Mkt. *Bris* —4F **69** (3C **4**)
St Nicholas Pk. *Bris* —1D **71**
St Nicholas Rd. *St Pa* —1B **70**
St Nicholas Rd. *Uph* —1B **138**
St Nicholas Rd. *W'chu* —4E **89**
St Nicholas St. *Bris* —4F **69** (3C **4**)
St Oswald's Ct. *Bris* —4D **57**
St Oswald's Rd. *Bris* —4D **57**
St Patrick's Ct. *Bath* —3C **106** (3F **97**)
St Patrick's Ct. *Key* —3A **92**
St Pauls Pl. *Bath* —3A **106** (3A **96**)
St Paul's Pl. *Mid N* —2D **151**
St Paul's Rd. *Bris* —1F **79**
St Paul's Rd. *Clif* —3D **69**
St Paul's Rd. *W Mare* —3C **132**
St Paul St. *Bris* —2A **70**
St Peter's Av. *W Mare* —4B **126**
St Peter's Cres. *Fram C* —1D **31**
St Peter's Ri. *Bris* —1C **86**
St Peter's Rd. *Mid N* —4F **151**
St Peter's Rd. *P'head* —4F **49**
St Peter's Ter. *Bath* —3E **105**
St Peter's Wlk. *Bris* —1D **57**
St Philips Causeway. *Bris* —4D **71**
St Philips Central Ind. Est. *Bris* —5C **70**
St Philips Rd. *St Ph* —3B **70**
St Pierre Dri. *War* —4D **75**
St Ronan's Av. *Bris* —1E **69**
St Saviours Ri. *Fram C* —3D **31**
St Saviours Rd. *Lark* —5D **101**
St Saviour's Ter. *Bath* —5C **100**
St Saviours Way. *Bath* —5D **101**
St Silas St. *Bris* —5C **70**
St Stephen's Av. *Bris* —4F **69** (3B **4**)
St Stephens Bus. Cen. War —5E **75**
(off Poplar Rd.)
St Stephen's Clo. *Bath* —5A **100**
St Stephen's Clo. *Bris* —2E **41**
St Stephen's Clo. *Soun* —4A **62**
St Stephen's Ct. *Bath* —1A **106**
St Stephen's Pl. Bath —1A **106**
(off St Stephen's Rd.)
St Stephen's Pl. *Trow* —2D **119**
St Stephen's Rd. *Bath* —1A **106**
St Stephen's Rd. *Bris* —5F **61**
St Stephen's St. *Bris* —3F **69** (2B **4**)
St Swithin's Pl. *Bath* —1B **106**
St Thomas' Pas. *Trow* —1D **119**
St Thomas Rd. *Mid N* —2E **151**
St Thomas Rd. *Trow* —1E **119**
St Thomas St. *Bris* —4A **70** (3D **5**)
St Thomas St. E. *Bris* —4A **70** (4D **5**)
St Vincents Hill. *Bris* —5C **56**
St Vincents Rd. *Bris* —4C **68**
St Vincents Trad. Est. *Bris* —4F **71**
St Werburgh's Pk. *Bris* —5C **58**
St Werburgh's Rd. *Bris* —5B **58**
St Whytes Rd. *Bris* —5F **79**
St Winifred's Dri. *C Down* —2E **111**
Salcombe Gdns. *W Mare* —2E **129**
Salcombe Rd. *Bris* —4B **80**
Salem Rd. *Wint* —2B **30**
Salisbury Av. *Bris* —2D **73**
Salisbury Gdns. *Bris* —2A **62**
Salisbury Pk. *Bris* —1A **62**
Salisbury Rd. *Bath* —4C **100**
Salisbury Rd. *Down* —1A **62**
Salisbury Rd. *Paul* —5C **146**
Salisbury Rd. *Redl* —5F **57**
Salisbury Rd. *St Ap* —5F **71**
Salisbury Rd. *W Mare* —4A **128**
Salisbury St. *Bar H* —4D **71**
Salisbury St. *St G* —3A **72**
Salisbury Ter. *W Mare* —5B **126**
Salisbury Vw. *B'ptn* —5A **102**
Sally Barn Clo. *L Grn* —3A **84**
Sallysmead Clo. *Bris* —4D **87**
Sallys Way. *Wint* —2B **30**
Salmons Way. *E Grn* —4C **46**
Saltford Ct. *Salt* —1A **94**
Salthouse Farm Cvn. Pk. *Sev B* —2B **20**
Salthouse Rd. *Clev* —4B **120**

Salthrop Rd.—Sheldrake Dri.

Salthrop Rd. *Bris* —3A **58**
Saltings Clo. *Clev* —4B **120**
Saltmarsh Dri. *Bris* —3C **38**
Saltwell Av. *Bris* —3E **89**
Sambourne La. *Pill* —2E **53**
Samian Way. *Stok G* —4A **28**
Sampson Ho. Bus. Pk. *H'len* —2F **23**
Sampsons Rd. *Bris* —4F **87**
Samuel St. *Bris* —2E **71**
Samuel White Rd. *Bris* —2D **83**
Samuel Wright Clo. *Bris* —5F **75**
Sanctuary Gdns. *Bris* —4F **55**
Sandbach Rd. *Bris* —1F **81**
Sandbed Rd. *Bris* —5C **58**
Sandburrows Rd. *Bris* —2A **86**
Sandburrows Wlk. *Bris* —2B **86**
Sandcroft. *Bris* —2B **88**
Sandcroft Av. *Uph* —1B **138**
Sanders Rd. *Trow* —5C **116**
Sandford Clo. *Clev* —5B **120**
Sandford Rd. *Bris* —5C **68**
Sandford Rd. *W Mare* —1D **133**
Sandford Rd. *Wins* —3A **156**
Sandgate Rd. *Bris* —1F **81**
Sand Hill. *Bris* —1E **81**
Sandholme Clo. *Bris* —4A **46**
Sandholme Rd. *Bris* —1E **81**
Sandhurst. *Yate* —1F **33**
Sandhurst Clo. *Pat* —5D **11**
Sandhurst Rd. *Bris* —1F **81**
Sandling Av. *Bris* —5B **42**
Sandown Cen. *Whit B* —3F **155**
Sandown Clo. *Down* —3B **46**
Sandown Rd. *Brisl* —1F **81**
Sandown Rd. *Fil* —1E **43**
Sandpiper Dri. *W Mare* —4D **129**
Sandringham Av. *Bris* —4A **46**
Sandringham Pk. *Bris* —5A **46**
Sandringham Rd. *Bris* —2F **81**
Sandringham Rd. *L Grn* —3B **84**
Sandringham Rd. *Stok G* —4F **27**
Sandringham Rd. *Trow* —5B **118**
Sandringham Rd. *W Mare* —3D **133**
Sand Rd. *Kew* —1F **127**
Sands La. *Fram C* —5B **14**
Sandstone Ri. *Wint* —5A **30**
Sandwich Rd. *Bris* —1F **81**
Sandy Clo. *Brad S* —3A **28**
Sandy La. *Abb L* —3A **66**
Sandy La. *Bris* —4E **59**
Sandy Leaze. *Brad A* —3D **115**
Sandyleaze. *Bris* —5A **40**
Sandy Lodge. *Yate* —1A **34**
Sandy Pk. Rd. *Bris* —1E **81**
Saracen St. *Bath* —2B **106** (2C **96**)
Sarah St. *Law H* —3D **71**
Sargent St. *Bris* —1A **80**
Sarum Cres. *Bris* —3E **41**
Sassoon Ct. *Bar C* —5B **74**
Satchfield Clo. *Bris* —2B **40**
Satchfield Cres. *Bris* —2B **40**
Satellite Bus. Pk. *Bris* —3F **71**
Sates Way. *Bris* —1E **57**
Saunders Rd. *Bris* —3A **62**
Saunton Wlk. *Bris* —5A **80**
Savages Wood Rd. *Brad S* —1F **27**
Savernake Rd. *W Mare* —2D **129**
Saville Cres. *W Mare* —5A **128**
Saville Ga. Clo. *Bris* —3B **56**
Saville Pl. *Bris* —4C **68**
Saville Rd. *Bris* —4B **56**
Saville Rd. *W Mare* —5A **128**
Saville Row. *Bath* —2A **106** (1B **96**)
Savoy Rd. *Bris* —1F **81**
Saw Clo. *Bath* —3A **106** (3B **96**)
Saw Mill La. *T'bry* —3C **6**
Sawyers Clo. *Wrax* —3F **123**
Sawyers Ct. *Clev* —3E **121**
Saxby Clo. *Clev* —5B **120**
Saxby Clo. *W Mare* —1F **129**
Saxon Dri. *Trow* —3E **117**
Saxon Rd. *Bris* —5C **58**

Saxon Rd. *W Mare* —5A **128**
Saxon Way. *Bris* —5E **11**
Saxon Way. *Pea J* —4E **157**
Saxon Way. *W'ley* —2F **113**
Say Wlk. *B'yte* —3F **75**
Scafell Clo. *W Mare* —4E **127**
Scandrett Clo. *Bris* —2A **40**
Scantleberry Clo. *Down* —4F **45**
Scaurs, The. *W Mare* —3D **129**
School Clo. *Bris* —4B **88**
School Clo. *Pat* —1E **27**
School La. *Ban* —5F **137**
School La. *Fren* —2A **60**
School La. *Nthnd* —2A **102**
School La. *Stav* —2D **117**
School La. Clo. *Stav* —2D **117**
School Rd. *Brisl* —3A **82**
School Rd. *Bris* —1C **84**
School Rd. *Fram C* —1B **30**
School Rd. *K'wd* —2E **73**
School Rd. *Old C* —2D **85**
School Rd. *Tot* —2C **80**
School Rd. *Wrin* —1C **156**
School Vw. *Wrax* —3F **123**
School Wlk. *W'hall* —1F **71**
School Wlk. *Yate* —4A **18**
School Way. *Sev B* —4B **20**
Scop, The. *Alm* —1D **11**
Scotch Horn Clo. *Nail* —3E **123**
Scotch Horn Way. *Nail* —3E **123**
Scots Pine Av. *Nail* —3E **123**
Scott Ct. *Bar C* —5B **74**
Scott Lawrence Clo. *Bris* —5C **44**
Scott Rd. *W Mare* —4E **133**
Scott Wlk. *B'yte* —3F **75**
Scott Way. *Chip S* —2B **34**
Sea Bank Rd. *P'bry* —4A **36**
Seabrook Rd. *W Mare* —4B **128**
Seagry Clo. *Bris* —3A **42**
Sea Mills La. *Bris* —3E **55**
Searle Ct. *Clev* —3E **121**
Searle Ct. Av. *Bris* —1A **82**
Searle Cres. *W Mare* —2E **133**
Seaton Rd. *Bris* —1F **71**
Seavale Rd. *Clev* —2C **120**
Seaview Rd. *P'head* —2B **48** (Portishead)
Seaview Rd. *P'head* —4B **48** (Redcliff Bay)
Seawalls. *Bris* —5F **55**
Seawalls Rd. *Bris* —5F **55**
Second Av. *Bath* —5E **105**
Second Av. *W'fld I* —5F **151**
Second Way. *Bris* —3F **37**
Seddon Rd. *Bris* —1C **70**
Sedgefield Gdns. *Bris* —3B **46**
Sedgemoor Clo. *Nail* —5D **123**
Sedgemoor Rd. *Bath* —3A **110**
Sedgemoor Rd. *W Mare* —4D **127**
Sedgewick. *Bris* —5A **38**
Sefton Pk. Rd. *Bris* —4A **58**
Sefton Sq. *W Mare* —5E **129**
Selborne Rd. *Bris* —2B **58**
Selbourne Clo. *Bath* —1B **104**
Selbourne Rd. *W Mare* —4C **132**
Selbrooke Cres. *Bris* —1D **61**
Selby Rd. *Bris* —1B **72**
Selden Rd. *Bris* —3A **90**
Selkirk Rd. *Bris* —5E **61**
Selley Wlk. *Bris* —3C **86**
Selwood Clo. *W Mare* —1A **134**
Selworthy. *Bris* —3A **74**
Selworthy Clo. *Key* —3F **91**
Selworthy Gdns. *Nail* —4D **123** (off Mizzymead Rd.)
Selworthy Ho. *Bath* —2A **110**
Selworthy Rd. *Bris* —3A **58**
Selworthy Rd. *W Mare* —4D **133**
Seneca Pl. *Bris* —2F **71**
Seneca St. *Bris* —2F **71**
Serbert Rd. *P'head* —3A **50**
Serbert Way. *P'head* —3A **50**

Sercombe Pk. *Clev* —5E **121**
Serlo Ct. *W Mare* —1E **129**
Serridge La. *Coal H* —5E **31**
Servier St. *Bris* —5B **58**
Seven Acres La. *Bathe* —1A **102**
Seven Dials. *Bath* —3A **106** (3B **96**)
Seventh Av. *Bris* —3D **43**
Severn Av. *W Mare* —3C **132**
Severn Dri. *T'bry* —2C **6**
Severn Grange. *Bris* —1F **39**
Severn Ho. *Bris* —1F **39**
Severnmead. *P'head* —3B **48**
Severn Rd. *Chit & H'len* —1A **22** & 5A **20**
Severn Rd. *Pill* —2E **53**
Severn Rd. *P'head* —3E **49**
Severn Rd. *Shire* —1F **53**
Severn Rd. *W Mare* —3B **132**
Severnside Trad. Est. *Bris* —4E **21**
Severn Vw. Rd. *T'bry* —2D **7**
Severn Way. *Key* —4B **92**
Severn Way. *Pat* —5B **10** (in two parts)
Severnwood Gdns. *Sev B* —5B **20**
Sevier St. *Bris* —5B **58**
Seville Rd. *P'head* —1A **50**
Seward Ter. *Rads* —2F **153**
Sewell Ho. *Wins* —4B **156**
Seymour Av. *Bris* —3A **58**
Seymour Clo. *Clev* —3E **121**
Seymour Clo. *W Mare* —1D **129**
Seymour Ct. *Trow* —1C **118**
Seymour Rd. *Bath* —1B **106**
Seymour Rd. *Bishop* —3A **58**
Seymour Rd. *E'tn* —1C **70**
Seymour Rd. *K'wd* —1F **73**
Seymour Rd. *Stap H* —3F **61**
Seymour Rd. *Trow* —1C **118**
Seyton Wlk. *Stok G* —4A **28**
Shackel Hendy M. *E Grn* —2D **63**
Shackleton Av. *Yate* —1B **34**
Shadwell Rd. *Bris* —4F **57**
Shaftesbury Av. *Bath* —2D **105**
Shaftesbury Av. *Bris* —1A **70**
Shaftesbury Clo. *Nail* —5C **122**
Shaftesbury Ct. *Trow* —4A **118**
Shaftesbury Rd. *Bath* —4E **105**
Shaftesbury Rd. *W Mare* —5F **127**
Shaftesbury Ter. *Bris* —3F **71**
Shaftesbury Ter. *Rads* —1D **153**
Shaft Rd. *C Down & Mon C* —2E **111**
Shaft Rd. *Sev B* —2B **20**
Shails La. *Trow* —1C **118**
Shails La. Ind. Est. *Trow* —1C **118**
Shakespeare Av. *Bath* —5A **106**
Shakespeare Av. *Bris* —4C **42**
Shakespeare Rd. *Rads* —3F **151**
Shaldon Rd. *Bris* —3C **58**
Shallows, The. *Salt* —1B **94**
Shambles, The. *Brad A* —2E **115**
Sham Castle La. *Bath* —2C **106** (2F **97**)
Shamrock Rd. *Bris* —4F **59**
Shanklin Dri. *Bris* —1D **43**
Shannon Ct. *T'bry* —4E **7**
Shapcott Clo. *Bris* —4D **81**
Shaplands. *Stok B* —3B **56**
Sharland Clo. *Bris* —4A **56**
Shaw Clo. *Bris* —2D **71**
Shaws Way. *Bath* —3A **104**
Shearman St. *Trow* —3D **119**
Shearwater Ct. *Bris* —1B **60**
Sheene Rd. *Bedm* —2E **79**
Sheepcote Barton. *Trow* —3E **119**
Sheephouse Cvn. Pk. *E'ton G* —5A **36**
Sheepscroft. *Bris* —4C **86**
Sheepway. *P'bry* —3D **51**
Sheepway La. *P'bry* —2E **51**
Sheepwood Clo. *Bris* —2C **40**
Sheepwood Rd. *Bris* —2C **40**
Sheldare Barton. *Bris* —3D **73**
Sheldon Clo. *Clev* —4F **121**
Sheldrake Dri. *Bris* —1A **60**

Shellard Rd. *Bris* —1D **43**
Shellards La. *Alv* —3D **9**
Shellards Rd. *L Grn* —2B **84**
Shelley Av. *Clev* —4D **121**
Shelley Clo. *Bris* —2B **72**
Shelley Rd. *Bath* —4A **106**
Shelley Rd. *Rads* —3F **151**
Shelley Rd. *W Mare* —4E **133**
Shelley Way. *Bris* —4C **42**
Shellmor Av. *Pat* —5D **11**
Shellmor Clo. *Pat* —5E **11**
Shepherds Clo. *Bris* —2A **62**
Shepherds Wlk. *Bath* —3A **110**
Shepherd's Way. *W Mare* —3A **130**
Sheppard Rd. *Bris* —1E **61**
Sheppards Gdns. *Bath* —5C **98**
Sheppy's Mill. *Cong* —1D **145**
Shepton. *W Mare* —1E **139**
Shepton Wlk. *Bris* —3E **79**
Sherborne Rd. *Trow* —1A **118**
Sherbourne Av. *Brad S* —3A **28**
Sherbourne Clo. *Bris* —5B **62**
Sherbourne St. *Bris* —2A **72**
Sheridan Rd. *Bath* —4A **104**
Sheridan Rd. *Bris* —3C **42**
Sheridan Way. *L Grn* —3C **84**
Sherrings, The. *Pat* —1D **27**
Sherrin Way. *Bris* —4A **86**
Sherston Clo. *Bris* —2D **61**
Sherston Clo. *Nail* —4F **123**
Sherston Rd. *Bris* —4A **42**
Sherwell Rd. *Bris* —2A **82**
Sherwood Clo. *Key* —3A **92**
Sherwood Cres. *W Mare* —2D **129**
Sherwood Rd. *Bris* —1D **73**
Sherwood Rd. *Key* —3A **92**
Shetland Rd. *Bris* —3F **41**
Shetland Way. *Nail* —4F **123**
Shickle Gro. *Bath* —3D **109**
Shields Av. *Bris* —2C **42**
Shiels Dri. *Lit S* —2F **27**
Shilton Clo. *Bris* —3B **74**
Shimsey Clo. *Bris* —1E **61**
Shiners Elms. *Yat* —3B **142**
Shipham Clo. *Bris* —3D **89**
Shipham Clo. *Nail* —5E **123**
Shipham La. *Wins* —3B **156**
Ship Hill. *Bris* —5D **73**
Ship La. *Bris* —5A **70** (5D **5**)
Shiplate Rd. *B'don* —5A **140**
Shipley Mow. *E Grn* —1D **63**
Shipley Rd. *Bris* —4C **40**
Shire Gdns. *Bris* —4F **37**
Shirehampton Rd. *Bris* —1B **54**
Shires Yd. *Bath* —2A **106** (2B **96**)
Shire Way. *Yate* —2E **33**
Shockerwick La. *Bann* —2C **102**
Shophouse Rd. *Bath* —3C **104**
Shore Pl. *Trow* —1A **118**
Shorthill Rd. *W'lgh* —5E **33**
Shortlands Rd. *Bris* —3C **38**
Short La. *L Ash* —3C **76**
Short St. *Bris* —5C **70**
Short Way. *T'bry* —5C **6**
Shortwood Hill. *Mang* —2F **63**
Shortwood Rd. *Bris* —5A **88**
Shortwood Rd. *Puck* —3B **64**
Shortwood Vw. *Bris* —2B **74**
Shortwood Wlk. *Bris* —5A **88**
Showering Clo. *Bris* —3F **89**
Showering Rd. *Bris* —3F **89**
Shrewsbury Bow. *W Mare* —5E **129**
Shrewton Clo. *Trow* —4D **119**
Shrophouse Rd. *Bath* —3C **104**
Shrubbery Av. *W Mare* —4A **126**
Shrubbery Cotts. *Bris* —5D **57**
Shrubbery Ct. *Stap H* —2F **61**
Shrubbery Rd. *Bris* —2F **61**
Shrubbery Rd. *W Mare* —4B **126**
Shrubbery Ter. *W Mare* —4A **126**
Shrubbery, The. *Bath* —1A **106**
Shrubbery Wlk. *W Mare* —4B **126**

Shrubbery Wlk. W. *W Mare* —4B **126**
Shuter Rd. *Bris* —3B **86**
Sibland. *T'bry* —4E **7**
Sibland Clo. *T'bry* —4E **7**
Sibland Rd. *T'bry* —3E **7**
Sibland Way. *T'bry* —4D **7**
Sidcot. *Bris* —3C **82**
Sidcot La. *Wins* —5B **156**
Sideland Clo. *Bris* —2A **90**
Sidelands Rd. *Bris* —1E **61**
Sidmouth Gdns. *Bris* —3F **79**
Sidmouth Rd. *Bris* —3F **79**
Signal Rd. *Bris* —3A **62**
Silbury Ri. *Key* —5A **92**
Silbury Rd. *Bris* —3A **78**
Silcox Rd. *Bris* —4E **87**
Silklands Gro. *Bris* —1E **55**
Silverberry Rd. *W Mare* —4D **129**
Silverbirch Clo. *Lit S* —2F **27**
Silver Birch Gro. *Trow* —5B **118**
Silver Ct. *Nail* —3C **122**
Silverhill Rd. *Bris* —1A **40**
Silverlow Rd. *Nail* —3C **122**
Silver Mead. *Cong* —4D **145**
Silver Meadows. *Trow* —5A **118**
Silver Moor La. *Ban* —2C **136**
Silverstone Way. *Cong* —3D **145**
Silver St. *Brad A* —3E **115**
Silver St. *Bris* —3F **69** (1C **4**)
Silver St. *Cong* —4D **145**
Silver St. *Mid N* —5D **151**
Silver St. *Nail* —3B **122**
Silver St. *T'bry* —3C **6**
Silver St. *Trow* —2D **119**
Silver St. *Wrin* —1C **156**
Silver St. La. *Trow* —5A **118**
Silverthorne La. *Bris* —4C **70**
Silverton Ct. *Bris* —4B **80**
Simons Clo. *Paul* —4C **146**
Simons Clo. *W Mare* —3E **129**
Simplex Ind. Est. *Bris* —1E **85**
Sinclair Ho. *Bris* —3D **69**
Singapore Rd. *W Mare* —5C **132**
Sion Hill. *Bath* —4F **99**
Sion Hill. *Bris* —3B **68**
Sion Hill Pl. *Bath* —4F **99**
Sion La. *Bris* —3B **68**
Sion Pl. *Bath* —3C **106** (3F **97**)
Sion Pl. *Clif* —3B **68**
Sion Rd. *Bath* —5F **99**
Sion Rd. *Bris* —2E **79**
Sir John's La. *Bris* —3D **59**
Sir Johns Wood. *Nail* —2C **122**
Siskin Wlk. *W Mare* —5D **129**
Siston Clo. *Bris* —5C **62**
Siston Comn. *Bris* —5C **62**
Siston Hill. *Bris* —1C **74**
Siston La. *Bris* —2F **75**
Siston La. *Yate & B'yte* —3B **64**
Siston Pk. *Bris* —5C **62**
Sixth Av. *Bris* —3D **43**
Six Ways. *Clev* —2C **120**
Skinner's Hill. *C'ton* —2C **148**
Skippon Ct. *Bris* —5A **74**
Sladebrook Av. *Bath* —1D **109**
Sladebrook Ct. *Bath* —1D **109**
Sladebrook Rd. *Bath* —5C **104**
Slade Cotts. *Bath* —3F **111**
Slade Rd. *P'head* —3F **49**
Sladesbrook. *Brad A* —2E **115**
Sladesbrook Clo. *Brad A* —1E **115**
Sleep La. *Bris* —5C **90**
Slimbridge Clo. *Yate* —2B **34**
Slipway, The. *Stav* —3D **117**
Sloan St. *Bris* —2F **71**
Slowgrove Clo. *Trow* —2F **119**
Slymbridge Av. *Bris* —5C **24**
Smallbrook Gdns. *Stav* —2D **117**
Smallcombe Clo. *Clan* —4B **148**
Smallcombe Rd. *Clan* —4B **148**
Small La. *Bris* —2A **60**
(in two parts)

Small St. *Bris* —3F **69** (2B **4**)
Small St. *St Ph* —5C **70**
Smallway. *Cong* —5D **143**
Smarts Grn. *Chip S* —1E **35**
Smeaton Rd. *Bris* —5B **68**
Smithcourt Dri. *Lit S* —3E **27**
Smithmead. *Bris* —3D **87**
Smithywell Clo. *Trow* —2F **119**
Smoke La. *Bris* —4E **21**
Smythe Cft. *Bris* —5C **88**
Smyth Rd. *Bris* —2C **78**
Smyth's Clo. *Bris* —3D **37**
Snarland Gro. *Bris* —4E **87**
Snowberry Clo. *W Mare* —4E **129**
Snowberry Wlk. *Bris* —2A **72**
Snowdon Clo. *Bris* —3B **60**
Snowdon Rd. *Bris* —2B **60**
Snowdon Va. *W Mare* —4E **127**
Snow Hill. *Bath* —1B **106**
Snow Hill Ho. *Bath* —1B **106**
Soapers La. *T'bry* —4C **6**
Sodbury La. *W'lgh* —4A **34**
Sodbury Rd. *Wickw* —2B **154**
Solent Way. *T'bry* —5E **7**
Solsbury Ct. *Bath* —2A **102**
Solsbury Vw. Bath —4B **100**
(off Fairfield Pk.)
Solsbury Way. *Bath* —4B **100**
(in three parts)
Somer Av. *Mid N* —2B **150**
Somerby Clo. *Brad S* —2F **27**
Somerdale Av. *Bath* —2D **109**
Somerdale Av. *Bris* —5B **80**
Somerdale Av. *W Mare* —5A **128**
Somerdale Clo. *W Mare* —5A **128**
Somerdale Rd. *Key* —2B **92**
Somerdale Rd. N. *Key* —5B **84**
Somerdale Vw. *Bath* —2D **109**
Somermead. *Bris* —4E **79**
Somer Rd. *Mid N* —2C **150**
Somerset Av. *Lock* —1C **134**
Somerset Av. *Yate* —3B **18**
Somerset Cres. *Stok G* —4B **28**
Somerset Folly. *Tim* —1E **157**
Somerset Ho. *Bath* —1E **109**
Somerset La. *Bath* —5F **99**
Somerset M. *W Mare* —2D **133**
Somerset Pl. *Bath* —5F **99**
Somerset Rd. *Bris* —2C **80**
Somerset Rd. *Clev* —3E **121**
Somerset Rd. *P'head* —3B **48**
Somerset Sq. *Bris* —5A **70** (5D **5**)
Somerset Sq. *Nail* —3D **123**
Somerset St. *Bath* —4B **106** (5C **96**)
Somerset St. *K'dwn* —2F **69**
Somerset St. *Redc* —5A **70** (5E **5**)
Somerset Ter. *Bris* —2F **79**
Somerset Way. *Paul* —3B **146**
Somerton Clo. *Bris* —3A **74**
Somerton Rd. *Bris* —1A **58**
Somerton Rd. *Clev* —5E **121**
Somervale Rd. *Rads* —2A **152**
Somerville Clo. *Salt* —2A **94**
Sommerville Rd. *Bris* —4A **58**
Sommerville Rd. S. *Bris* —5B **58**
Sophia Gdns. *W Mare* —1F **129**
Sorrel Clo. *T'bry* —2E **7**
Sorrel Clo. *Trow* —5D **119**
Soundwell Rd. *Bris* —1E **73**
South Av. *Bath* —4E **105**
South Av. *P'head* —2F **49**
South Av. *Yate* —5D **17**
Southblow Ho. *Bris* —2C **78**
Southbourne Gdns. *Bath* —5C **100**
South Combe. *B'don* —5F **139**
Southcot Pl. *Bath* —4B **106** (5D **97**)
South Cft. *Bris* —5E **41**
South Dene. *Bris* —1A **56**
Southdown. *W Mare* —1D **129**
Southdown Av. *Bath* —1C **108**
Southdown Rd. *Bath* —5C **104**
Southdown Rd. *Bris* —4B **40**

Stanley Rd. W. *Bath* —4E **105**
Stanley St. *Bris* —2E **79**
Stanley St. N. *Bris* —2E **79**
Stanley St. S. *Bris* —2E **79**
Stanley Ter. *Bris* —3E **79**
Stanley Ter. *Rads* —1D **153**
Stanley Vs. *Bath* —5B **100**
(off Camden Rd.)
Stanshaw Clo. *Bris* —5C **44**
Stanshawe Cres. *Yate* —5A **18**
Stanshawes Ct. *Yate* —1A **34**
Stanshawes Ct. Dri. *Yate* —1A **34**
Stanshawes Dri. *Yate* —5F **17**
Stanshaw Rd. *Bris* —5C **44**
Stanshaws Clo. *Brad S* —4E **11**
Stanton Clo. *Bris* —1B **74**
Stanton Clo. *Trow* —5D **119**
Stanton Rd. *Bris* —3F **41**
Stanway. *Bit* —4E **85**
Stanway Clo. *Bath* —3E **109**
Staple Gro. *Key* —3F **91**
Staplegrove Cres. *Bris* —3C **72**
Staplehill Rd. *Bris* —2D **61**
Staples Clo. *Clev* —5E **121**
Staples Grn. *W Mare* —2F **129**
Staples Hill. *F'frd* —5D **113**
Staples Rd. *Yate* —4F **17**
Stapleton Clo. *Bris* —2F **59**
Stapleton Rd. *Bris* —2C **70**
Star Barn Rd. *Wint* —2A **30**
Starcross Rd. *W Mare* —2E **129**
Star La. *Bris* —4B **60**
Star La. *Pill* —3E **53**
Starling Clo. *W Mare* —5C **128**
Star, The. *Holt* —2E **155**
States Way. *Bris* —1E **57**
Station App. *Brad A* —3D **115**
Station App. *W Mare* —1D **133**
Station App. Rd. *Bris* —5B **70** (5F **5**)
Station Av. *Bris* —3C **60**
Station Clo. *Back* —1B **124**
Station Clo. *Chip S* —1F **35**
Station Clo. *Cong* —2C **144**
Station Clo. *War* —2E **75**
Station Ct. *Bath* —2D **105**
Station La. *Bris* —3C **58**
Station Rd. *Ash D* —3B **58**
Station Rd. *B'ptn* —4A **102**
Station Rd. *Bris* —3F **81**
Station Rd. *Clev* —3D **121**
Station Rd. *Coal H* —4E **31**
Station Rd. *Cong* —2C **144**
Station Rd. *Fil* —1D **43**
Station Rd. *Fish* —3C **60**
Station Rd. *F'frd* —4D **113**
Station Rd. *Hen* —2A **40**
Station Rd. *Holt* —2E **155**
Station Rd. *Iron A* —3F **15**
Station Rd. *Key* —2A **92**
Station Rd. *K'wd* —3A **62**
Station Rd. *Lit S* —1D **27**
Station Rd. *Lwr W* —2D **105**
Station Rd. *Mid N* —2E **151**
Station Rd. *Mont* —5F **57**
Station Rd. *Nail* —3D **123**
(in two parts)
Station Rd. *Pill* —3E **53**
Station Rd. *P'bry* —5F **51**
Station Rd. *P'head* —2F **49**
Station Rd. *Sev B* —4A **20**
Station Rd. *Shire* —2F **53**
Station Rd. *St Ap* —5A **72**
Station Rd. *St Geo* —3A **130**
Station Rd. *War* —3E **75**
Station Rd. *W Mare* —1C **132**
Station Rd. *Wickw* —1B **154**
Station Rd. *Wint* —5A **30**
Station Rd. *Wor* —3D **129**
Station Rd. *Wrin* —1B **156**
Station Rd. *Yate* —4E **17**
Station Rd. *Yat* —2A **142**
Station Way. *Trow* —2C **118**

Statnton Clo. *Bris* —1B **74**
Staunton Fields. *Bris* —5E **89**
Staunton La. *Bris* —4E **89**
Staunton Way. *Bris* —5F **89**
Staveley Cres. *Bris* —2E **41**
Staverton Clo. *Pat* —5D **11**
Staverton Way. *Bris* —3C **74**
Stavordale Gro. *Bris* —2D **89**
Staynes Cres. *K'wd* —2A **74**
Steam Mills. *Mid N* —4C **150**
Stean Bri. Rd. *Lit S* —3F **27**
Steel Ct. *L Grn* —2B **84**
Steel Mills. *Key* —4B **92**
Stella Gro. *Bris* —3C **78**
Stephen's Dri. *Bar C* —5B **74**
Stephen St. *Redf* —2E **71**
Stepney Rd. *Bris* —1E **71**
Stepney Wlk. *Bris* —1E **71**
Stepping Stones, The. *St Ap* —4A **72**
Sterncourt Rd. *Bris* —5C **44**
Steven's Cres. *Bris* —1B **80**
Steway La. *Bathe* —1B **102**
Stibbs Ct. *L Grn* —1B **84**
Stibbs Hill. *Bris* —3C **72**
Stickland. *Clev* —5C **120**
Stidham La. *Key* —2D **93**
Stile Acres. *Bris* —3C **38**
Stillhouse La. *Bris* —1F **79**
Stillingfleet Rd. *Bris* —3E **87**
Stillman Clo. *Bris* —4A **86**
Stillman Clo. *Holt* —2E **155**
Stinchcombe. *Yate* —5A **18**
Stirling Clo. *Yate* —2F **17**
Stirling Rd. *Bris* —1E **81**
Stirling Way. *Key* —4A **92**
Stirtingale Av. *Bath* —1D **109**
Stirtingale Rd. *Bath* —1D **109**
Stock La. *Cong* —5E **145**
Stockton Clo. *Bris* —4B **88**
Stockton Clo. *L Grn* —2D **85**
Stock Way N. *Nail* —3D **123**
Stock Way S. *Nail* —3D **123**
Stockwell Av. *Mang* —1C **62**
Stockwell Clo. *Bris* —5B **46**
Stockwell Dri. *Mang* —1C **62**
Stockwell Glen. *Bris* —5B **46**
Stockwood Cres. *Bris* —3B **80**
Stockwood Hill. *Key* —1E **91**
Stockwood La. *Bris & Key* —4F **89**
Stockwood M. *St Ap* —5B **72**
Stockwood Rd. *Brisl* —5B **82**
Stockwood Rd. *Bris* —3F **89**
Stockwood Va. *Key* —3C **90**
Stodelegh Clo. *W Mare* —2F **129**
Stoke Bri. Av. *Lit S* —3F **27**
Stoke Cotts. *Bris* —3A **56**
Stokefield Clo. *T'bry* —3C **6**
Stoke Gro. *Bris* —1A **56**
Stoke Hamlet. *Bris* —5B **40**
Stoke Hill. *Bris* —3A **56**
Stoke La. *Pat* —1D **27**
Stoke La. *Stap* —5A **44**
Stoke La. *W Trym* —2A **56**
Stokeleigh Wlk. *Bris* —2E **55**
Stoke Mead. *Lim S* —2A **112**
Stokemead. *Pat* —1E **27**
Stoke Meadows. *Brad S* —1F **27**
Stoke Paddock Rd. *Bris* —1F **55**
Stoke Pk. Rd. *Bris* —3A **56**
Stoke Pk. Rd. S. *Bris* —4A **56**
Stoke Rd. *Bris* —4B **56**
Stoke Rd. *P'head* —3F **49**
Stokes Ct. *Bar C* —1C **84**
Stokes Cft. *Bris* —2A **70**
Stoke Vw. *Bris* —1C **42**
Stoke Vw. Rd. *Bris* —4B **60**
Stoneable Rd. *Rads* —1D **153**
Stoneberry Rd. *Bris* —5D **89**
Stonebridge. *Bris* —5D **121**
Stonebridge Pk. *Bris* —5F **59**
Stonebridge Rd. *W Mare* —4D **133**
Stonechat Gdns. *Bris* —1A **60**

Stonefield Clo. *Brad A* —4F **115**
Stonehenge La. *Tic* —1D **123**
Stonehill. *L Grn* —1F **83**
Stonehouse Clo. *Bath* —2C **110**
Stonehouse La. *Bath* —2C **110**
Stone La. *Wint D* —5A **30**
Stoneleigh Ct. *Bath* —3F **99**
Stoneleigh Cres. *Bris* —3C **80**
Stoneleigh Dri. *Bris* —5B **74**
Stoneleigh Rd. *Bris* —3C **80**
Stoneleigh Wlk. *Bris* —3C **80**
Stones Cotts. *Bris* —5E **23**
Stonewell Dri. *Cong* —3D **145**
Stonewell Gro. *Cong* —3D **145**
Stonewell La. *Cong* —3D **145**
Stonewell Pk. Rd. *Cong* —3D **145**
Stoneyfields. *E'ton G* —3D **53**
Stoneyfields Clo. *E'ton G* —2D **53**
Stoney Hill. *Bris* —3E **69** (2A **4**)
Stoney La. *Bris* —4B **58**
Stoney Steep. *Nail* —1F **123**
Stoney Steep. *P'head* —2E **49**
Stoney Stile Rd. *Alv* —2B **8**
Stony La. *Bath* —5F **95**
Stormont Clo. *W Mare* —5D **133**
Stothard Rd. *Bris* —5D **43**
Stottbury Rd. *Bris* —4C **58**
Stoulton Gro. *Bris* —1C **40**
Stourden Clo. *Bris* —5C **44**
Stourton Dri. *Bar C* —1B **84**
Stover Rd. *Yate* —3C **16**
Stover Trad. Est. *Yate* —4D **17**
Stowey La. *Yat* —4D **143**
Stowey Pk. *Yat* —3D **143**
Stowey Rd. *Yat* —2B **142**
Stow Ho. *Bris* —2A **54**
Stowick Cres. *Bris* —3E **39**
Stradbrook Av. *Bris* —3D **73**
Stradling Av. *W Mare* —3D **133**
Stradling Rd. *Bris* —2E **39**
Straits Pde. *Bris* —2D **61**
Stratford Clo. *Bris* —5B **88**
Strathmore Rd. *Bris* —1A **58**
Stratton Clo. *Lit S* —2E **27**
Stratton Rd. *Salt* —5F **93**
Stratton St. *Bris* —2A **70** (1E **5**)
Strawberry Clo. *Nail* —4C **122**
Strawberry Cres. *St G* —3A **72**
Strawberry Gdns. *Nail* —4C **122**
Strawberry Hill. *Clev* —2E **121**
Strawberry La. *B'wth* —5A **86**
Strawberry La. *Bris* —3A **72**
Strawbridge Rd. *Bris* —3D **71**
Stream Clo. *Bris* —5F **25**
Streamcross. *Clav* —2D **143**
Streamleaze. *T'bry* —4C **6**
Streamside. *Clev* —3F **121**
Streamside. *Mang* —1B **62**
Streamside Rd. *Chip S* —5C **18**
Streamside Wlk. *Bris* —2A **82**
Streamside Wlk. *T'bry* —1D **7**
Stream, The. *Ham* —2D **45**
Street, The. *Alv* —2D **9**
Street, The. *Holt* —2D **155**
Street, The. *Rads* —2C **152**
Stretford Av. *Bris* —2F **71**
Stretford Rd. *Bris* —1F **71**
Stride Clo. *Sev B* —4B **20**
Strode Comn. *Alv* —2A **8**
Strode Gdns. *Alv* —2A **8**
Strode Rd. *Clev* —5B **120**
Strode Way. *Clev* —5B **120**
Stroud Rd. *Bris* —2A **54**
Stroud Rd. *Pat* —1A **26**
Stuart Clo. *Trow* —3E **117**
Stuart Pl. *Bath* —3E **105**
Stuart Rd. *W Mare* —3E **133**
Stuart St. *Redf* —3E **71**
Studland Cli. *Bris* —1D **57**
Studley Ri. *Trow* —4D **119**
Sturden La. *Ham* —1E **45**
Sturdon Rd. *Bris* —2C **78**

Vernon St. *Bris* —1B **80**
Vernon Ter. *Bath* —3D **105**
Vernslade. *Bath* —4B **98**
Verrier Rd. *Bris* —3E **71**
Verwood Dri. *Bit* —4E **85**
Vian End. *W Mare* —1C **128**
Vicarage Clo. *W Mare* —2E **129**
Vicarage Ct. *Han* —5D **73**
Vicarage Gdns. *Pea J* —1E **149**
Vicarage Rd. *B'wth* —2B **86**
Vicarage Rd. *Coal H* —4E **31**
Vicarage Rd. *Han* —5D **73**
Vicarage Rd. *L Wds* —3F **67**
Vicarage Rd. *Redf* —2E **71**
Vicarage Rd. *S'vle* —1D **79**
Vicars Clo. *Bris* —3D **61**
Victor Ho. *Lit S* —2E **27**
Victoria Av. *Bris* —3E **71**
Victoria Bri. Rd. *Bath* —3F **105**
Victoria Bldgs. *Bath* —3E **105**
Victoria Clo. *Bath* —4D **105**
Victoria Clo. *P'head* —3F **49**
Victoria Clo. *T'bry* —1C **6**
Victoria Ct. *P'head* —3F **49**
Victoria Cres. *Sev B* —4B **20**
Victoria Gdns. *Bathe* —3A **102**
Victoria Gdns. *Bris* —1F **69**
Victoria Gdns. *Trow* —5E **117**
Victoria Gro. *Bris* —1A **80**
Victoria Ho. *Bath* —1E **105**
Victoria Pde. *Bris* —2E **71**
Victoria Pk. *Fish* —2C **60**
Victoria Pk. *K'wd* —1F **73**
Victoria Pk. *W Mare* —4B **126**
Victoria Pk. Bus. Cen. *Bath* —2E **105**
Victoria Pl. *Bris* —1E **79**
Victoria Pl. *C Down* —3D **111**
 (Combe Down)
Victoria Pl. *C Down* —5A **110**
 (South Stoke)
Victoria Pl. Lark —5D 101
 (off St Saviours Rd.)
Victoria Pl. *Paul* —4A **146**
Victoria Pl. *W Mare* —5B **126**
Victoria Quad. *W Mare* —5C **126**
Victoria Rd. *A'mth* —5D **37**
Victoria Rd. *Bath* —3E **105**
Victoria Rd. *Clev* —2C **120**
Victoria Rd. *Han* —5E **73**
Victoria Rd. *Salt* —5F **93**
Victoria Rd. *St Ph* —5C **70**
 (in two parts)
Victoria Rd. *Trow* —4E **117**
Victoria Rd. *War* —5E **75**
Victoria Sq. *Bris* —3C **68**
Victoria Sq. *P'head* —3F **49**
Victoria Sq. *W Mare* —1B **132**
Victoria St. *Bris* —4A **70** (3D **5**)
Victoria St. *Stap H* —3F **61**
Victoria Ter. *Bath* —3E **105**
Victoria Ter. *Clif* —4B **68**
Victoria Ter. *Paul* —3B **146**
Victoria Ter. *St Ph* —5D **71**
Victoria Wlk. *Bris* —1F **69**
Victor Rd. *Bris* —2E **79**
Victor St. *Bar H* —4D **71**
Victor St. *Bris* —1C **80**
Victory Gdns. *Bath* —2B **102**
Vigar Gdns. *Bris* —4A **86**
Vigor Rd. *Bris* —3D **87**
Village Clo. *Yate* —5F **17**
Villa Rosa. W Mare —4A 126
 (off Shrubbery Rd.)
Villiers Rd. *Bris* —1D **71**
Vilner La. *T'bry* —5C **6**
Vimpany Clo. *Bris* —1B **40**
Vimpennys La. *E Comp* —1A **24**
Vincent Clo. *Bris* —2E **39**
Vine Acres. *Bris* —2C **58**
Vine Cottage. *Salt* —1B **94**
Vine Cotts. *Brad A* —3D **115**
Vine Cotts. *Bris* —3C **60**

Vine Gdns. *W Mare* —3E **129**
Vinery, The. *Wins* —5B **156**
Vineyards. *Bath* —2B **106** (1C **96**)
Vining Wlk. *Bris* —2D **71**
Vinny Av. *Bris* —5C **46**
Vintery Leys. *Bris* —5D **41**
Virginia Clo. *Chip S* —5C **18**
Vivian St. *Bris* —2F **79**
Vivien Av. *Mid N* —2D **151**
Vowell Clo. *Bris* —4D **87**
Vowles Clo. *Wrax* —2F **123**
Vynes Clo. *Nail* —4F **123**
Vynes Way. *Nail* —4F **123**
Vyvyan Rd. *Bris* —3C **68**
Vyvyan Ter. *Bris* —3C **68**

Wadehurst Ind. Pk. *Bris* —3C **70**
Wade Rd. *Yate* —3C **16**
Wades Rd. *Bris* —1C **60**
Wade St. *Bris* —2B **70** (1F **5**)
Wadham Dri. *Bris* —3D **45**
Wadham Gro. *E Grn* —2D **63**
Wadham St. *W Mare* —5B **126**
Wagtail Gdns. *W Mare* —5C **128**
Wainbrook Dri. *Bris* —5F **59**
Wains Clo. *Clev* —4C **120**
Wainwright Clo. *W Mare* —1F **129**
Waits Clo. *Ban* —5D **137**
Wakedean Gdns. *Yat* —2A **142**
Wakeford Rd. *Bris* —5C **46**
Walcot Bldgs. *Bath* —1B **106**
Walcot Ct. *Bath* —1B **106** (1D **97**)
Walcot Ga. *Bath* —1B **106** (1C **96**)
Walcot Ho. *Bath* —1B **106**
Walcot Pde. Bath —1B 106
 (off London Rd.)
Walcot St. *Bath* —2B **106** (2C **96**)
Walcot Ter. *Bath* —1B **106**
Waldegrave Rd. *Bath* —5F **99**
Waldegrave Ter. *Rads* —1D **153**
Walden Rd. *Key* —4C **92**
Walford Av. *St Geo* —3F **129**
Walford Av. *W Mare* —1F **129**
Walker Clo. *Down* —5C **46**
Walker Clo. *E'tn* —2D **71**
Walker St. *K'dwn* —2E **69**
Walker Way. *T'bry* —5C **6**
Walk, The. *Holt* —2D **155**
Wallace Rd. *Bath* —5C **100**
Wallcroft Ho. *Bris* —4C **56**
Wallenge Clo. *Paul* —3C **146**
Wallenge Dri. *Paul* —3B **146**
Waller Ct. *Bris* —2D **73**
Wallingford Rd. *Bris* —1F **87**
Walliscote Av. *Bris* —1E **57**
Walliscote Gro. Rd. *W Mare* —1C **132**
Walliscote Rd. *Bris* —1E **57**
Walliscote Rd. *W Mare* —3B **132**
Walliscote Rd. S. *W Mare* —4B **132**
Wallscourt Rd. *Bris* —2D **43**
Wallscourt Rd. S. *Bris* —3D **43**
Walmsley Ter. Bath —5C 100
 (off Snow Hill)
Walnut Av. *Yate* —4C **18**
Walnut Bldgs. *Rads* —1D **153**
Walnut Clo. *Bris* —1B **74**
Walnut Clo. *E'ton G* —4C **52**
Walnut Clo. *Key* —4E **91**
Walnut Clo. *Nail* —5D **123**
Walnut Clo. *T'bry* —3E **7**
Walnut Clo. *W Mare* —1F **139**
Walnut Cres. *Bris* —2B **74**
Walnut Dri. *Bath* —5F **105**
Walnut Gro. *Trow* —4B **118**
Walnut La. *Bris* —2C **74**
Walnut Tree Clo. *Alm* —1C **10**
Walnut Tree Ct. *Cong* —2D **145**
Walnut Wlk. *Bris* —2C **86**
Walnut Wlk. *Key* —4E **91**
Walsh Av. *Bris* —1C **88**
Walsh Clo. *W Mare* —1F **139**

Walshe Av. *Chip S* —5E **19**
Walsingham Rd. *Bris* —5A **58**
Walter St. *Bris* —1C **78**
Waltham End. *W Mare* —5E **129**
Waltining La. *Bath* —5F **95**
Walton. *W Mare* —1E **139**
Walton Av. *Bris* —5F **71**
Walton Clo. *Bit* —4E **85**
Walton Clo. *Key* —4F **91**
Walton Heath. *Yate* —5B **18**
Walton Ri. *Bris* —4C **40**
Walton Rd. *Bris* —1F **53**
Walton Rd. *Clev* —2F **121**
Walton St. *E'tn* —1D **71**
Walwyn Clo. *Bath* —3B **104**
Walwyn Gdns. *Bris* —5F **87**
Wansbeck Rd. *Key* —4C **92**
Wansbrough Rd. *W Mare* —2F **129**
Wanscow Wlk. *Bris* —1D **57**
Wansdyke Bus. Cen. *Bath* —5E **105**
Wansdyke Ct. *Bris* —3D **89**
Wansdyke Rd. *Bath* —3D **109**
Wansdyke Workshops. *Key* —3C **92**
Wapley Hill. *W'lgh* —4A **34**
Wapley Rank. *W'lgh* —4F **33**
Wapley Rd. *Cod* —5A **34**
Wapping Rd. *Bris* —5F **69** (5B **4**)
Warbler Clo. *Trow* —2B **118**
Warburton Clo. *Trow* —4A **118**
Warden Rd. *Bris* —1E **79**
Wardour Rd. *Bris* —5F **79**
Ware Ct. *Wint* —4F **29**
Wareham Clo. *Nail* —4C **122**
Warleigh Dri. *Bathe* —3B **102**
Warleigh La. *Bath* —5C **102**
Warman Clo. *Bris* —2B **90**
Warman Rd. *Bris* —2B **90**
Warmington Rd. *Bris* —5E **81**
Warminster Rd. *Bath* —1D **107** (1F **97**)
Warminster Rd. *Bris* —5C **58**
Warminster Rd. *Lim S & Mon C*
—5A **112**
Warner Clo. *Bris* —4B **74**
Warne Rd. *W Mare* —2E **133**
Warns, The. *Bris* —1C **84**
Warren Clo. *Brad S* —3F **11**
Warren Clo. *Hut* —1B **140**
Warren Gdns. *Bris* —3B **90**
Warren La. *L Ash* —4A **76**
Warren Rd. *Bris* —1D **43**
Warren Way. *Yate* —3A **18**
Warrington Rd. *Bris* —3F **81**
Warry Clo. *Wrax* —3F **123**
Warwick Av. *Bris* —1D **71**
Warwick Clo. *W Mare* —5A **128**
Warwick Clo. *Will* —3D **85**
Warwick Pl. *T'bry* —3B **6**
Warwick Rd. *Bath* —2C **104**
Warwick Rd. *E'tn* —1D **71**
Warwick Rd. *Key* —4F **91**
Warwick Rd. *Redl* —1D **69**
Warwick Vs. *Bath* —4D **105**
Wasborough. *Bris* —5A **38**
Washington La. *Chit* —2A **22**
Washing Pound La. *Bris* —4D **89**
Washing Pound La. *Tic* —2A **122**
Washington Av. *Bris* —1E **71**
Washpool La. *Bath* —2A **108**
Watch Elm Clo. *Brad S* —3A **28**
Watch Ho. Rd. *Pill* —3F **53**
Watchill Av. *Bris* —2B **86**
Watchill Clo. *Bris* —2B **86**
Waterbridge Rd. *Bris* —3B **86**
Watercress Clo. *Wrax* —3F **123**
Watercress Rd. *Bris* —4B **58**
Waterdale Clo. *Bris* —5E **41**
Waterdale Gdns. *Bris* —5E **41**
Waterford Clo. *T'bry* —4E **7**
Waterford Pk. *Rads* —4A **152**
Waterford Rd. *Bris* —1D **57**
Waterhouse La. *Mon C* —5F **111**
Water La. *Bedm* —2B **80**

Water La.—W. Hay Rd.

Water La. Brisl —4F **81**
(in two parts)
Water La. Bris —4A **70** (3E **5**)
Water La. Mid N —5D **147**
Water La. Pill —3E **53**
Waterloo Bldgs. Twer A —3C **104**
(in two parts)
Waterloo Houses. Pill —2F **53**
(off Underbanks)
Waterloo Pl. Bris —3C **70**
Waterloo Rd. Bris —3B **70**
Waterloo Rd. Rads —2C **152**
Waterloo St. Clif —3B **68**
Waterloo St. St Ph —3B **70**
Waterloo St. W Mare —5B **126**
Watermead Clo. Bath —3A **106** (4A **96**)
(off Kingsmead W.)
Watermore Clo. Fram C —2E **31**
Waterside Cres. Rads —3A **152**
Waterside Dri. Azt W —5C **10**
Waterside La. Mid N —5C **152**
Waterside Pk. P'head —4A **48**
Waterside Rd. Rads —3A **152**
Waterside Way. Rads —3A **152**
Water's La. Bris —5C **40**
Waters Rd. Bris —2E **73**
Waterworks Rd. Trow —3B **118**
Watery La. Bath —3B **104**
Watery La. Nail —3A **122**
Watery La. Yate —1E **17**
Wathen Rd. Bris —4B **58**
Wathen St. Bris —2F **61**
Watkins Yd. Bris —4C **40**
Watleys End Rd. Wint —2A **30**
Watling Way. Bris —5E **37**
Watson Av. Bris —1F **81**
(in two parts)
Watson's Rd. L Grn —2B **84**
Watters Clo. Coal H —3F **31**
Wavell Clo. Yate —2F **17**
Waveney Rd. Key —5C **92**
Waverley Rd. Bris —1C **124**
Waverley Rd. Bris —1E **69**
Waverley Rd. Shire —1A **54**
Waverley Rd. W Mare —4D **133**
Waverley St. Bris —1C **70**
Wayacre Drove. W Mare —5B **138**
Wayfarer Rd. Bris —3D **25**
Wayfield Gdns. Bath —2A **102**
Wayford Clo. Key —5C **92**
Wayland Rd. W Mare —2C **128**
Wayleaze. Coal H —2F **31**
Wayside. W Mare —3B **128**
Wayside Clo. Fram C —2D **31**
Wayside Dri. Clev —1E **121**
Weal, The. Bath —4D **99**
Weare Ct. Bris —5C **68**
Weatherly Av. Bath —2E **109**
Weatherly Dri. P'head —4B **48**
Weavers Dri. Trow —3D **119**
Webb Clo. Bris —4B **74**
Webbers Ct. Trow —4A **118**
Webbs Heath. Bris —1F **75**
Webb St. Bris —2C **70**
Webbs Wood Rd. Brad S —3B **28**
Wedgwood Clo. Bris —3D **89**
Wedgwood Rd. Bath —4A **104**
Wedgwood Rd. Bris —3F **45**
Wedmore Clo. Bris —3B **74**
Wedmore Clo. W Mare —1D **139**
Wedmore Pk. Bath —1B **108**
Wedmore Rd. Clev —5B **120**
Wedmore Rd. Nail —5D **123**
Wedmore Rd. Salt —4F **93**
Wedmore Va. Bris —3A **80**
Weedon Clo. Bris —5C **58**
Weekesley La. Tim —1F **147**
Weetwood Rd. Cong —1E **145**
Weight Rd. Bris —3E **71**
Weind, The. W Mare —3B **128**
Weir La. Bris —4A **66**
Weir Rd. Cong —3E **145**

Weirside Mill. Brad A —3F **115**
Welland Rd. Key —4B **92**
Wellard Clo. W Mare —1F **129**
Well Clo. L Ash —4D **77**
Well Clo. W Mare —1F **139**
Well Clo. Wins —4B **156**
Wellgarth Ct. Bris —3C **80**
Wellgarth Rd. Bris —3C **80**
Wellgarth Wlk. Bris —3C **80**
Well Ho. Clo. Bris —5A **56**
Wellington Av. Bris —1A **70**
Wellington Bldgs. Bath —4C **98**
Wellington Cres. Bris —1A **58**
Wellington Dri. Bris —1A **70**
Wellington Dri. Yate —4D **17**
Wellington Hill. Bris —1A **58**
Wellington Hill W. Bris —5E **41**
Wellington La. Bris —1A **70**
Wellington M. Bris —2F **53**
Wellington Pk. Bris —1C **68**
Wellington Pl. Bris —3D **45**
Wellington Pl. W Mare —1B **132**
Wellington Rd. K'wd —5F **61**
Wellington Rd. St Pa —3B **70** (1E **5**)
Wellington Rd. Yate —2A **18**
Wellington Ter. Bris —4B **68**
Wellington Ter. Clev —1C **120**
Wellington Wlk. Bris —5E **41**
Well La. Yat —3C **142**
Wellow Brook Mdw. Mid N —2E **151**
Wellow La. Pea J —2E **149**
Wellow Mead. Pea J —2E **149**
Wellow Rd. Bath —5F **157**
Wellow Tyning. Pea J —5D **157**
Well Pk. Cong —1D **145**
Well Path. Brad A —3D **115**
Wells Clo. Bris —3E **89**
Wells Clo. Nail —4F **123**
Wellsea Gro. W Mare —1F **133**
Wells Hill. Rads —2C **152**
Wells Rd. Bath —4F **105** (5A **96**)
Wells Rd. Bris & H'gro —1B **80**
Wells Rd. Clev —5D **121**
Wells Rd. Cor —5A **94**
Wells Rd. Rads —4F **151**
Wells Sq. Rads —2A **152**
Wells St. Bris —1C **78**
Wellstead Av. Yate —5F **17**
Wellsway. Bath —4E **109**
Wellsway. Key —3B **92**
Wellsway Pk. Bath —4E **109**
Welsford Av. Bris —3F **59**
Welsford Rd. Bris —3F **59**
Welsh Back. Bris —4F **69** (4C **4**)
Welton Gro. Mid N —1D **151**
Welton Rd. Rads —2B **152**
Welton Va. Mid N —2E **151**
Welton Wlk. Bris —5E **61**
Wemberham Cres. Yat —2A **142**
Wemberham La. Yat —3A **142**
Wenmore Clo. Bris —3F **45**
Wentforth Dri. Bris —5E **61**
Wentwood Dri. W Mare —2E **139**
Wentworth. —4C **14**
Wentworth. Yate —5A **18**
Wentworth Clo. W Mare —2E **129**
Wentworth Rd. Bris —4F **57**
Wesley Av. Bris —5F **73**
Wesley Av. Rads —3F **151**
Wesley Clo. Bris —4F **61**
Wesley Clo. W'hall —1F **71**
Wesley Dri. W Mare —2E **129**
Wesley Hill. Bris —1F **73**
Wesley La. Bris —5D **75**
Wesley Pl. Bris —5C **56**
Wesley Rd. Bris —3A **58**
Wesley Rd. Trow —3C **118**
Wesley St. Bris —2E **79**
Wessex Av. Bris —5E **58**
Wessex Ho. Bris —4A **70** (3E **5**)
Wessex Rd. W Mare —1F **139**
Westacre Clo. Bris —2C **40**

W. Ashton Rd. Yarn —2F **119**
West Av. Bath —4D **105**
Westaway Clo. Yat —4C **142**
Westaway Pk. Yat —4D **143**
Westbourne Av. Clev —4B **120**
Westbourne Av. Key —3A **92**
Westbourne Cotts. Bris —5D **45**
Westbourne Cres. Clev —4B **120**
Westbourne Gdns. Trow —2B **118**
Westbourne Gro. Bris —2E **79**
Westbourne Pl. Bris —3D **69**
Westbourne Rd. Down —4B **46**
Westbourne Rd. E'tn —2D **71**
Westbourne Rd. Trow —2B **118**
Westbourne Ter. Bris —5D **45**
West B'way. Bris —1F **57**
Westbrooke Ct. Bris —5C **68**
Westbrook Pk. W'ton —4B **98**
Westbrook Rd. Bris —5F **81**
Westbrook Rd. W Mare —4A **128**
Westbury Ct. Rd. Bris —5B **40**
Westbury Cres. W Mare —1D **139**
Westbury Hill. Bris —5C **40**
Westbury La. Bris —5D **39**
Westbury Pk. Bris —3C **56**
Westbury Rd. N Brad —4E **155**
Westbury Rd. W Trym & Redl —1C **56**
West Clo. Bath —4B **104**
West Coombe. Bris —1F **55**
West Cotts. Bath —3D **111**
Westcourt Dri. Old C —1D **85**
West Cft. Bris —5E **41**
West Cft. Clev —4B **120**
Westcroft St. Trow —1C **118**
West Dene. Bris —1A **56**
W. Dock Rd. P'bry —1A **52**
West End. Bedm —5E **69**
West End. Bris —2F **69**
W. End Farm Cvn. Pk. Lock —3C **134**
Westend Rd. Wickw —3A **154**
W. End Trad. Est. Nail —5A **122**
Westering Clo. Mang —2C **62**
Westerleigh Clo. Bris —5B **46**
Westerleigh Rd. Bath —3C **110**
Westerleigh Rd. Clev —4B **120**
Westerleigh Rd. Down & E Grn —1A **62**
Westerleigh Rd. Puck —1D **65**
Westerleigh Rd. Yate & W'lgh —3D **33**
Western Av. Fram C —5C **14**
Western Ct. Clev —3D **121**
Western Dri. Bris —1A **88**
Western Rd. Bris —1A **58**
Westfield. Brad A —2C **114**
Westfield. Clev —5D **121**
Westfield Clo. Back —2C **124**
Westfield Clo. Bath —1F **109**
Westfield Clo. Bris —5F **73**
Westfield Clo. Key —3E **91**
Westfield Clo. Trow —4A **118**
Westfield Clo. Uph —1B **138**
Westfield Dri. Back —2C **124**
Westfield Ind. & Trad. Est. Rads
—5F **151**
Westfield La. Stok G —1A **44**
Westfield Pk. Bath —2B **104**
Westfield Pk. Bris —1D **69**
Westfield Pk. S. Bath —2B **104**
Westfield Pl. Bris —3B **68**
Westfield Rd. Back —2C **124**
Westfield Rd. Ban —5E **137**
Westfield Rd. Bris —4C **40**
Westfield Rd. Trow —3A **118**
Westfield Rd. W Mare —1B **138**
Westfield Ter. Rads —3A **152**
Westfield Way. Brad S —4F **11**
W. Garston. Ban —5E **137**
Westgate Bldgs. Bath —3A **106** (3B **96**)
Westgate St. Bath —3A **106** (3B **96**)
West Gro. Bris —1B **70**
Westhall Rd. Bath —2E **105**
W. Haven Clo. Back —2C **124**
W. Hay Rd. Udl —1B **156**

INDEX TO PLACES OF INTEREST

with their map square reference

HOSPITALS and HEALTH CENTRES
covered by this atlas.

N.B. Where Hospitals and Health Centres are not named on the map, the reference given is for the road in which they are situated.

BLACKBERRY HILL HOSPITAL —2B **60**
Manor Rd., Fishponds,
Bristol, BS16 2EW
Tel: (0117) 9656061

BRADFORD-ON-AVON COMMUNITY
HOSPITAL —1E **115**
Berryfields, Berryfield Rd.,
Bradford on Avon, BA15 1TA
Tel: (01225) 862975

Bradford-on-Avon Family Health Centre
—3D **115**
Station App.,
Bradford on Avon,
BA15 1DQ
Tel: (01225) 865660

BRENTRY HOSPITAL —2D **41**
Charlton Rd., Brentry,
Bristol, BS10 6JA
Tel: (0117) 9500500

BRISTOL BUPA HOSPITAL —5C **56**
The Glen, Redland Hill,
Durdham Down,
Bristol, BS6 6UT
Tel: (0117) 9732562

BRISTOL DENTAL HOSPITAL
—3F **69** (1B **4**)
Lower Maudlin St.,
Bristol, BS1 2LY
Tel: (0117) 9230050

BRISTOL EYE HOSPITAL —3F **69** (1B **4**)
Lower Mauldin St.,
Bristol, BS1 2LX
Tel: (0117) 9230060

BRISTOL GENERAL HOSPITAL —5F **69**
Guinea St.,
Bristol, BS1 6SY
Tel: (0117) 9265001

BRISTOL ONCOLOGY CENTRE
—3F **69** (1B **4**)
Horfield Rd.,
Bristol, BS2 8ED
Tel: (0117) 9230000

BRISTOL ROYAL HOSPITAL FOR
SICK CHILDREN —3E **69**
St Michael's Hill,
Bristol, BS2 8BJ
Tel: (0117) 9215411

BRISTOL ROYAL INFIRMARY —3F **69**
Marlborough St.,
Bristol, BS2 8H
Tel: (0117) 9230000

Brooklea Health Centre —5A **72**
Wick Rd., Brislington,
Bristol, BS4 4HU
Tel: (0117) 9711211

BURDEN HOSPITAL —4A **44**
Stoke La., Stapleton,
Bristol, BS16 1QT
Tel: (0117) 9701212

Cadbury Heath Health Centre —5C **74**
Parkwall Rd., Cadbury Heath,
Bristol, BS30 8HS
Tel: (0117) 9600129

Charlotte Keel Health Centre —1C **70**
Seymour Rd., Easton,
Bristol, BS5 0UA
Tel: (0117) 9512244

CHESTERFIELD HOSPITAL, THE —4C **68**
3 Clifton Hill,
Bristol, BS8 1BP
Tel: (0117) 9467424

Clevedon Health Centre —3E **121**
Old St.,
Clevedon,
BS21 6DG
Tel: (01275) 871454

CLEVEDON HOSPITAL —3E **121**
Old Street, Clevedon,
BS21 6BS
Tel: (01275) 872212

COSSHAM HOSPITAL —5E **61**
Lodge Rd., Kingswood,
Bristol, BS15 1LF
Tel: (0117) 9671661

DROVE ROAD HOSPITAL —3D **133**
Drove Rd.,
Weston-Super-Mare,
BS23 3NT
Tel: (01934) 636363

Eastville Health Centre —5E **59**
East Pk., Eastville,
Bristol, BS5 6YA
Tel: (0117) 9511261

Fairfield Park Health Centre —5C **100**
Tyning La., Camden Rd.,
Bath, BA1 6EA
Tel: (01225) 331616

Fishponds Health Centre —3D **61**
Beechwood Rd., Fishponds,
Bristol, BS16 3TD
Tel: (0117) 9656281

FRENCHAY HOSPITAL —4D **45**
Frenchay Park Rd., Frenchay,
Bristol, BS16 1LE
Tel: (0117) 9701212

GROVE ROAD DAY HOSPITAL —5C **56**
Grove Rd., Redland,
Bristol, BS6 6UJ
Tel: (0117) 9730225

HANHAM HALL HOSPITAL —1F **83**
Whittucks Rd., Hanham,
Bristol, BS15 3PU
Tel: (0117) 9085000

Hartcliffe Health Centre —4E **87**
Hareclive Rd., Hartcliffe,
Bristol, BS13 0JP
Tel: (0117) 941020

HEATH HOUSE PRIORY HOSPITAL
—3D **59**
Heath House La., off Bell Hill,
Stapleton, Bristol,
BS16 1EQ
Tel: (0117) 9525255

Horfield Health Centre —1C **58**
Lockleaze Rd., Horfield,
Bristol, BS7 9RR
Tel: (0117) 9695391

KEYNSHAM HOSPITAL —4B **92**
St Clement's Rd., Keynsham,
Bristol, BS31 1AG
Tel: (0117) 9862356

Kingswood Health Centre —2A **74**
Alma Rd.,
Kingswood,
Bristol, BS15 4EJ
Tel: (0117) 9677191

Lawrence Hill Health Centre —3C **70**
Hassell Dri.,
Lawrence Hill,
Bristol, Avon, BS2 0AN
Tel: (0117) 9555241

Montpelier Health Centre —1A **70**
Bath Buildings, Montpelier,
Bristol, BS6 5PT
Tel: (0117) 9426811

Nailsea Health Centre —3D **123**
Somerset Sq.,
Nailsea, BS19 2EY
Tel: (01275) 856611

PAULTON HOSPITAL —5C **146**
Salisbury Rd.,
Paulton, BS39 7SB
Tel: (01761) 412315

Portishead Health Centre —3F **49**
Victoria Sq., Portishead,
Bristol, BS20 9AQ
Tel: (01275) 847474

ROBERT SMITH UNIT DAY HOSPITAL
—3C **68**
Mortimer Rd.,
Bristol, BS8 4EX
Tel: (0117) 9735004

ROYAL NATIONAL HOSPITAL FOR
RHEUMATIC DISEASES
—3A **106** (3B **96**)
Upper Borough Walls,
Bath, BA1 1RL
Tel: (01225) 465941

ROYAL UNITED HOSPITAL —1C **104**
Combe Pk., Bath,
Avon, BA1 3NG
Tel: (01225) 428331

St George Health Centre —2C **72**
Bellevue Rd., St George,
Bristol, BS5 7PH
Tel: (0117) 9612161

Hospitals and Health Centres

St Johns Lane Health Centre —3A **80**
St Johns La., Bedminster,
Bristol, BS14 8PT
Tel: (0117) 667681

ST MARTIN'S HOSPITAL —3F **109**
Midford Rd., Bath,
BA2 5RP
Tel: (01225) 832383

ST MARY'S HOSPITAL —3D **69**
Upper Byron Pl., Clifton,
Bristol, BS8 1JU
Tel: (0117) 9872727

ST MICHAEL'S HOSPITAL —2E **69**
Southwell St., St Michael's Hill,
Bristol, BS2 8EG
Tel: (0117) 9215411

St Peter's Hospice —3B **80**
St Agnes Av., Knowle,
Bristol, BS4 2DU
Tel: (0117) 9774605

Shirehampton Health Centre —1A **54**
Pembroke Rd., Shirehampton,
Bristol, BS11 0QE
Tel: (0117) 9828181

Southmead Health Centre —2E **41**
Ullswater Rd., Southmead,
Bristol, BS10 6DF
Tel: (0117) 9507000

SOUTHMEAD HOSPITAL —4A **42**
Westbury-on-Trym,
Bristol, BS10 5NB
Tel: (0117) 9505050

Stockwood Health Centre —3A **90**
Hollway Rd.,
Stockwood,
Bristol, BS14 8PT
Tel: (01275) 833103

Thornbury Health Centre —3D **7**
Eastland Rd.,
Thornbury,
BS35 1DP
Tel: (01454) 414477

THORNBURY HOSPITAL —3D **7**
Eastland Rd.,
Thornbury,
BS35 1DN
Tel: (01454) 412636

TROWBRIDGE COMMUNITY HOSPITAL
—1C **118**
Adcroft St., Trowbridge,
BA14 8PH
Tel: (01225) 752558

Trowbridge Family Health Centre
—1D **119**
The Halve, Trowbridge,
BA14 8SA
Tel: (01225) 766161

WESTON GENERAL HOSPITAL —2C **138**
Grange Rd., Uphill,
Weston-Super-Mare,
BS23 4TQ
Tel: (01934) 636363

Whitchurch Health Centre —3C **88**
Armada Rd.,
Whitchurch,
Bristol BS8 2PU
Tel: (01275) 839421

Whiteladies Health Centre —1D **69**
Whatley Rd., Clifton,
Bristol, BS8 1NL
Tel: (0117) 9731201

William Bud Health Centre —5F **79**
Leinster Av., Knowle,
Bristol, BS4 1NL
Tel: (0117) 9633152

Worle Health Centre —3C **128**
125 High St., Worle,
Weston-Super-Mare,
BS22 0HB
Tel: (01934) 510510

Yate Health Centre —5A **18**
21 West Wlk., Yate,
Bristol, BS37 4AX
Tel: (01454) 313374